#자기주도
#중학과학
#개념기초서

시작은
하루 과학

Chunjae
Makes
Chunjae

▼

[시작은 하루 과학] 3-2

저자	강희정, 이유진
편집개발	김은숙, 김은송, 김용하, 박준우, 박유미
디자인총괄	김희정
표지디자인	윤순미, 장미
내지디자인	박희춘, 한유정
제작	황성진, 조규영
발행일	2021년 7월 15일 초판 2021년 7월 15일 1쇄
발행인	(주)천재교육
주소	서울시 금천구 가산로9길 54
신고번호	제2001-000018호
고객센터	1577-0902
교재 내용문의	(02)3282-8718

※ 정답 분실 시에는 천재교육 교재 홈페이지에서 내려받으세요.

3-2

시작은

하루 과학

하루 과학의 구성과 특징

한 주를 시작하며

▎이번 주에는 무엇을 공부할까? ❶, ❷

❶ 공부할 내용 미리보기를 만화로 재미있게 구성하였습니다.

❷ 이전에 배웠던 내용을 삽화로 구성하여 기억을 되살리고, 간단한 퀴즈 문제로 개념을 확인하며 점검합니다.

1일 공부하기 전에
만화와 퀴즈로
재미있는 선수 학습!

한 주를 마무리하며

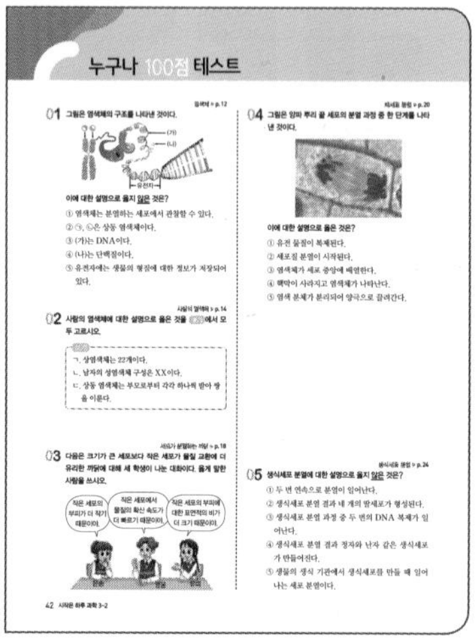

▎누구나 100점 테스트

한 주에 공부한 내용을 바탕으로 다양한 유형의 문제를 풀어보면서 실력을 다지고 학습 내용에 대한 자신감을 기릅니다.

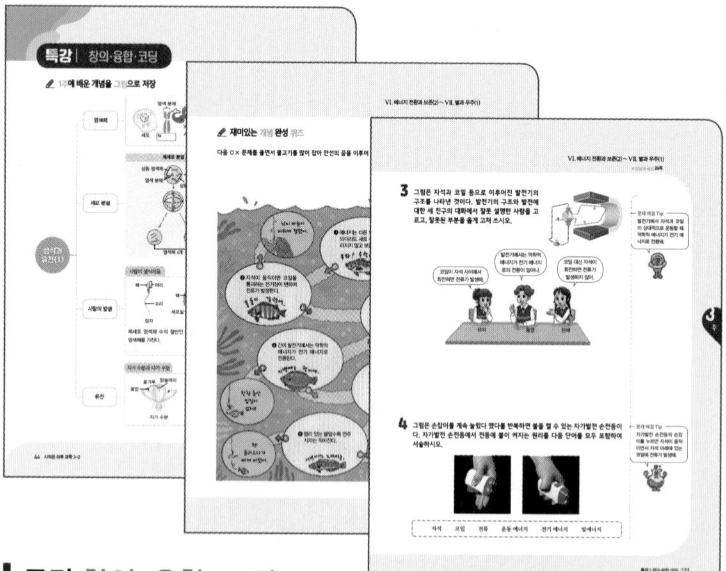

▎특강 창의·융합·코딩

한 주간 배운 개념을 그림과 게임으로 정리하고, 다양한 유형의 창의·융합·코딩 문제를 풀어 보면서 창의력과 문제 해결력을 기를 수 있습니다.

1일~5일 학습

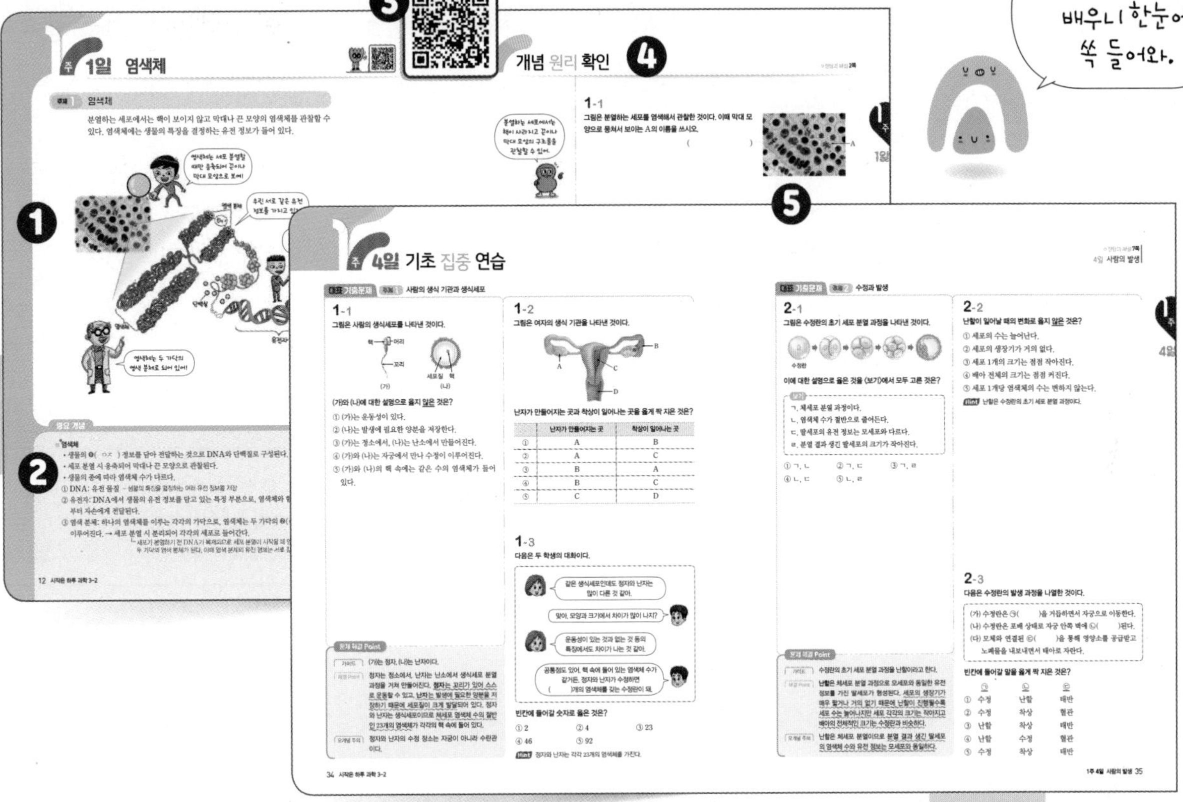

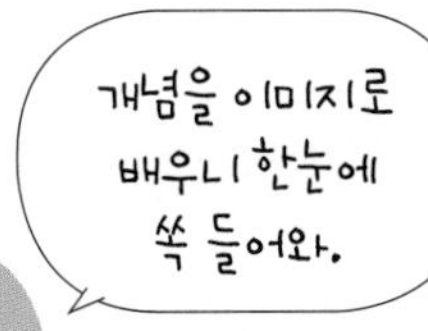

개념 설명 + 개념 원리 확인 + 기초 집중 연습

❶ 꼭 알아야 할 중요 개념을 그림, 만화, 캐릭터의 설명 등을 통해 쉽고 재미있게 이해할 수 있습니다.

❷ 시각 자료로 이해한 내용과 관련된 핵심 개념을 정리하고, 빈칸 채우기로 확인할 수 있습니다.

❸ 개념 동영상을 볼 수 있는 QR 코드로 개념을 더 쉽고 재미있게 공부할 수 있습니다.

❹ 개념 원리 확인 문제를 풀어 보면서 개념을 확실하게 익힙니다.

❺ 대표 기출 문제와 연습 문제를 풀어 보면서 공부한 개념을 점검하고 응용력을 키울 수 있습니다.

하루 과학의 **차례 3-2**

1주

2주

3주

4주

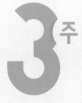

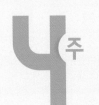

하루 과학 3-2와 내 교과서 비교하기

하루 과학 3-2로 학교 진도에 따라 예습하거나 복습할 수 있어! 이때 내 과학 교과서 출판사명과 진도 범위를 확인하는 거야. 예를 들어 천재교과서 219~221쪽 까지가 진도 범위이면 하루 과학 3-2는 2주차 4일에 해당하는 72~77쪽 을 공부하면 돼.

대단원		일차별 학습 주제	하루 과학 3-2(쪽)	천재교과서(쪽)
V. 생식과 유전	1주	1일 염색체	12~17	181~183
		2일 체세포 분열	18~23	184~189
		3일 생식세포 분열	24~29	190~195
		4일 사람의 발생	30~35	196~199
		5일 유전	36~41	203~204
	2주	1일 멘델의 유전 원리(1)	54~59	205~206
		2일 멘델의 유전 원리(2)	60~65	207~212
		3일 사람의 유전(1)	66~71	213~218
		4일 사람의 유전(2)	72~77	219~221
VI. 에너지 전환과 보존		5일 역학적 에너지 전환과 보존	78~83	231~233
	3주	1일 여러 가지 에너지 전환과 보존	96~101	234~236
		2일 전기 에너지의 발생	102~107	239~240
		3일 전기 에너지의 전환	108~113	241~243
		4일 전기 에너지의 이용	114~119	244~245
VII. 별과 우주		5일 별까지의 거리	120~125	255~260
	4주	1일 별의 밝기와 색	138~143	260~263
		2일 우리 은하의 구성 천체	144~149	264~267
		3일 우주의 팽창	150~155	271~273
		4일 우주 탐사	156~161	274~277
VIII. 과학 기술과 인류 문명		5일 과학 기술과 인류 문명	162~167	286~295

비상교육(쪽)	미래엔(쪽)	동아출판(쪽)
164	178~179	172~173
162~163, 165~167	172~177	169~171, 174~177
168~169	184~186	178~181
170~171	188~189	182~186
176~177	190	189~190
177~178	191	191
178~181	192~197	192~195
182~189	198~200	196~199
—	201~203	200~203
198~203	214~219	215~221
214~215	232~235	228~231
208~210	220~221	225~227
212~213	222~227	232~233
216~217	228~230	234~237
226~229	246~251	249~253
230~233	251~255	254~257
238~243	256~259	261~264
244~247	260~264	266~267
252~257	266~271	268~272
266~275	282~295	282~295

주

1주에는 무엇을 공부할까? 1

배울 내용

1일	염색체	4일	사람의 발생
2일	체세포 분열	5일	유전
3일	생식세포 분열		

이전 학년 내용

1주에는 무엇을 공부할까? 2

염색체

이 차의 설계도야.
우리 몸에도 생명 활동에 필요한 설계도가 있어.
나야 나! 우리 몸의 설계도!
염색체

Quiz 1

우리 몸의 세포에는 생물의 유전 정보를 담아 전달하는 (　　　　　)가 있다.

체세포 분열

너는 정말 조그맣구나!
나는 하나였다가
한 번 분열해서 두 개가 돼.
복제
체세포
너나 나나 세포 크기는 비슷하거든?

Quiz 2

생물의 몸을 구성하는 세포를 (　　　　　)라고 한다.

Quiz 3

생물의 몸을 구성하는 체세포가 둘로 나누어지는 과정을 (　　　　　) 분열이라고 한다.

답 1. 염색체 2. 체세포 3. 체세포

생식세포 분열

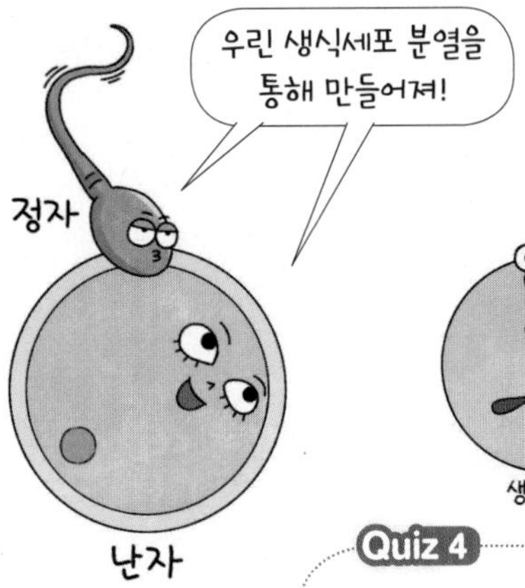

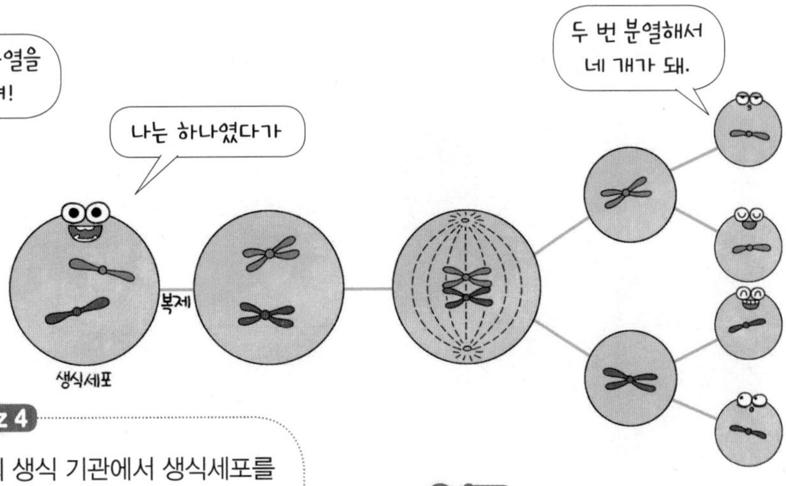

Quiz 4

생물의 생식 기관에서 생식세포를 만들 때 일어나는 세포 분열을 (　　　　　) 분열이라고 한다.

Quiz 5

사람의 생식세포에는 정자와 (　　　　　)가 있다.

유전

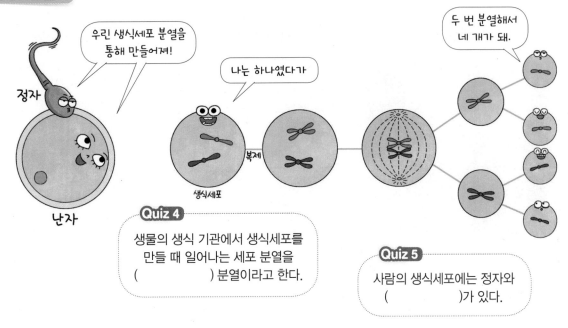

어? 누나 사진이네?
엄마 어렸을 때 사진이란다.
똑같이 생겼어!
내 사진인지 알았네.

Quiz 6

부모의 형질이 자손으로 전달되는 현상을 (　　　　　)이라고 한다.

답 **4.** 생식세포 **5.** 난자 **6.** 유전

주제 1 염색체

분열하는 세포에서는 핵이 보이지 않고 막대나 끈 모양의 염색체를 관찰할 수 있다. 염색체에는 생물의 특징을 결정하는 유전 정보가 들어 있다.

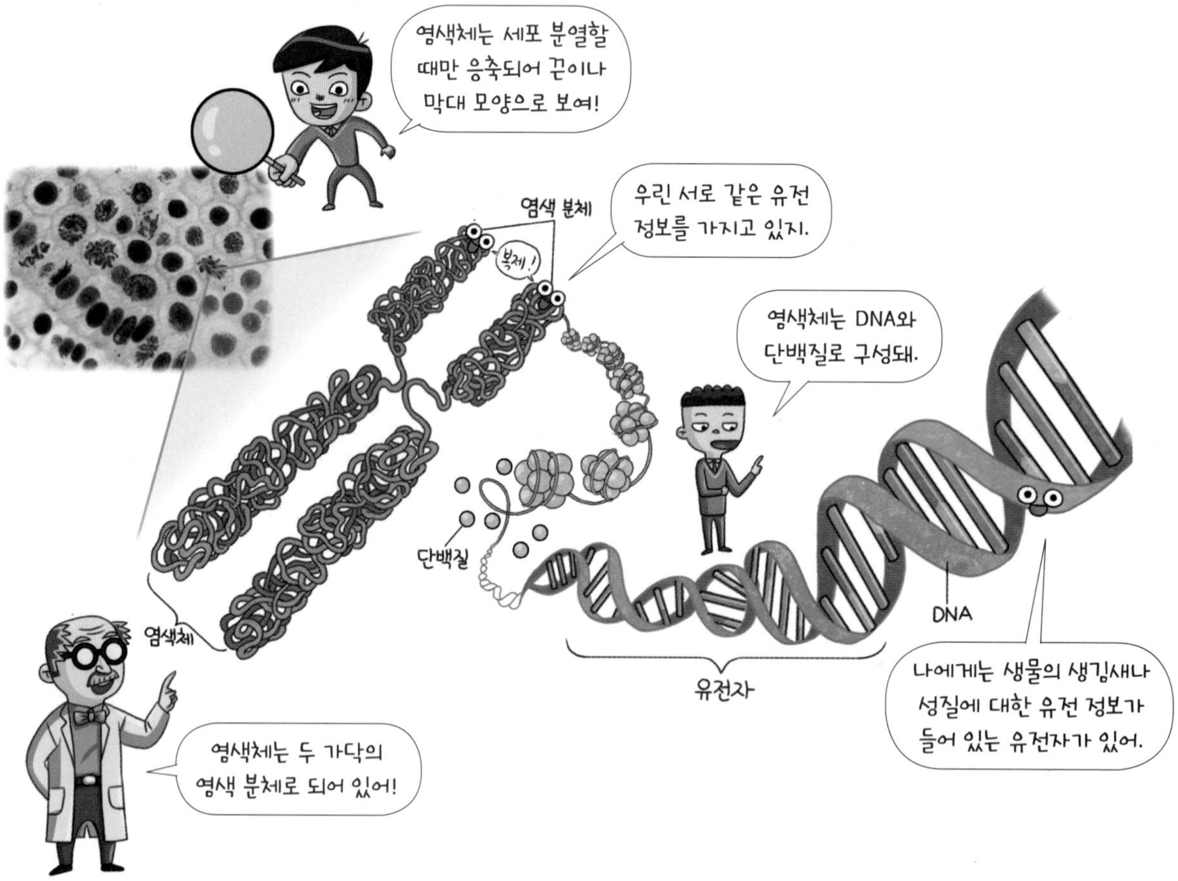

중요 개념

염색체

- 생물의 ❶(ㅇㅈ) 정보를 담아 전달하는 것으로 DNA와 단백질로 구성된다.
- 세포 분열 시 응축되어 막대나 끈 모양으로 관찰된다.
- 생물의 종에 따라 염색체 수가 다르다.

① DNA: 유전 물질 – 생물의 특징을 결정하는 여러 유전 정보를 저장

② 유전자: DNA에서 생물의 유전 정보를 담고 있는 특정 부분으로, 염색체와 함께 부모로부터 자손에게 전달된다.

③ 염색 분체: 하나의 염색체를 이루는 각각의 가닥으로, 염색체는 두 가닥의 ❷(ㅇㅅ ㅂㅊ)로 이루어진다. → 세포 분열 시 분리되어 각각의 세포로 들어간다.

└ 세포가 분열하기 전 DNA가 복제되므로 세포 분열이 시작될 때 염색체는 두 가닥의 염색 분체가 된다. 이때 염색 분체의 유전 정보는 서로 같다.

Tip

염색체에는 유전자가 하나만 있을까?

➡ 적게는 수백 개, 많게는 수천 개의 유전자가 하나의 염색체의 특정 위치에 존재한다.

답 ❶ 유전 ❷ 염색 분체

개념 원리 확인

○ 정답과 해설 2쪽

분열하는 세포에서는 핵이 사라지고 끈이나 막대 모양의 구조물을 관찰할 수 있어.

1-1

그림은 분열하는 세포를 염색해서 관찰한 것이다. 이때 막대 모양으로 뭉쳐서 보이는 A의 이름을 쓰시오.

( )

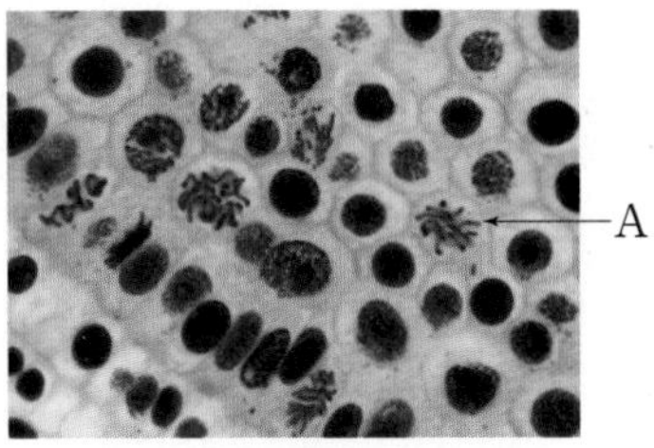
A

세포는 분열하기 전에 DNA가 복제되므로 유전 물질의 양이 2배로 증가해.

1-2

다음은 오른쪽의 염색체를 보고 두 학생이 나눈 대화이다. 빈칸에 알맞은 말을 쓰시오.

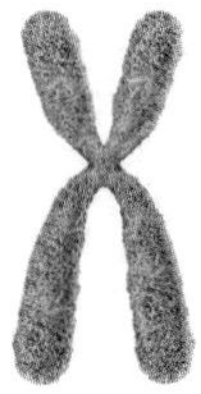

- 염색체는 세포 분열할 때만 응축되어서 나타나.
- 그럼 분열하기 전에는 보이지 않겠네?
- 응, 분열하기 전에는 그냥 둥근 핵만 보이거든.
- 염색체는 유전 정보가 서로 같은 두 가닥의 ( )로 이루어져 있지?
- 응, 분열하기 전에 DNA가 복제되거든.

용어 풀이

＊ **염색체**(染 물들, 色 빛, 體 몸, chromosome): 염색체는 색깔(color)을 뜻하는 그리스어 크로마(chroma)와 몸(body)을 의미하는 소마(soma)의 합성어로, 특정 염색액을 흡수해서 현미경으로 관찰할 때 구별이 가능하기 때문에 염색체라고 명명했다.

1-3

그림은 염색체의 구조를 나타낸 것이다.

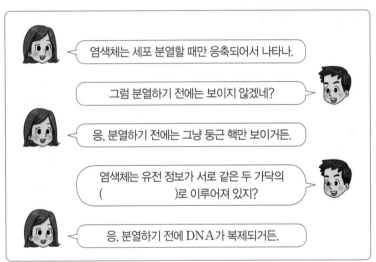

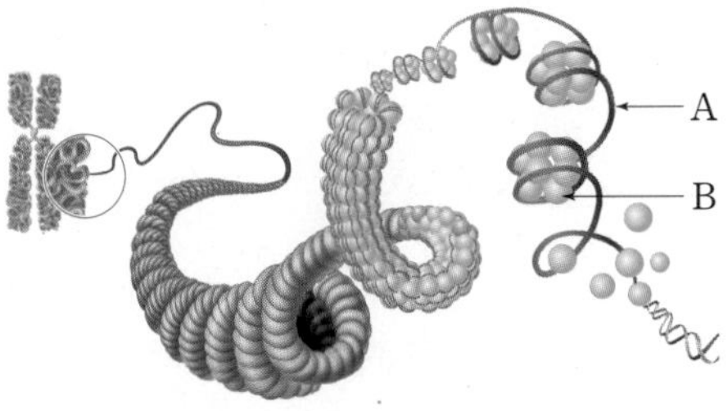
A
B

(1) A와 B는 각각 무엇인지 쓰시오.

• A: ( )

• B: ( )

(2) A와 B 중 유전 정보를 저장하는 곳을 쓰시오.

( )

1주 1일 염색체

주제 2 사람의 염색체

생물마다 염색체 수는 정해져 있으며, 사람의 체세포에는 똑같은 모양과 크기의 염색체 쌍이 총 23쌍(46개) 있다.

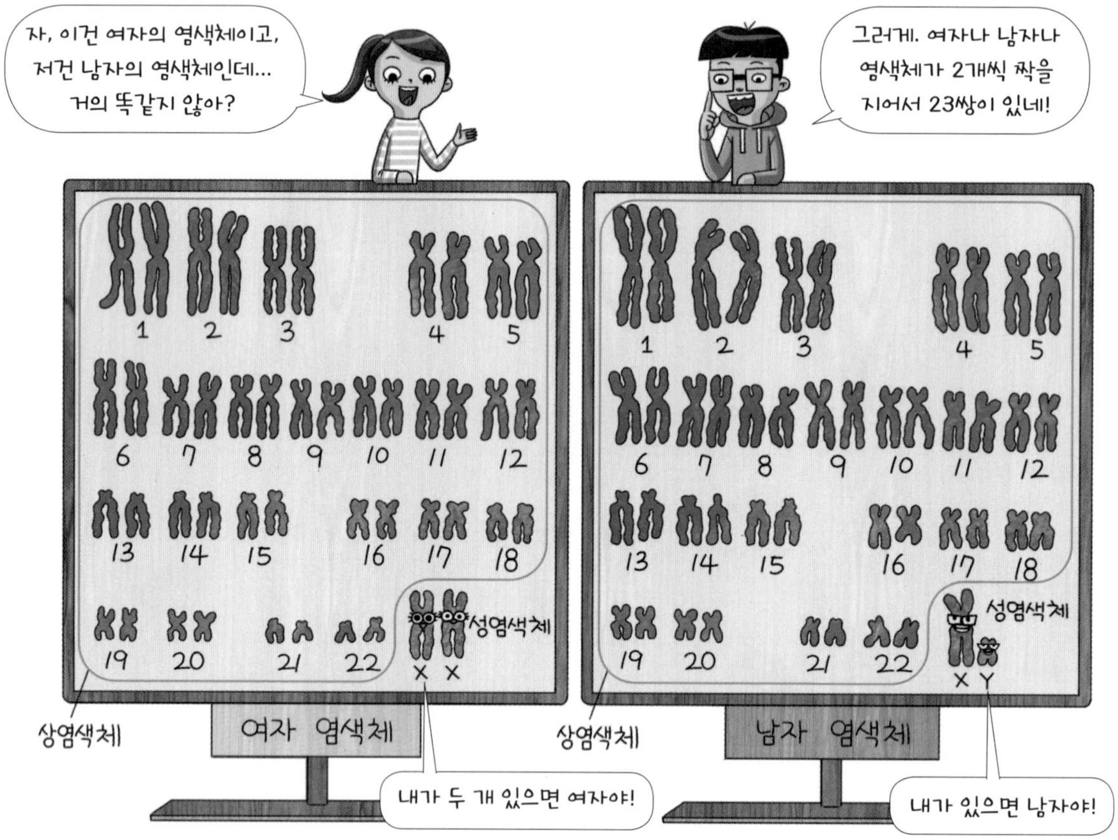

중요 개념

● **사람의 염색체**

- 1개의 체세포에는 46개의 염색체가 있으며 2개씩 짝을 지어 23쌍(상염색체 22쌍+성염색체 1쌍)으로 정렬할 수 있다. (23쌍 – 상동 염색체)
- 체세포에 들어 있는 염색체 수와 모양은 생물의 종에 따라 다르고, 같은 종의 생물에서는 모두 같다.

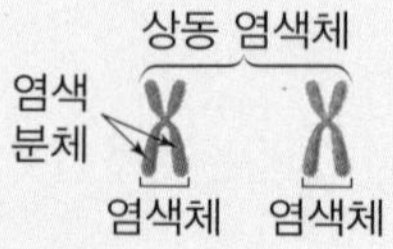

*상동 염색체	• 체세포에서 쌍을 이루고 있는 모양과 크기가 같은 2개의 염색체 • 하나는 어머니에게서, 다른 하나는 ❶(ㅇㅂㅈ)에게서 물려받은 것이다.
상염색체	• 남녀 공통으로 가지는 44개의 염색체 – 1~22번 염색체 22쌍
성염색체	• 성을 결정하는 염색체로 2개(1쌍)가 있다. • 여자는 2개의 ❷( ) 염색체를 가지며(XX), 남자는 X 염색체와 Y 염색체를 각각 하나씩 갖는다(XY).

Tip

남자의 X 염색체와 Y 염색체는 모양과 크기가 다른데 상동 염색체로 짝을 이루는 까닭은?

➡ 생식세포를 형성할 때 서로 접합하여 2가 염색체를 형성했다가 분리되어 각각의 딸세포로 전달되므로 상동으로 간주한다.

답 ❶ 아버지 ❷ X

개념 원리 확인

○ 정답과 해설 2쪽

체세포에는 23쌍의 상동 염색체가 있고 그중 1쌍이 성염색체, 나머지 22쌍은 상염색체야.

2-1

사람의 염색체에 대한 용어와 그에 해당하는 설명을 옳게 연결하시오.

(1) 상염색체 · · ㉠ X 염색체와 Y 염색체

(2) 성염색체 · · ㉡ 남녀가 공통으로 가지는 염색체

(3) 상동 염색체 · · ㉢ 체세포에 들어 있는 모양과 크기가 같은 한 쌍의 염색체

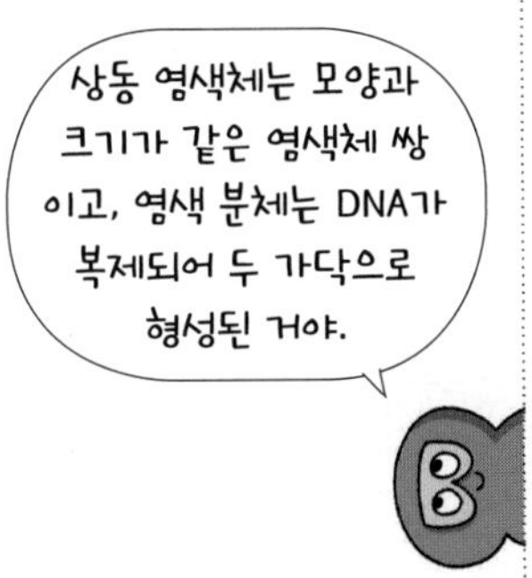

2-2

그림은 사람의 1번 염색체를 나타낸 것이다.

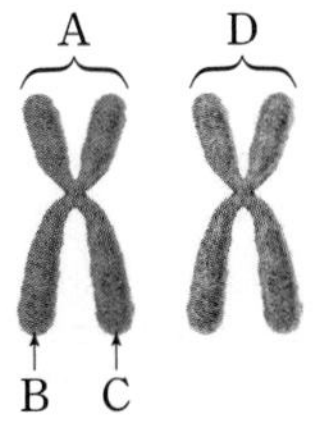

(1) A~D 중 상동 염색체 관계인 것을 2개 고르시오. (　　　　　　　)

(2) A~D 중 염색 분체 관계인 것을 2개 고르시오. (　　　　　　　)

2-3

그림은 어떤 사람의 염색체 구성을 나타낸 것이다.

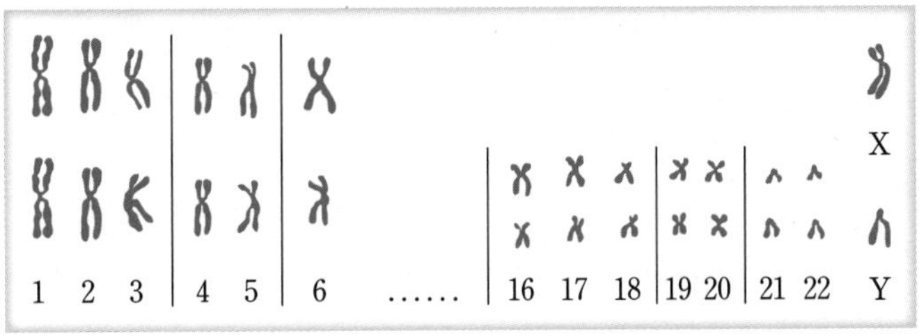

이 사람의 성별은 무엇인지 쓰시오. (　　　　　　　)

용어 풀이

* **상동**(相 서로, 同 같을) **염색체**: 세포의 핵 내에 존재하며 모양과 크기가 같은 한 쌍의 염색체로, 생식 세포 분열 과정에서 상동 염색체는 접합하여 2가 염색체를 형성한다.

1주 1일 기초 집중 연습

대표 기출문제 주제 1 염색체

1-1

그림은 양파 뿌리 끝 세포를 염색하여 현미경으로 관찰한 것이다.

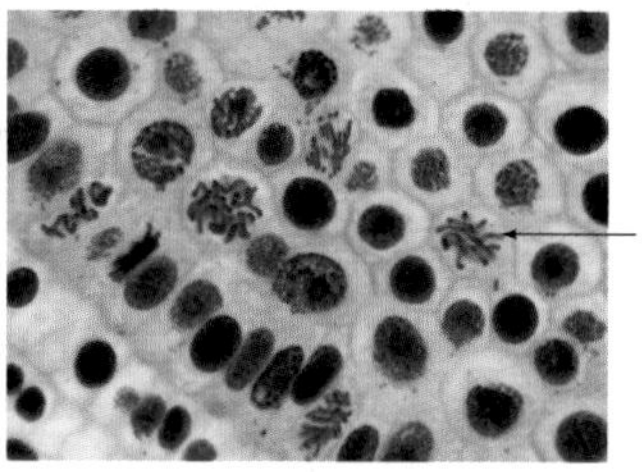

(가)에 대한 설명으로 옳은 것을 보기 에서 모두 고른 것은?

보기

ㄱ. DNA로만 구성된다.
ㄴ. 유전 정보가 들어 있다.
ㄷ. 하나의 염색체를 이루는 두 염색 분체는 유전 정보가 서로 다르다.
ㄹ. 같은 종인 생물의 체세포 핵에 들어 있는 (가)의 개수는 동일하다.

① ㄱ, ㄴ ② ㄱ, ㄷ ③ ㄴ, ㄷ
④ ㄴ, ㄹ ⑤ ㄷ, ㄹ

문제 해결 Point

가이드 (가)는 분열하는 세포에서 관찰되는 염색체이다.

해결 Point **염색체**는 세포가 분열하지 않을 때에는 핵 속에 가는 실처럼 풀어져 있다가 세포 분열 전기에 굵고 짧게 뭉쳐져 막대 모양으로 나타나며, DNA와 단백질로 구성된다. DNA에는 생물의 특징에 대한 유전 정보가 담겨 있다. 염색체의 수는 생물종에 따라 고유하므로 같은 종인 생물의 체세포 핵에는 동일한 개수의 염색체가 들어 있다.

오개념 주의 하나의 염색체를 이루는 두 염색 분체는 세포가 분열하기 전에 DNA가 복제되어 형성된 것이므로 유전 정보가 서로 같다.

1-2

그림은 염색체의 구조를 나타낸 것이다.

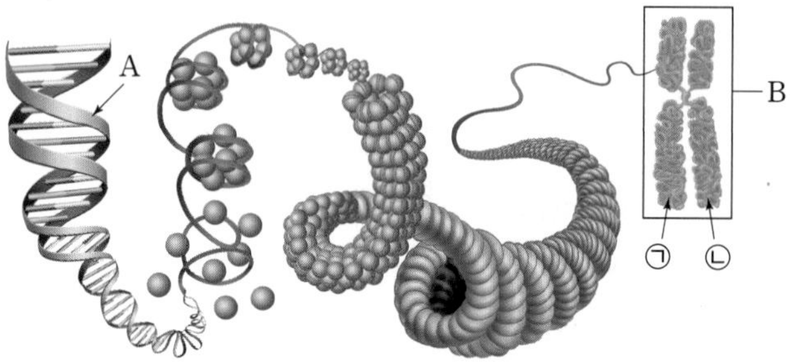

(1) A는 무엇인지 쓰시오. ( )
(2) B의 ㉠, ㉡의 유전자 구성은 서로 (같다 / 다르다).

1-3

다음은 두 학생의 대화를 나타낸 것이다. 빈칸에 알맞은 말을 쓰시오.

Hint 염색체는 세포가 분열할 때만 끈이나 막대 모양으로 관찰된다.

대표 기출문제 주제 2 사람의 염색체

2-1

그림은 여자의 염색체 구성을 나타낸 것이다.

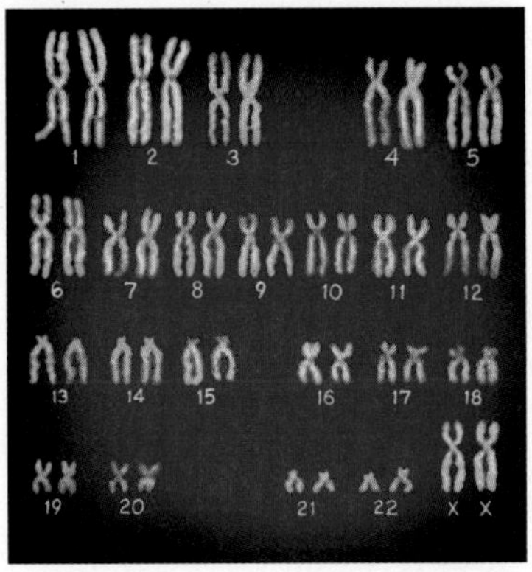

이에 대한 설명으로 옳은 것을 보기 에서 모두 고른 것은?

보기
ㄱ. 염색체 개수는 46개이다.
ㄴ. 46개의 상염색체가 있다.
ㄷ. 아버지로부터 23개의 염색체를 물려받았다.
ㄹ. 크기와 모양이 다른 2개의 성염색체를 가진다.

① ㄱ, ㄷ　② ㄱ, ㄹ　③ ㄴ, ㄷ
④ ㄴ, ㄹ　⑤ ㄷ, ㄹ

문제 해결 Point

가이드 그림의 염색체 중 XX는 성염색체이고 나머지는 상염색체이다.

해결 Point 사람의 염색체 수는 46개(상동 염색체 23쌍)이다. 이 중에서 22쌍은 남녀 공통으로 있는 **상염색체**이고, 나머지 한 쌍은 **성염색체**이다. 성염색체로는 X 염색체와 Y 염색체가 있으며, 성염색체 구성이 XY이면 남자, XX이면 여자이다.
여자의 염색체는 어머니와 아버지로부터 각각 23개(22개의 상염색체+한 개의 성염색체(X))의 염색체를 물려받아 46개이다.

오개념 주의 46개의 염색체 중 성염색체 1쌍을 제외하고 44개(22쌍)의 상염색체를 가진다. 여자의 성염색체 구성은 XX로, 크기와 모양이 같은 2개의 성염색체를 가진다.

2-2

다음은 오른쪽 그림을 보고 두 학생이 나눈 대화이다. 옳지 않게 말한 사람을 쓰고, 대화 내용을 옳게 고치시오.

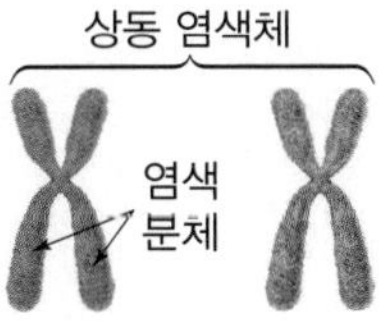

Hint 염색 분체는 DNA가 복제되어 형성된 것이다.

2-3

그림은 어느 동물 체세포가 가지는 염색체를 모두 나타낸 것이다. (이 동물의 성염색체 구성은 암컷이 XX, 수컷이 XY로 사람과 동일하다.)

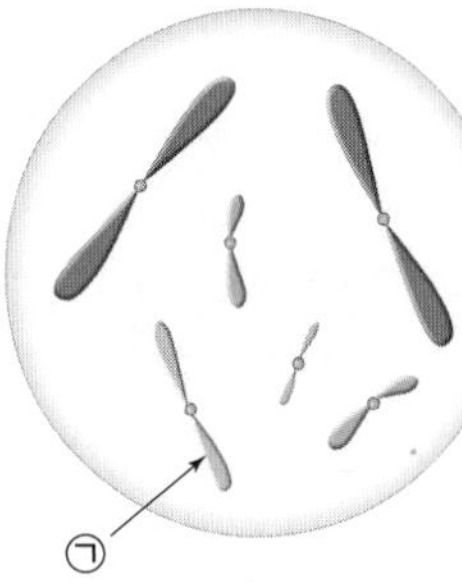

(1) 이 체세포에 들어 있는 염색체 수를 쓰시오.
(2) 이 체세포의 상염색체 수를 쓰시오.
(3) ㉠ 염색체는 (상염색체 / 성염색체)이다.

체세포 분열

주제 1 세포 분열

세포의 크기가 커지면 부피에 대한 표면적의 비가 줄어들어 물질 교환이 잘 일어나지 못하므로 세포가 어느 정도 커지면 분열하여 수를 늘리는 세포 분열이 일어난다.

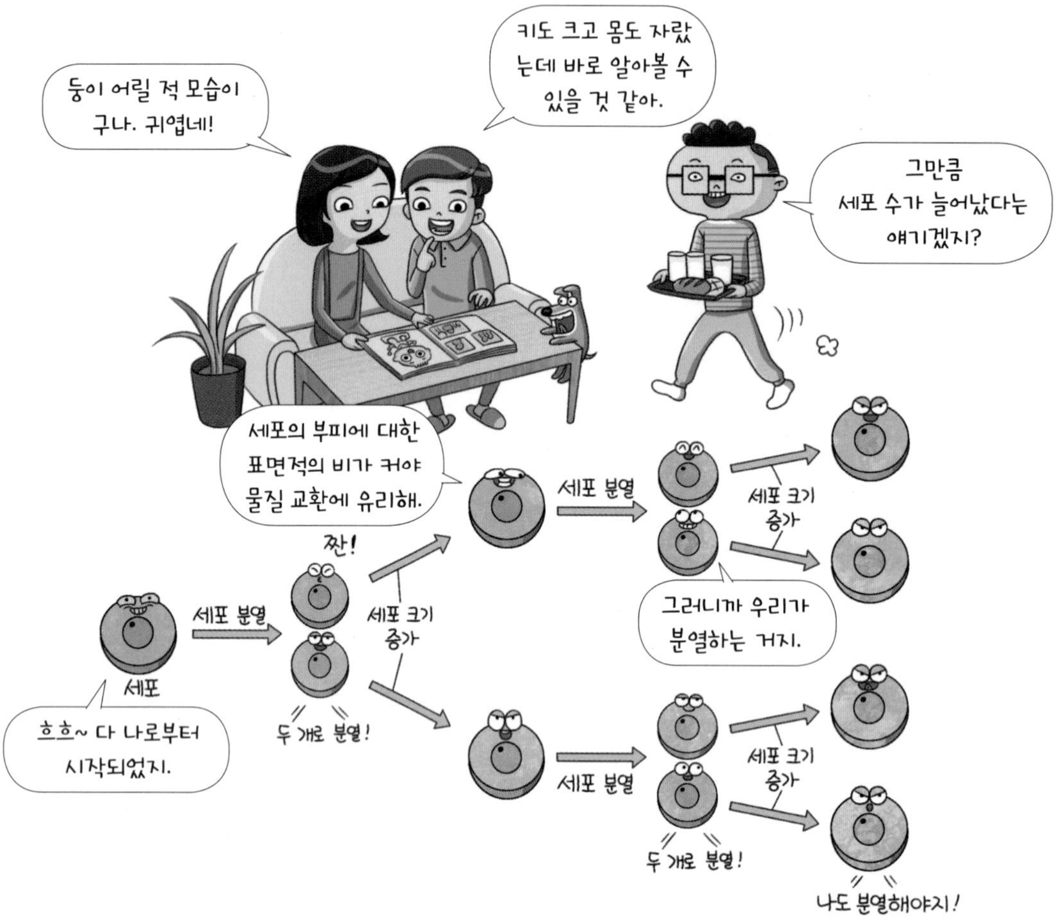

중요 개념

- **세포 분열** 세포 하나가 둘로 나누어지는 현상 — 분열 전의 세포를 모세포, 분열하여 생긴 새로운 세포를 딸세포라고 한다.
  - 세포 주기: 분열을 마친 세포가 자라서 다시 세포 분열을 마치기까지의 과정 (간기와 분열기로 구분)
  - *생장: 생물의 생장은 세포의 크기가 계속 커져서가 아니라 세포 분열로 세포의 수가 늘어나서 일어난다. 예 성장기에 키가 자란다.
  - 재생: 상처가 난 곳에 새로운 세포를 만들어 상처가 아물게 한다. 예 꼬리 잘린 도마뱀의 꼬리가 새로 자란다.
- **세포가 분열하는 까닭** 세포가 커질수록 부피에 대한 ❶(ㅍㅁㅈ)의 비가 작아져 물질 교환이 잘 일어나지 못한다. → 세포는 어느 정도 크기 이상 자라면 ❷(ㅂㅇ)을 하여 그 수를 늘린다. ➡ 효율적으로 물질 교환이 일어나도록 한다.

Tip

동물의 몸집이 차이나는 까닭

➡ 몸집이 큰 동물은 작은 동물에 비해 세포의 수가 많다. 이때 세포의 크기는 거의 비슷하다.

답 ❶ 표면적 ❷ 분열

개념 원리 확인

○ 정답과 해설 3쪽

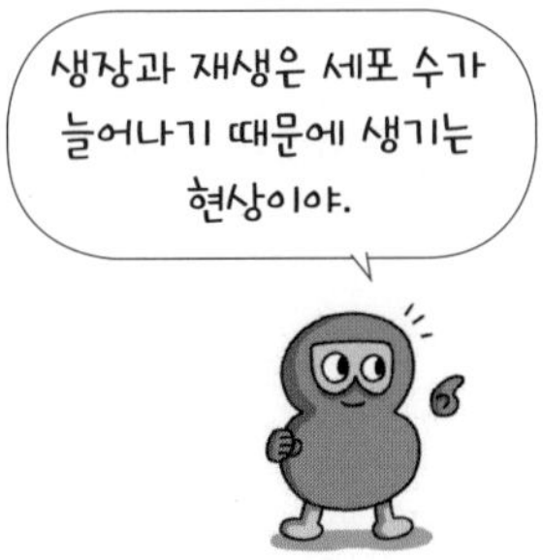

1-1

그림은 생물에서 일어나는 여러 가지 생명 활동을 나타낸 것이다.

씨앗에서 뿌리, 줄기, 잎이 자란다.	도마뱀의 꼬리가 새로 자란다.	성장기에 키가 자란다.

다음은 위의 생명 활동들에서 나타나는 공통적인 생명 현상에 대한 것이다. 빈칸에 알맞은 말을 쓰시오.

(　　　　　　　　　　)이 일어난다.

1-2

다음은 세포의 부피와 표면적 간의 관계를 알아보기 위한 실험 과정이다.

		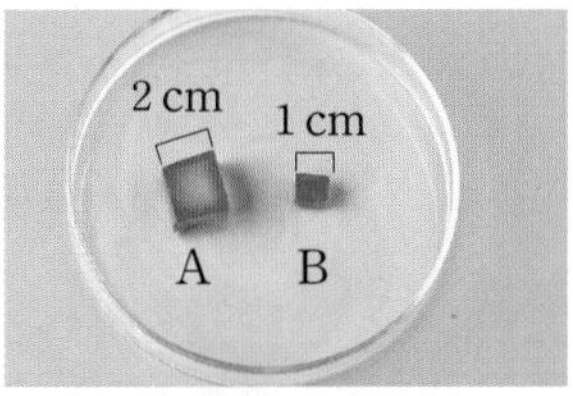
1 우무 덩어리로 한 변의 길이가 2 cm인 정육면체 조각을 두 개 만든다.	2 하나는 그대로, 나머지 하나는 8등분하여 식용 색소 용액에 담근다.	3 15분 정도 지난 후 꺼낸 우무 덩어리의 중앙을 칼로 잘라 색소가 스며든 정도를 비교한다.

(1) 다음은 위의 A, B 우무 조각의 표면적, 부피, $\frac{\text{표면적}}{\text{부피}}$ 관계를 표로 나타낸 것이다. 빈칸에 알맞은 말을 쓰시오.

구분	A(한 변의 길이 2 cm)	B(한 변의 길이 1 cm)
표면적(cm^2)	$2^2 \times 6 = 24$	$1^2 \times 6 = 6$
부피(cm^3)	$2^3 = 8$	$1^3 = 1$
$\frac{\text{표면적}}{\text{부피}}$	㉠ (　　)	㉡ (　　)

(2) A와 B 중 부피에 대한 표면적의 비가 더 큰 것은 무엇인지 쓰시오. (　　　　　　)

(3) A와 B를 각각 하나의 세포라고 할 때 물질 교환이 더 잘 일어나는 것은 무엇인지 쓰시오.

(　　　　　　)

용어 풀이

* **생장**(生 날, 長 길): 생물의 몸이 자라는 현상으로, 세포 분열에 의해 세포 수가 늘어나면 생물은 생장하게 된다.

주 2일 체세포 분열

주제 2 체세포 분열

체세포 분열 과정은 생물의 몸을 구성하는 체세포가 둘로 나누어지는 과정으로, 분열 결과 모세포와 동일한 유전 정보를 가지는 2개의 딸세포가 형성된다.

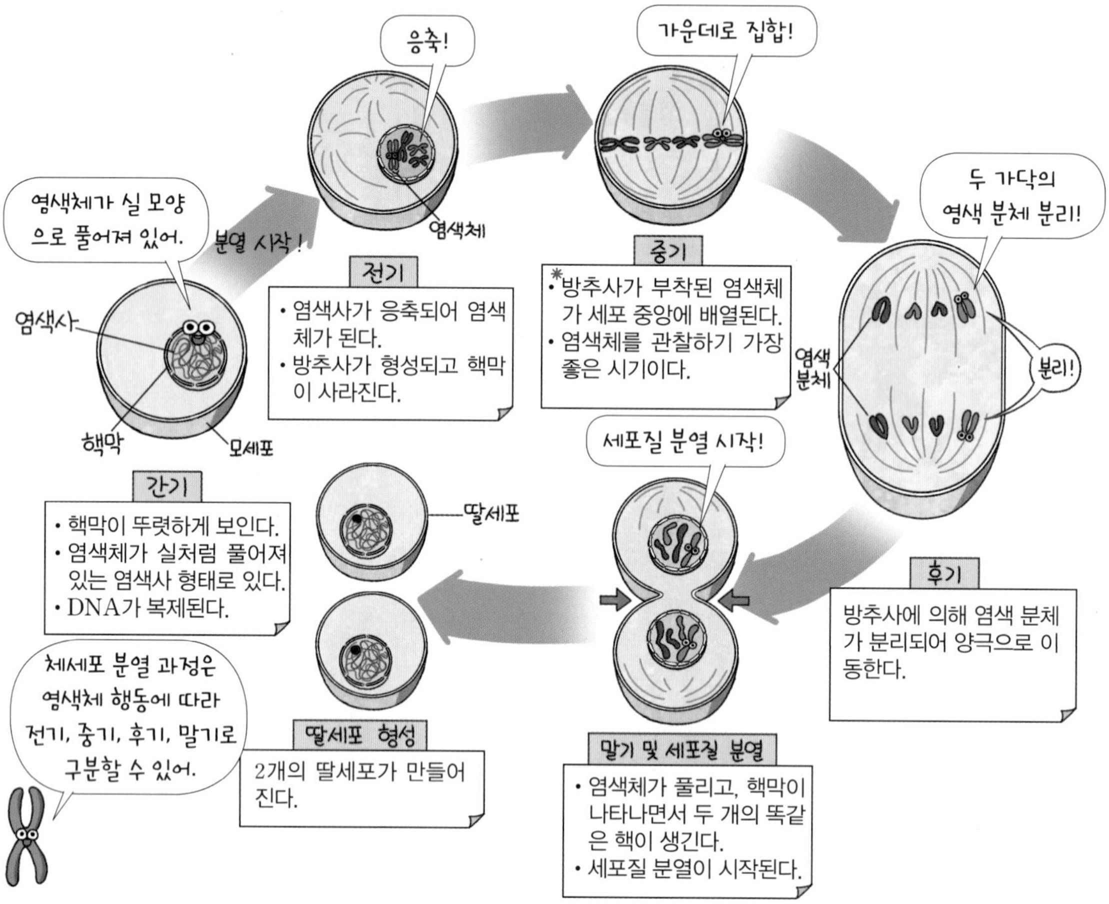

중요 개념

- **체세포 분열 과정** 간기(분열 전) → 핵분열(전기 → 중기 → 후기 → 말기) → 세포질 분열
  - 간기: DNA(유전 물질)가 복제되면서 세포 분열을 준비하는 시기이다.
  - (1) 핵분열: 염색체의 모양과 행동에 따라 전기, ❶(ㅈㄱ), 후기, 말기로 구분한다.
  - (2) 세포질 분열: 핵분열 말기에 세포질 분열이 진행된다.

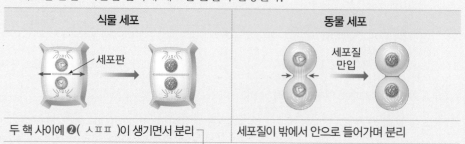

식물 세포	동물 세포
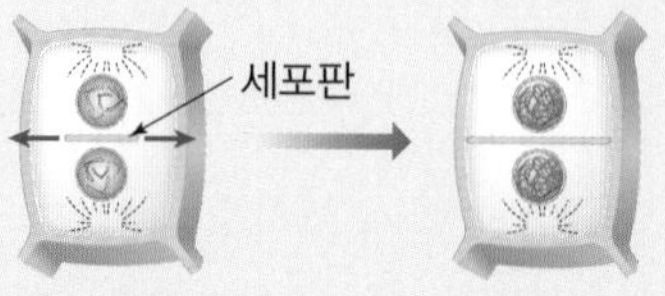	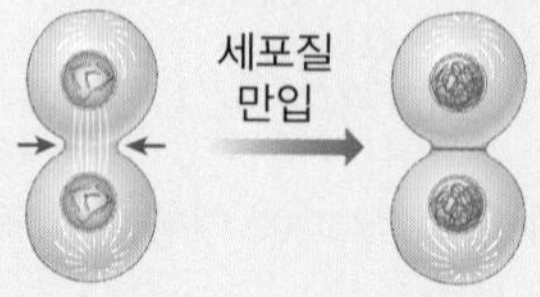
두 핵 사이에 ❷(ㅅㅍㅍ)이 생기면서 분리	세포질이 밖에서 안으로 들어가며 분리

두꺼운 세포벽이 존재하기 때문

Tip

단세포 생물이 체세포 분열을 하면?

➡ 체세포 분열로 생긴 딸세포가 새로운 개체가 되므로 생식의 과정이 된다.

답 ❶ 중기 ❷ 세포판

개념 원리 확인

정답과 해설 3쪽

전기, 중기, 후기, 말기에서 나타나는 염색체 행동의 특징을 알고 있어야 해.

2-1

그림은 체세포 분열의 과정을 순서 없이 나타낸 것이다.

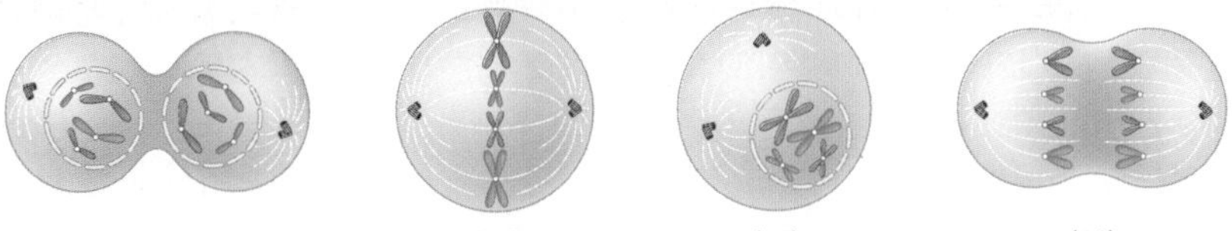

(가) (나) (다) (라)

(가)~(라) 중 전기, 중기, 후기, 말기에 해당하는 것을 각각 쓰시오.

간기	전기	중기	후기	말기
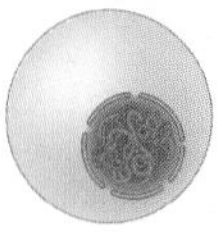				

양파의 뿌리 끝은 관찰하기 전에 고정 → 해리 → 염색 → 분리 → 압착의 과정을 거쳐.

2-2

그림은 양파의 뿌리 끝에서 체세포 분열을 관찰하기 위한 실험 과정을 나타낸 것이다.

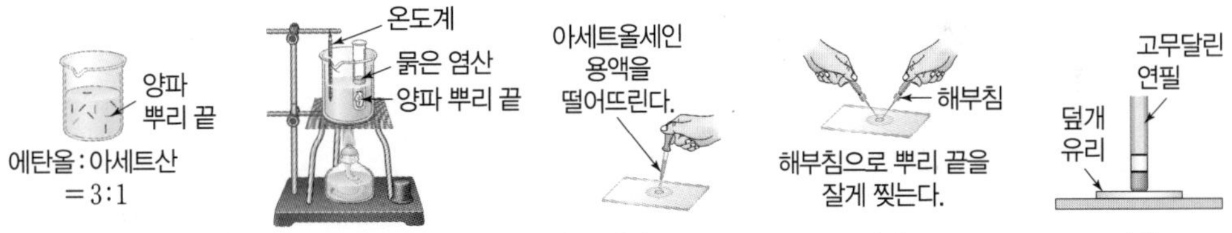

(가) (나) (다) (라) (마)

(1) (가)~(마) 중 염색체를 염색하기 위해 필요한 단계를 쓰시오.

(   )

(2) 다음은 위의 실험에 대한 두 학생의 대화이다. 빈칸에 알맞은 말을 쓰시오.

체세포 분열을 관찰하는 실험에서 양파의 뿌리 끝을 사용하는 까닭은 무엇일까?

양파의 뿌리 끝에 특별한 조직이 있어서 그래.

특별한 조직? 그곳에서만 세포 분열이 일어나나?

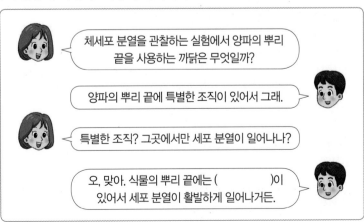

오, 맞아. 식물의 뿌리 끝에는 (   )이 있어서 세포 분열이 활발하게 일어나거든.

용어 풀이

* **방추사**(紡 길쌈, 錘 저울추, 絲 실): 염색체를 이동시키는 가느다란 실 모양의 구조물로, 방추사는 염색체의 잘록한 부분(동원체)에 부착되어 염색체를 이동시킨다.

1주 2일 기초 집중 연습

대표 기출문제 주제 1 세포 분열

1-1

그림은 크기가 다른 우무 조각을 식용 색소가 든 용액에 같은 시간 동안 담갔다가 꺼낸 후 우무 조각의 가운데를 자른 것을 나타낸 것이다.

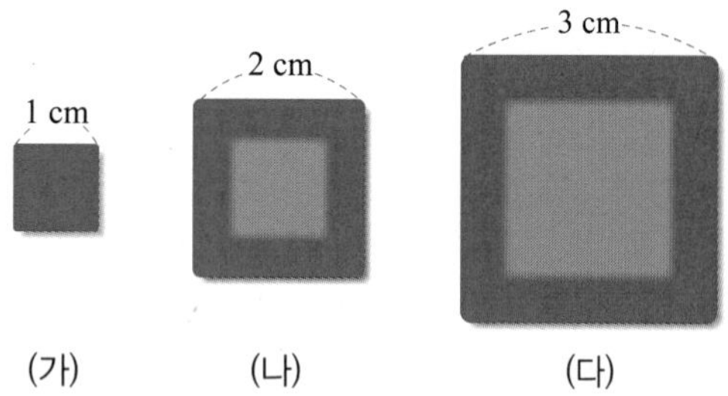

이에 대한 설명으로 옳은 것을 보기 에서 모두 고른 것은?

보기

ㄱ. 색소의 이동 속도는 (가)가 가장 빠르다.
ㄴ. 부피에 대한 표면적의 비는 (다)가 가장 크다.
ㄷ. 세포의 부피에 대한 표면적의 비가 클수록 효과적으로 물질을 교환할 수 있다.

① ㄱ　② ㄴ　③ ㄷ
④ ㄱ, ㄴ　⑤ ㄴ, ㄷ

문제 해결 Point

가이드 세포의 크기에 따른 표면적과 부피와의 관계를 통해 세포 분열이 필요한 까닭을 유추할 수 있다.

해결 Point 식용 색소가 이동하는 속도는 우무 조각의 크기와 상관없이 모두 동일하다. 식용 색소가 우무 안까지 이동한 것은 (가) 뿐이다. 이는 세포의 크기가 작을수록 물질의 교환에 더 유리하다는 것을 의미한다. 세포의 크기가 커질수록 세포의 표면적보다 세포의 부피가 증가하는 비율이 더 크기 때문에 세포막을 통한 물질 교환이 원활하지 못하게 된다. 그렇기 때문에 세포는 어느 정도 커지면 더 이상 커지지 않고 분열하여 세포 수를 늘리는 것이다.

오개념 주의 부피에 대한 표면적의 비는 세포의 크기가 작을수록 커진다.

1-2

다음은 세포가 분열하는 까닭을 나타낸 것이다. 빈칸에 알맞은 말을 쓰시오.

세포에서 물질 교환이 원활하게 일어나기 위해서는 세포의 크기가 계속 커지는 것보다 하나의 세포가 여러 개의 작은 세포로 나누어져 (　　　　)을 늘리는 것이 더 유리하다. 이는 세포가 커질 때 부피가 증가하는 만큼 표면적이 늘어나지 않아 세포막을 통한 물질 교환이 원활하지 못하게 되기 때문이다.

1-3

다음은 두 학생의 대화를 나타낸 것이다. 빈칸에 알맞은 말을 쓰시오.

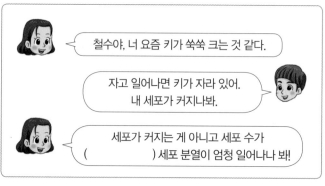

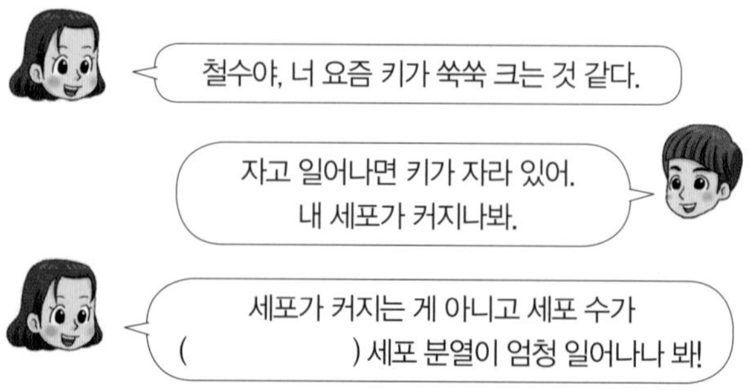

철수야, 너 요즘 키가 쑥쑥 크는 것 같다.
자고 일어나면 키가 자라 있어. 내 세포가 커지나봐.
세포가 커지는 게 아니고 세포 수가 (　　　　　) 세포 분열이 엄청 일어나나 봐!

Hint 생장과 재생이 일어나는 것은 세포가 분열하여 세포 수가 증가하기 때문이다.

대표 기출문제 주제 2 체세포 분열

2-1

그림은 양파 뿌리 끝 생장점의 체세포 분열 과정을 관찰한 결과를 나타낸 것이다.

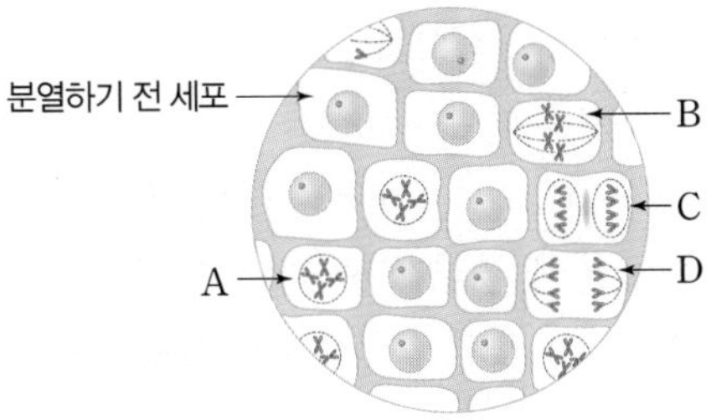
분열하기 전 세포
B
C
A
D

체세포 분열 과정의 순서를 옳게 나열한 것은?

① A → B → C → D
② A → B → D → C
③ B → C → D → A
④ B → D → C → A
⑤ C → D → A → B

문제 해결 Point

가이드 A는 전기, B는 중기, C는 말기, D는 후기이다. 염색체 행동을 중심으로 각 단계에서 나타나는 특징을 알도록 한다.

해결 Point 체세포 분열은 전기(A) → 중기(B) → 후기(D) → 말기(C) 순으로 일어난다. **전기**에서는 염색체가 나타나고, **중기**에서는 염색체가 세포의 중앙에 배열하며, **후기**에서는 염색 분체 두 가닥이 분리되어 각각 양극으로 끌려가고, **말기**에서는 두 개의 딸핵이 생기고 세포질이 분열되기 시작한다.

오개념 주의 체세포 분열에서 나타나는 염색체 모양과 행동에 따라 분열 단계를 구분하도록 한다.

2-2

다음은 오른쪽의 체세포 분열 중인 어느 세포를 보고 두 학생이 나눈 대화이다. 옳게 말한 사람을 쓰시오.

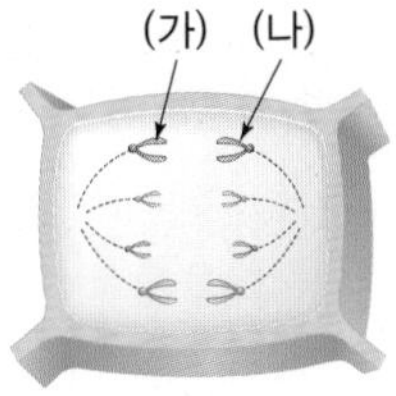
(가)
(나)

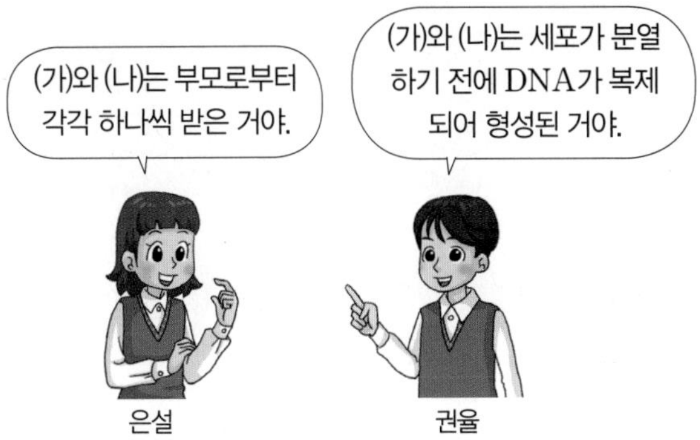
(가)와 (나)는 부모로부터 각각 하나씩 받은 거야.
(가)와 (나)는 세포가 분열하기 전에 DNA가 복제되어 형성된 거야.
은설
권율

Hint (가)와 (나)는 염색 분체이다.

2-3

그림은 식물 세포와 동물 세포의 세포질 분열 과정을 순서 없이 나타낸 것이다.

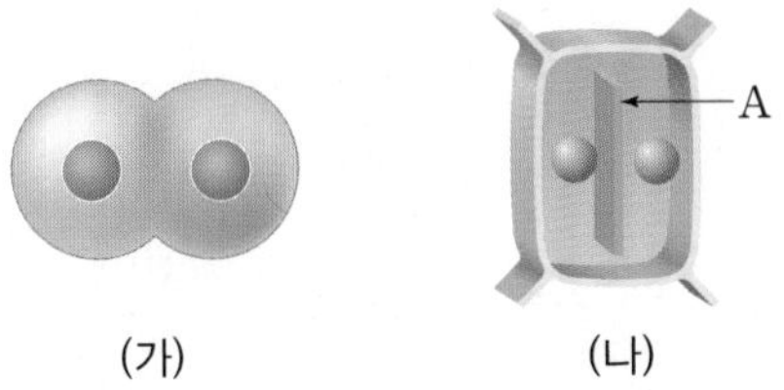
A
(가)
(나)

(1) A의 이름을 쓰시오.

(2) (가)와 (나)는 동물 세포와 식물 세포 중 어느 세포에 해당하는지 각각 쓰시오.

주제 1 생식세포 분열(감수 분열)

동물은 몸에서 정자와 난자와 같은 생식세포를 만든다. 이처럼 생식세포를 만드는 세포 분열을 생식세포 분열이라고 한다.

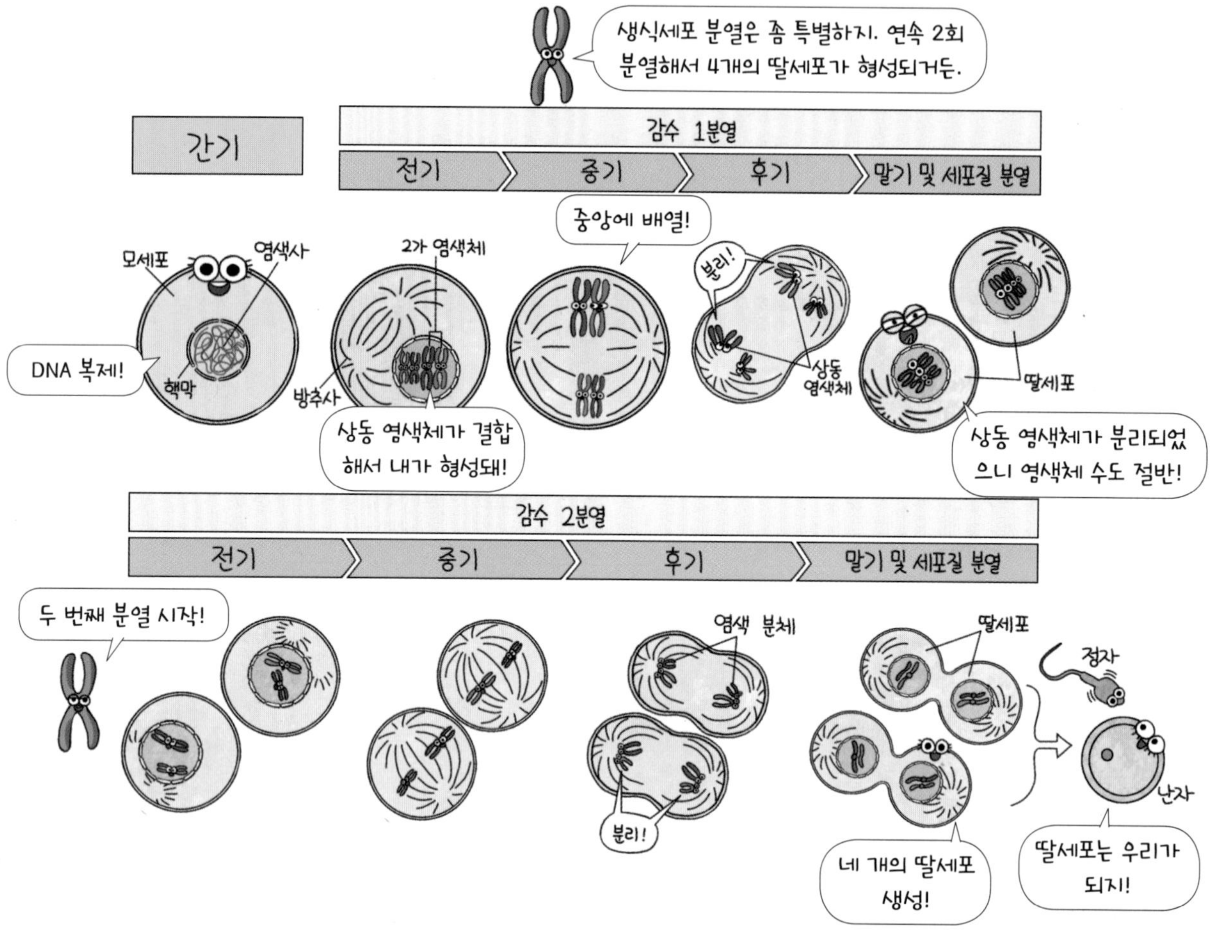

중요 개념

- **생식세포 분열(감수 분열)** 생식 기관(정소, 난소)에서 생식세포를 만들 때 일어나는 세포 분열로, 2번 연속 분열(감수 1분열, 감수 2분열)한다. 생식세포 분열은 생식 기관에서 일어나는데, 동물은 정소와 난소에서, 식물은 밑씨와 꽃밥에서 관찰된다.
  - 분열 결과: 4개의 ❶(ㄸㅅㅍ)를 형성, 딸세포는 모세포의 절반에 해당하는 염색체 수를 가진다.
- **생식세포 분열 과정**
  - 감수 1분열: 전기 상동 염색체가 서로 접합하여 ❷(2ㄱ ㅇㅅㅊ)를 형성 → 중기 *2가 염색체가 세포 중앙에 배열 → 후기 상동 염색체가 서로 분리되어 양쪽 끝으로 이동 → 말기 핵막이 나타나고 세포질 분열이 일어나 2개의 딸세포가 만들어진다.
    - 상동 염색체가 분리되므로 염색체 수가 절반으로 감소한다.
  - 감수 2분열: 전기 1분열 말기 세포의 핵막이 사라지고 DNA 복제 없이 전기가 바로 시작 → 중기 염색체가 세포 중앙에 배열 → 후기 염색 분체가 분리되어 각각의 딸세포로 들어간다. → 말기 핵막이 나타나고 세포질 분열이 일어나 4개의 딸세포가 만들어진다.
    - 염색 분체가 분리되므로 염색체 수는 변하지 않는다.

Tip

세대를 거듭해도 생물의 염색체가 일정하게 유지되는 까닭

➡ 생식세포 분열로 만들어진 생식세포의 염색체 수가 모세포의 절반으로 줄어들기 때문에 부모의 생식세포가 한 개씩 결합하여 생긴 자손의 염색체 수는 부모와 같다.

답 ❶ 딸세포 ❷ 2가 염색체

개념 원리 확인

정답과 해설 5쪽

A는 감수 1분열 전기와 중기에서만 관찰할 수 있어.

1-1

그림은 어느 생물의 생식세포 분열 과정을 나타낸 것이다.

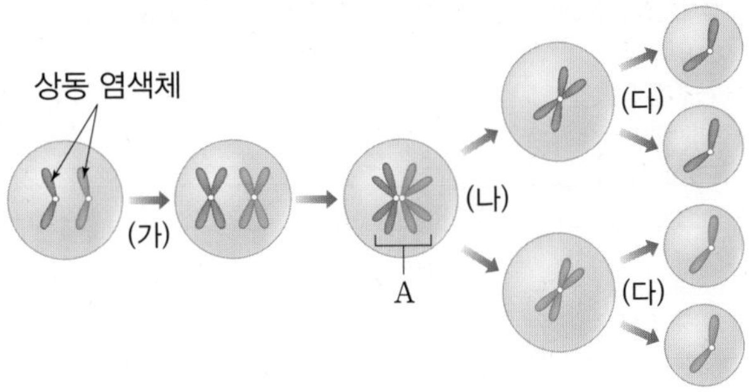
상동 염색체
(가)
(나)
(다)
(다)
A

(1) 빈칸에 알맞은 말을 쓰시오.

(가)에서는 (　　　　)가 복제된다.

(2) 상동 염색체가 서로 접합하여 형성된 A의 이름을 쓰시오.

(　　　　　　　)

(3) (나)와 (다) 중 염색체 수가 줄어드는 시기는 어느 것인지 쓰시오. (　　　　　　　)

생식세포에는 체세포 염색체 수의 절반에 해당하는 염색체가 들어 있어.

1-2

사람의 체세포에는 46개의 염색체가 들어 있다. 정자와 난자에 들어 있는 염색체 개수는 몇 개인지 쓰시오.

(　　　　　　　)

용어 풀이

* **2가 염색체**: 감수 분열 중 상동 염색체가 서로 접합한 염색체를 2가 염색체라고 하고, 2가 염색체는 4개의 염색 분체로 이루어져 있기 때문에 4분 염색체라고도 한다.

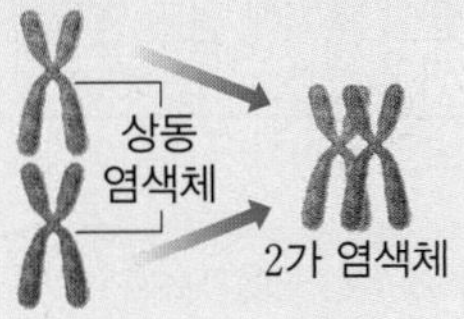
상동 염색체
2가 염색체

1-3

그림은 생식세포 분열 과정 중 어느 시기에 해당하는지 쓰시오.

(　　　　　　　)

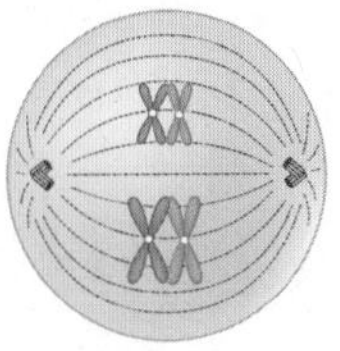

주제 2 체세포 분열과 생식세포 분열의 비교

체세포 분열은 분열 결과 2개의 딸세포가 생기며, 생식세포 분열은 분열 결과 4개의 딸세포가 생기고 염색체수가 반으로 줄어든다.

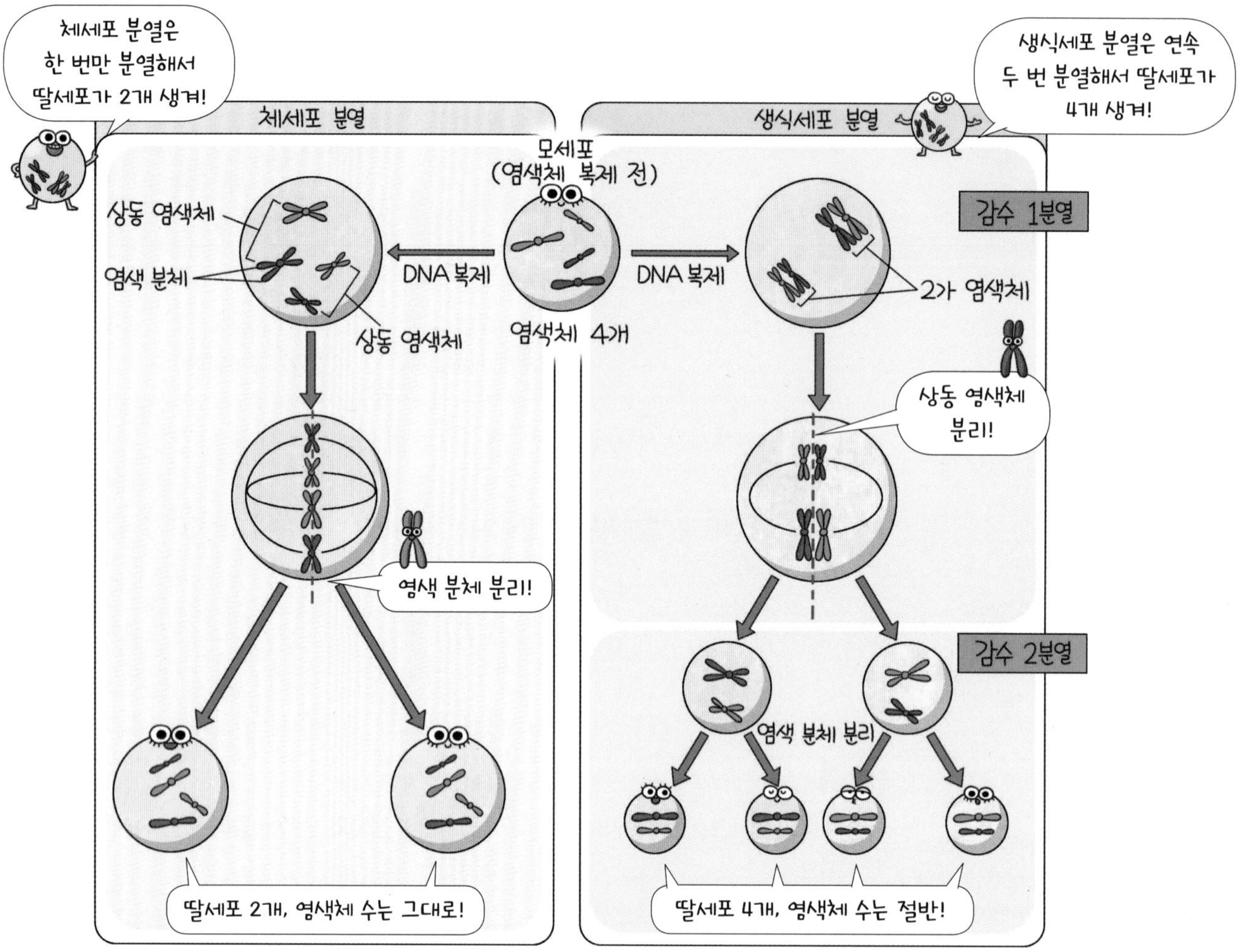

중요 개념

● 체세포 분열과 생식세포 분열의 비교

구분	체세포 분열	생식세포 분열
DNA 복제 횟수	1회	1회
세포 분열 횟수	1회	연속 2회
2가 염색체의 형성	형성되지 않음	감수 1분열 전기에 형성
분열 결과 생긴 딸세포의 수	2개	4개
염색체 수의 변화	변화 없음	❶(ㅈㅂ)으로 줄어듦
분열 결과	생장, 재생	❷(ㅅㅅㅅㅍ) 형성

Tip

체세포와 생식세포
➡ 체세포에는 상동 염색체가 쌍으로 있으나, 생식세포에는 상동 염색체 중 하나만 있다. 이는 감수 1분열 후기에 상동 염색체가 분리되어 서로 다른 세포로 들어가기 때문이다.

답 ❶ 절반 ❷ 생식세포

개념 원리 확인

정답과 해설 5쪽

2-1

그림은 2가지 형태의 세포 분열을 나타낸 것이다. 각 세포 분열에 해당하는 것을 옳게 연결하시오.

(1) 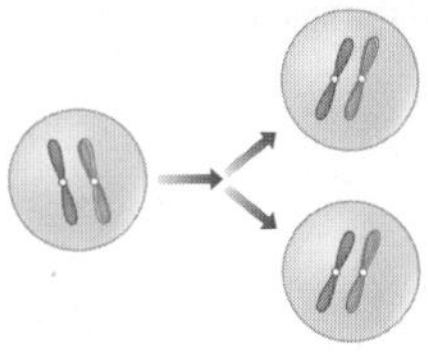 •   • ㉠ 생식세포 분열

(2) 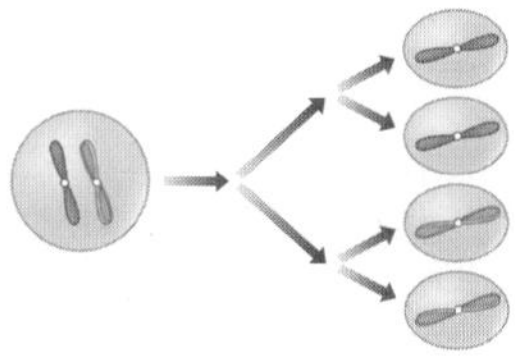 •   • ㉡ 체세포 분열

2-2

그림 (가)와 (나)는 생식세포 분열과 체세포 분열 과정 중 중기를 나타낸 것이다. (가)와 (나)에 해당하는 세포 분열을 쓰시오.

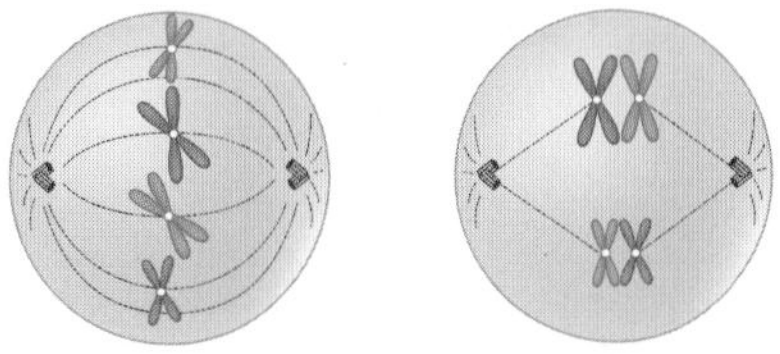

(가)   (나)

• (가): (   )
• (나): (   )

2-3

다음은 생식세포 분열에 대해 두 학생이 나눈 대화이다. 빈칸에 알맞은 말을 고르시오.

1주 3일 기초 집중 연습

대표 기출문제 주제 1 생식세포 분열(감수 분열)

1-1

생식세포 분열에 대한 설명으로 옳지 않은 것은?

① 4개의 딸세포가 생긴다.
② 식물 수술의 꽃밥에서 일어난다.
③ 2가 염색체가 관찰되는 시기가 있다.
④ 딸세포의 염색체 수는 모세포의 절반이다.
⑤ 딸세포와 모세포의 유전자 구성은 동일하다.

문제 해결 Point

가이드 생식세포는 모세포의 절반에 해당하는 염색체를 가지므로 **생식세포 분열**을 **감수 분열**이라고도 한다.

해결 Point 생식세포는 식물 수술의 꽃밥과 씨방, 동물의 정소와 난소에서 형성된다. 생식세포 분열은 2회 연속 분열하여 4개의 딸세포를 형성하며, 감수 1분열 과정에서 **2가 염색체**를 형성한다. 딸세포는 염색체 수와 DNA양이 모세포의 절반이 되며, 수정을 통해 모세포와 같은 염색체 수와 DNA양을 가지게 된다.

오개념 주의 감수 1분열 과정에서 상동 염색체는 무작위로 배열하여 분리되기 때문에 딸세포는 모세포와 다른 유전적 구성을 가진다. 딸세포와 모세포의 유전자 구성이 동일한 세포 분열은 염색 분체가 분리되는 체세포 분열이다.

1-2

그림은 생식세포 분열 과정의 일부를 나타낸 것이다.

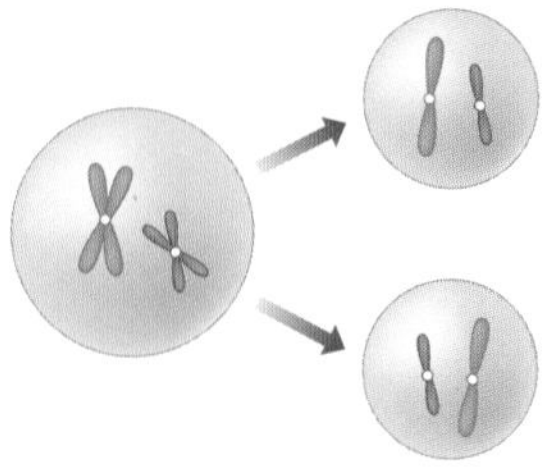

이에 대한 설명으로 옳지 않은 것은?

① 감수 2분열 과정이다.
② 염색 분체가 분리되었다.
③ 두 딸세포의 유전자 구성은 같다.
④ DNA양이 절반으로 줄어들었다.
⑤ 염색체 수가 절반으로 줄어들었다.

1-3

다음은 감수 분열에 대한 두 학생의 대화이다.

체세포 분열과 달리 생식세포 분열 과정에서 가장 특징적인 것은 무엇일까?
2번 연속 분열해서 4개의 딸세포가 형성되는 것이 다르지.
염색체 행동에서도 좀 특이했잖아? 상동 염색체가 접합을 해서 생긴건데…. 뭐였더라?
그건 바로 (   )야. 체세포 분열에서는 관찰할 수 없고 생식세포 분열에서만 나타나지.

빈칸에 들어갈 말로 옳은 것은?

① DNA ② 유전자 ③ 단백질
④ 염색 분체 ⑤ 2가 염색체

Hint 2가 염색체는 감수 1분열에서만 관찰된다.

대표 기출문제 주제 2 체세포 분열과 생식세포 분열의 비교

2-1

그림은 서로 다른 세포 분열 과정을 나타낸 것이다.

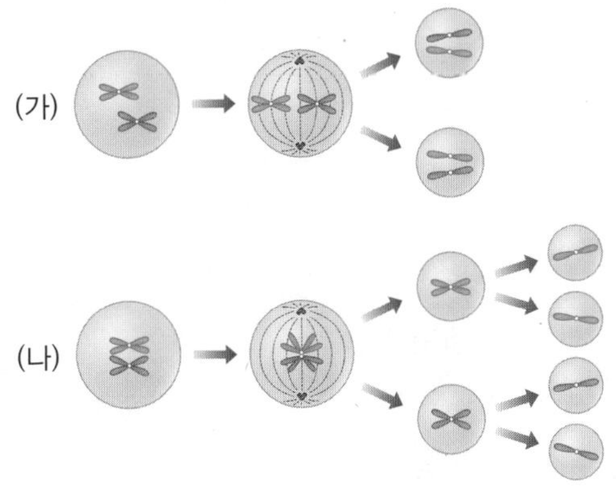

(가)와 (나)를 비교한 것으로 옳지 않은 것은?

	구분	(가)	(나)
①	분열 횟수	1회	연속 2회
②	DNA 복제	1회	2회
③	2가 염색체	없음	형성
④	분열 결과	생장, 재생	생식세포 형성
⑤	염색체 수 변화	변화 없음	절반으로 감소

문제 해결 Point

가이드 (가)는 **체세포 분열**, (나)는 **생식세포 분열** 과정이다.

해결 Point (가)는 체세포 분열 과정으로, 1회 분열하며 분열 결과 염색체 수가 변하지 않고 2개의 딸세포가 형성된다. (나)는 생식세포 분열 과정으로, 2회 분열하며 분열 결과 염색체 수가 반으로 줄어들고 4개의 딸세포가 형성된다. 체세포 분열은 분열 결과 생장, 재생을 하며, 생식세포 분열은 생식세포를 형성한다.

오개념 주의 생식세포 분열은 2회 분열하기 때문에 DNA 복제도 2회 일어날 수 있다고 오해할 수 있다. 하지만 체세포 분열이나 생식세포 분열 모두 간기 때 DNA 복제가 1회만 일어난다.

2-2

그림은 식물의 꽃밥에서 꽃가루가 형성되는 과정을 나타낸 것이다.

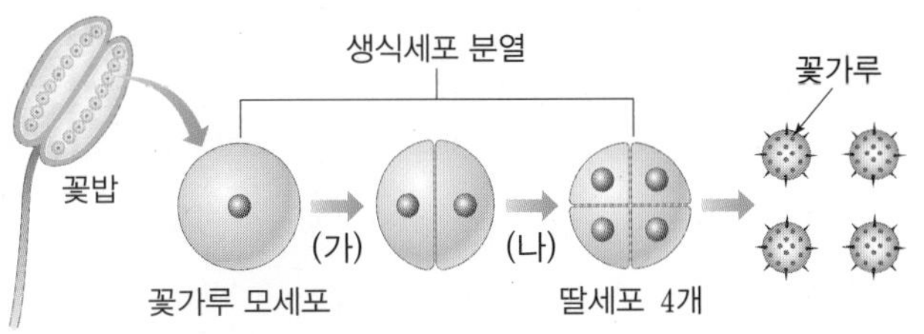

(1) (가)와 (나)의 후기에서 서로 분리되어 딸세포로 들어가는 것은 각각 무엇인지 쓰시오.

(2) 꽃가루의 염색체 수는 꽃밥을 구성하는 체세포 염색체 수의 몇 배인지 쓰시오.

Hint (가)는 감수 1분열, (나)는 감수 2분열이다.

2-3

세대를 거듭하여도 사람의 체세포에 들어 있는 염색체 수가 일정하게 유지되는 까닭에 대해 옳게 말한 학생을 모두 고르시오.

1주 4일 사람의 발생

주제 1 사람의 생식 기관과 생식세포

생식세포 분열 이후 딸세포는 성숙 과정을 거쳐 각각 정자와 난자가 되는데 이때 정자는 남자의 생식 기관인 정소에서, 난자는 여자의 생식 기관인 난소에서 만들어진다.

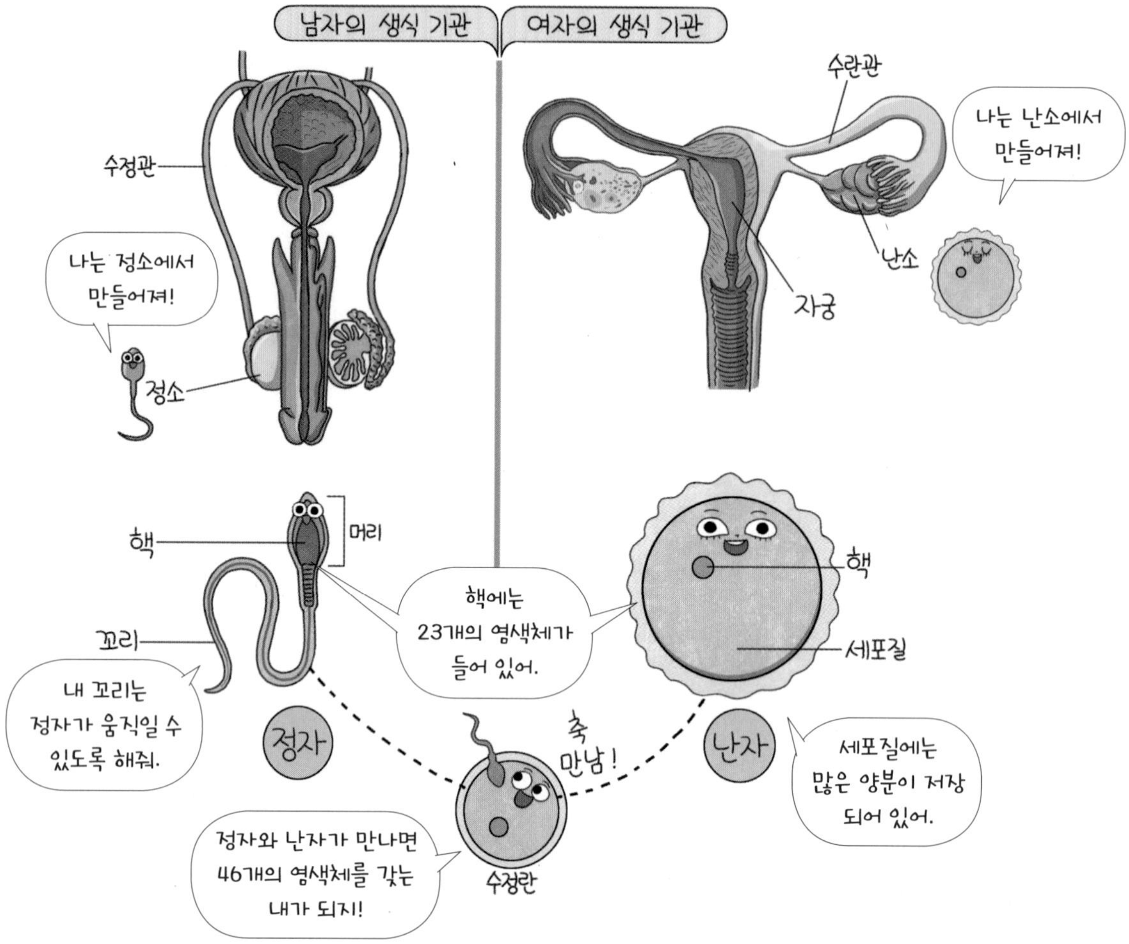

중요 개념

- 사람의 *생식 기관
  - 남자의 생식 기관: 남자는 정소에서 생식세포 분열이 일어나 정자를 만든다.
  - 여자의 생식 기관: 여자는 ❶(ㄴㅅ)에서 생식세포 분열이 일어나 난자를 만든다.
- 사람의 생식세포

	생성 기관	크기	수	양분	운동성	염색체 수
정자	정소	작다	많다	없다	있다	23개
난자	난소	크다	적다	많다	없다	❷( )개

정자: 세포질은 거의 사라지고 핵만 남아 있는 머리와 꼬리를 가진다.

난자: 세포질에 저장된 양분은 수정란의 발생 과정에 필요한 에너지를 제공한다.

Tip

감수 분열 이후 딸세포의 변화

➡ 4개의 정세포는 모두 운동성이 있는 정자로, 4개의 난세포는 그 중 하나만 세포질이 큰 난자로 성숙한다.

답 ❶ 난소 ❷ 23

개념 원리 확인

○ 정답과 해설 6쪽

(가)는 남자의 생식 기관, (나)는 여자의 생식 기관이야.

1-1

그림은 사람의 생식 기관을 나타낸 것이다.

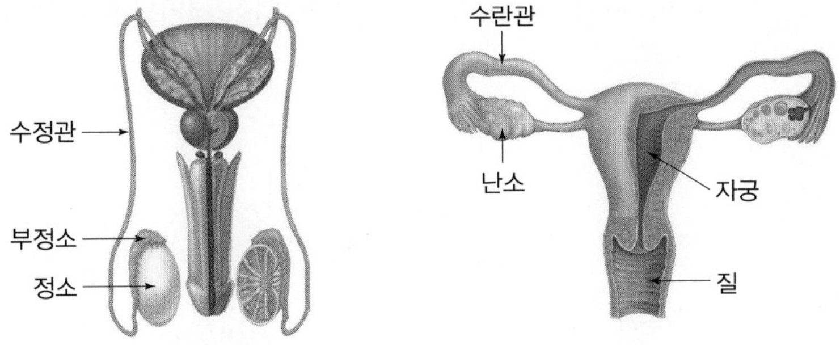

(가) (나)

(가)와 (나)에서 생식세포 분열이 일어나 생식세포가 형성되는 곳을 각각 쓰시오.

• (가): (   )

• (나): (   )

정자는 운동성을 가지고, 난자는 운동성은 없지만 양분을 많이 저장하고 있어.

1-2

그림은 사람의 생식세포를 나타낸 것이다.

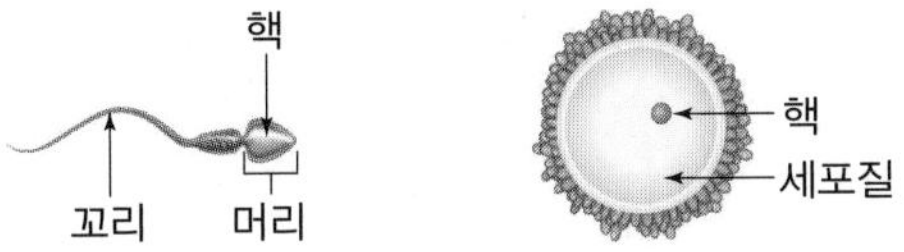

(가) (나)

(가)와 (나)의 이름을 각각 쓰시오.

• (가): (   )

• (나): (   )

용어 풀이

* **생식 기관**(生 날, 殖 불리, 器 그릇, 官 벼슬): 모든 동물의 유성 생식에 관여하는 기관으로, 정자를 생성하는 정소와 난자를 생성하는 난소가 있다. 그 외 여러 가지 부속 기관을 가진다.

1-3

정자와 난자의 핵 속에 들어 있는 염색체는 몇 개인지 각각 쓰시오.

• 정자: (   )

• 난자: (   )

주 4일 사람의 발생

주제 2 수정과 발생

정자와 난자가 만나서 핵이 합쳐지면 수정란이 된다. 태아는 수정이 일어난지 약 266일(38주)이 지나면 출산 과정을 거쳐 태어나게 된다.

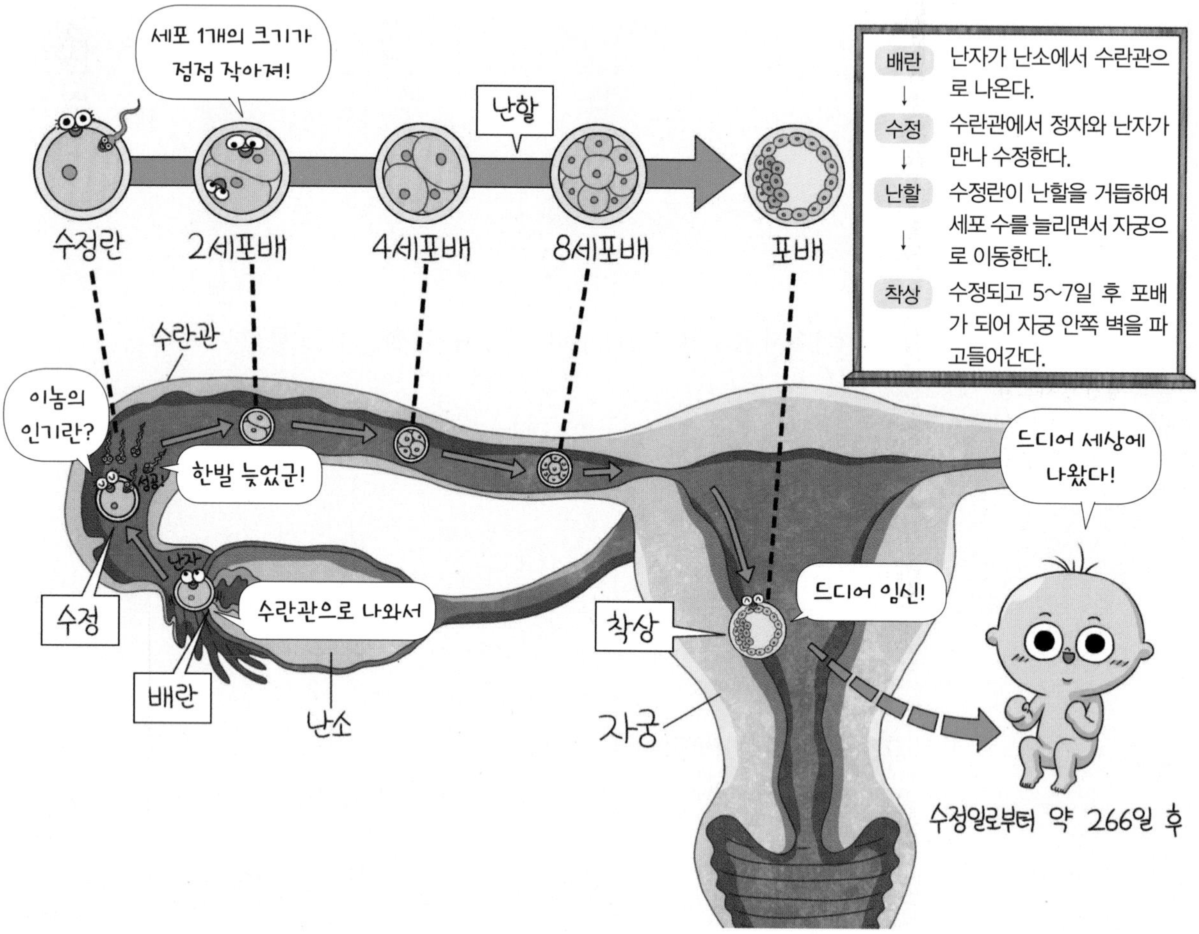

배란	난자가 난소에서 수란관으로 나온다.
↓	
수정	수란관에서 정자와 난자가 만나 수정한다.
↓	
난할	수정란이 난할을 거듭하여 세포 수를 늘리면서 자궁으로 이동한다.
↓	
착상	수정되고 5~7일 후 포배가 되어 자궁 안쪽 벽을 파고들어간다.

중요 개념

- **수정** 생식세포인 정자와 난자가 결합하는 것으로, 수정된 세포를 수정란이라고 한다.
  - 난소에서 *배란된 난자는 수란관을 따라 이동하여 수란관 입구에서 수정이 된다.
- **발생** 수정란이 세포 분열을 거듭하면서 조직과 기관을 형성하여 개체가 되는 과정
  ① 난할: 수정란의 초기 세포 분열로, 수정란은 빠르게 세포 분열을 하여 세포 수를 늘린다.
  난할은 체세포 분열이지만 분열 후 생긴 딸세포가 커지는 시기가 거의 없이 빠르게 세포 분열이 반복되므로 세포 각각의 크기는 작아지지만 전체적인 크기는 수정란과 비슷하다.
  ② 착상: 수정된지 5~7일 후에는 포배가 된 수정란이 자궁의 내막 속에 파고들어 가게 된다. ➡ 이때부터 ❶(ㅇㅅ)이 되었다고 한다.
  ③ 자궁에서 배아는 모체로부터 양분을 공급받고, 체세포 분열을 계속하여 조직과 기관을 만들고 하나의 개체로 성장한다. 기관이 형성되고 사람의 형태를 갖추면 태아가 된다.
  - 태아는 모체와 연결된 ❷(ㅌㅂ)을 통해 산소와 영양소를 전달받고 이산화 탄소와 노폐물을 내보낸다.
- **출산** 수정 후 약 266일이 지나면 태아는 출산 과정을 거쳐 모체의 밖으로 나온다.

Tip

배아와 태아의 차이
➡ 배아는 수정 후 사람의 형태를 갖추기 전 8주까지로 이때 뇌, 심장 등 대부분의 기관이 형성된다. 태아는 수정 후 8주가 지난 후부터 출산 시까지로, 이때 대부분의 기관이 완성된다.

답 ❶ 임신 ❷ 태반

개념 원리 확인

○ 정답과 해설 6쪽

2-1

다음은 사람의 발생 과정을 순서 없이 나타낸 것이다. 발생 과정이 일어나는 순서대로 나열하시오.

착상	수정	배란	난할

(　　　　　) → (　　　　　) → (　　　　　) → (　　　　　)

2-2

그림은 배란에서 착상까지의 과정을 나타낸 것이다.

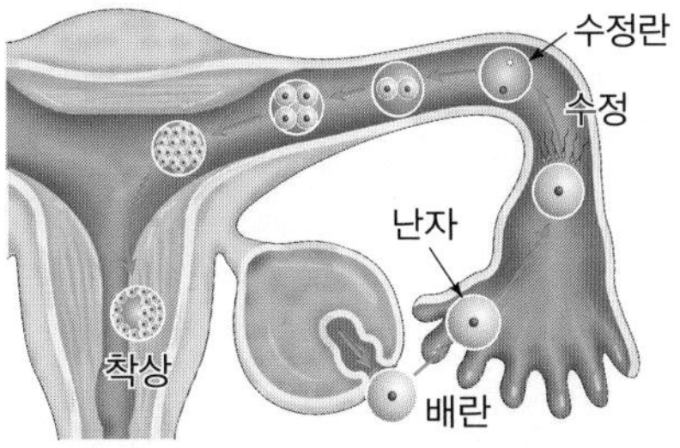

수정란이 착상되기 전까지 일어나는 초기 세포 분열 과정을 무엇이라고 하는지 쓰시오.

(　　　　　　　)

2-3

다음은 수정란이 세포 분열하여 착상하기 전까지 일어나는 초기 세포 분열 과정에 대해 두 학생이 나눈 대화이다. 옳게 말한 사람을 쓰시오.

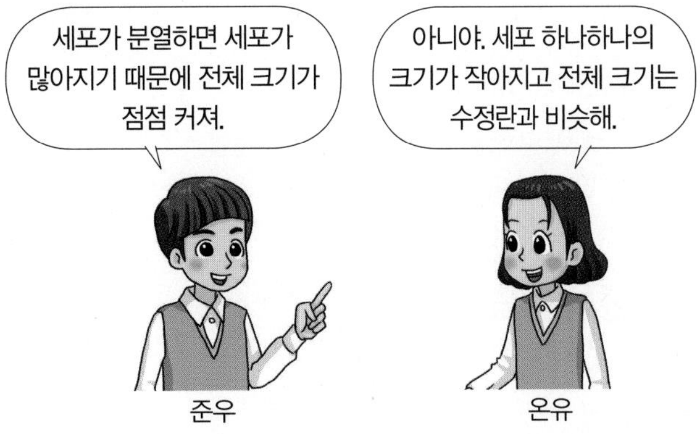

세포가 분열하면 세포가 많아지기 때문에 전체 크기가 점점 커져.
아니야. 세포 하나하나의 크기가 작아지고 전체 크기는 수정란과 비슷해.
준우
온유

(　　　　　　　)

용어 풀이

* **배란**(排 밀칠, 卵 알): 난소에서 성숙한 난자가 배출되는 현상으로, 배란된 난자는 수란관을 통하여 자궁 쪽으로 이동한다.

1주 4일 기초 집중 연습

대표 기출문제 주제 1 사람의 생식 기관과 생식세포

1-1

그림은 사람의 생식세포를 나타낸 것이다.

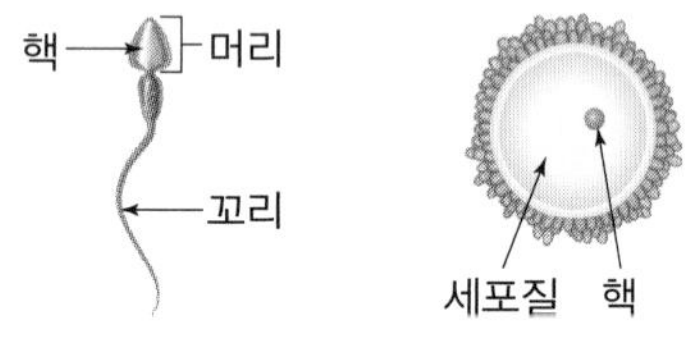

(가) (나)

(가)와 (나)에 대한 설명으로 옳지 않은 것은?

① (가)는 운동성이 있다.
② (나)는 발생에 필요한 양분을 저장한다.
③ (가)는 정소에서, (나)는 난소에서 만들어진다.
④ (가)와 (나)는 자궁에서 만나 수정이 이루어진다.
⑤ (가)와 (나)의 핵 속에는 같은 수의 염색체가 들어 있다.

문제 해결 Point

가이드 (가)는 정자, (나)는 난자이다.

해결 Point 정자는 정소에서, 난자는 난소에서 생식세포 분열 과정을 거쳐 만들어진다. **정자**는 꼬리가 있어 스스로 운동할 수 있고, **난자**는 발생에 필요한 양분을 저장하기 때문에 세포질이 크게 발달되어 있다. 정자와 난자는 생식세포이므로 체세포 염색체 수의 절반인 23개의 염색체가 각각의 핵 속에 들어 있다.

오개념 주의 정자와 난자의 수정 장소는 자궁이 아니라 수란관이다.

1-2

그림은 여자의 생식 기관을 나타낸 것이다.

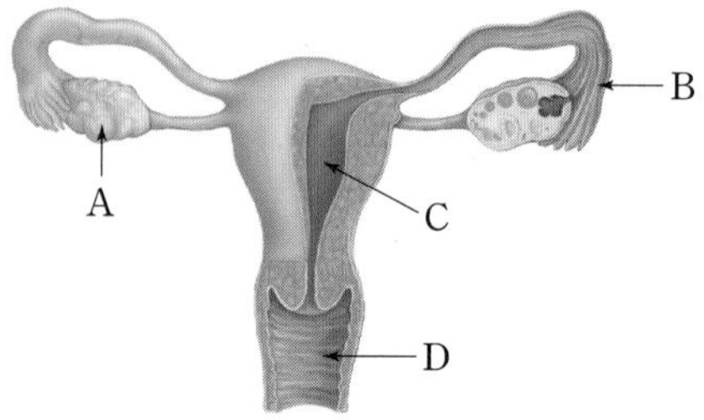

난자가 만들어지는 곳과 착상이 일어나는 곳을 옳게 짝 지은 것은?

	난자가 만들어지는 곳	착상이 일어나는 곳
①	A	B
②	A	C
③	B	A
④	B	C
⑤	C	D

1-3

다음은 두 학생의 대화이다.

빈칸에 들어갈 숫자로 옳은 것은?

① 2 ② 4 ③ 23
④ 46 ⑤ 92

Hint 정자와 난자는 각각 23개의 염색체를 가진다.

대표 기출문제 주제 2 수정과 발생

2-1

그림은 수정란의 초기 세포 분열 과정을 나타낸 것이다.

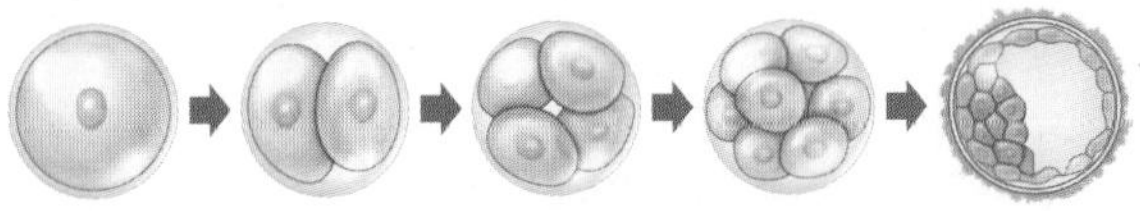

이에 대한 설명으로 옳은 것을 〈보기〉에서 모두 고른 것은?

보기
ㄱ. 체세포 분열 과정이다.
ㄴ. 염색체 수가 절반으로 줄어든다.
ㄷ. 딸세포의 유전 정보는 모세포와 다르다.
ㄹ. 분열 결과 생긴 딸세포의 크기가 작아진다.

① ㄱ, ㄴ ② ㄱ, ㄷ ③ ㄱ, ㄹ
④ ㄴ, ㄷ ⑤ ㄴ, ㄹ

문제 해결 Point

가이드 수정란의 초기 세포 분열 과정을 난할이라고 한다.

해결 Point **난할**은 체세포 분열 과정으로 모세포와 동일한 유전 정보를 가진 딸세포가 형성된다. 세포의 생장기가 매우 짧거나 거의 없기 때문에 난할이 진행될수록 세포 수는 늘어나지만 세포 각각의 크기는 작아지고 배아의 전체적인 크기는 수정란과 비슷하다.

오개념 주의 난할은 체세포 분열이므로 분열 결과 생긴 딸세포의 염색체 수와 유전 정보는 모세포와 동일하다.

2-2

난할이 일어날 때의 변화로 옳지 않은 것은?

① 세포의 수는 늘어난다.
② 세포의 생장기가 거의 없다.
③ 세포 1개의 크기는 점점 작아진다.
④ 배아 전체의 크기는 점점 커진다.
⑤ 세포 1개당 염색체의 수는 변하지 않는다.

Hint 난할은 수정란의 초기 세포 분열 과정이다.

2-3

다음은 수정란의 발생 과정을 나열한 것이다.

(가) 수정란은 ㉠(　　　)을 거듭하면서 자궁으로 이동한다.
(나) 수정란은 포배 상태로 자궁 안쪽 벽에 ㉡(　　　)된다.
(다) 모체와 연결된 ㉢(　　　)을 통해 영양소를 공급받고 노폐물을 내보내면서 태아로 자란다.

빈칸에 들어갈 말을 옳게 짝 지은 것은?

	㉠	㉡	㉢
①	수정	난할	태반
②	수정	착상	혈관
③	난할	착상	태반
④	난할	수정	혈관
⑤	수정	착상	태반

주제 1 유전과 형질

같은 어미로부터 태어난 고양이들은 어미와 많이 닮아 있다. 그러나 생김새, 털색 등을 자세히 살펴보면 어미와 조금씩 다르고 같은 형제끼리도 차이가 있다.

중요 개념

- **유전** 부모의 형질이 자손으로 전달되는 현상
- **유전 용어**
  - 형질: 생물이 가지는 고유한 특징 예 모양, 색깔, 성질 등
  - *대립 형질: 하나의 ❶(ㅎㅈ)에 대해 뚜렷하게 대비되는 특징
    예 모양이 둥근 완두 ↔ 주름진 완두 대립 형질을 결정하는 유전자를 대립유전자라고 한다.
  - 표현형: 유전자 구성에 따라 겉으로 드러나는 형질 예 둥근 것, 주름진 것
  - 유전자형: 유전자의 구성을 알파벳 기호로 나타낸 것으로, 우성 유전자는 대문자로, 열성 유전자는 소문자로 나타낸다. 예 RR, Rr, rr
  - 순종: 한 가지 형질을 나타내는 유전자 구성이 ❷(ㄱㅇ) 개체 예 RR, rr
  - 잡종: 한 가지 형질을 나타내는 유전자 구성이 다른 개체 예 Rr, Yy

Tip

유전자형 표기 방법
➡ 완두 씨의 모양이나 색깔 같은 형질은 두 개의 대립유전자에 의해 결정되므로 체세포의 유전자형은 두 개의 문자로 표기한다.

답 ❶ 형질 ❷ 같은

개념 원리 확인

정답과 해설 7쪽

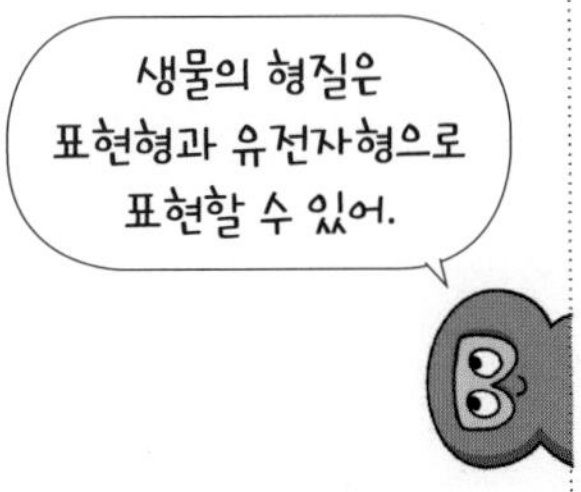

1-1

빈칸에 알맞은 유전 용어를 각각 쓰시오.

유전 용어	예	
㉠( )	RR, Rr	rr
㉡( )	 둥글다	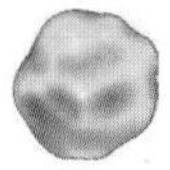 주름지다

1-2

대립 형질 관계가 아닌 것은?

① 보라색 꽃 – 흰색 꽃
② 흰색 털 – 검은색 털
③ 녹색 완두 – 황색 완두
④ 둥근 완두 – 주름진 완두
⑤ 보조개 있음 – 쌍꺼풀 있음

1-3

유전 용어와 그에 해당하는 설명을 옳게 연결하시오.

(1) 형질 •	• ㉠ 생물이 가지는 고유한 특징
(2) 대립 형질 •	• ㉡ 유전자 구성에 따라 겉으로 드러나는 형질
(3) 표현형 •	• ㉢ 유전자의 구성을 알파벳 기호로 나타낸 것
(4) 유전자형 •	• ㉣ 하나의 형질에 대해 뚜렷하게 대비되는 특징
(5) 순종 •	• ㉤ 한 가지 형질을 나타내는 유전자 구성이 다른 개체
(6) 잡종 •	• ㉥ 한 가지 형질을 나타내는 유전자 구성이 같은 개체

용어 풀이

* **대립 형질**(對 대할, 立 설, 形 모양, 質 바탕): 하나의 형질에 대해 대립적으로 존재하는 형질로, 우성과 열성으로 구분할 수 있다.

주제 2 멘델의 유전 실험

멘델은 유전 현상을 알아보기 위해 다양한 형질을 가진 완두를 교배하고, 그 결과를 분석하여 유전 현상의 원리를 밝혀냈다.

중요 개념

유전 실험 재료로 완두가 적합한 까닭

- 재배하기 쉽다.
- 씨를 뿌려 다음 세대를 얻기까지의 시간이 짧다.
- 한번에 얻는 자손의 수가 많아서 통계적인 분석에 유리하다.
- 대립 형질의 차이가 뚜렷하여 교배 결과를 명확하게 해석할 수 있다.
- 자가 수분과 타가 수분이 모두 가능하여 형질 교배 실험을 수행하기 수월하다.

자가 수분과 타가 수분

- 자가 수분: 수술의 꽃가루를 ❶(ㄱㅇ) 그루의 꽃에 있는 암술에 묻히는 것
  - 완두는 꽃잎이 암술과 수술을 감싸고 있어서 자가 수분을 하기 때문에 순종을 얻기 쉽다.
- 타가 수분: 수술의 꽃가루를 ❷(ㄷㄹ) 그루의 꽃에 있는 암술에 묻히는 것
  - 다른 그루는 암술만 남기고 수술을 제거한 다음 인공 수분을 해 준다.

Tip

유전의 입자설

➡ 멘델의 *유전 인자는 입자설을 근거로 한다. 입자설은 유전 물질이 액체처럼 중간 상태로 혼합되지 않고 유전 인자에 의해 다음 세대로 전달된다는 생각이다.

답 ❶ 같은 ❷ 다른

개념 원리 확인

○ 정답과 해설 7쪽

유전 실험을 하려면 실험으로 쓰이는 재료의 한 세대가 짧아야 해.

2-1

멘델의 유전 실험 재료인 완두의 특징에 대한 설명으로 옳은 것을 보기에서 모두 고르시오.

보기
ㄱ. 재배하기 쉽다.
ㄴ. 자손의 수가 많다.
ㄷ. 자가 수분과 타가 수분이 모두 가능하다.
ㄹ. 다음 세대를 얻기까지 걸리는 시간이 길다.

( )

수술의 꽃가루가 같은 그루에서 오는지, 다른 그루에서 오는지 살펴봐.

2-2

그림은 완두의 꽃에서 꽃가루를 수분시키는 과정을 나타낸 것이다. (가)와 (나)를 각각 무엇이라고 하는지 쓰시오.

- (가): ( )
- (나): ( )

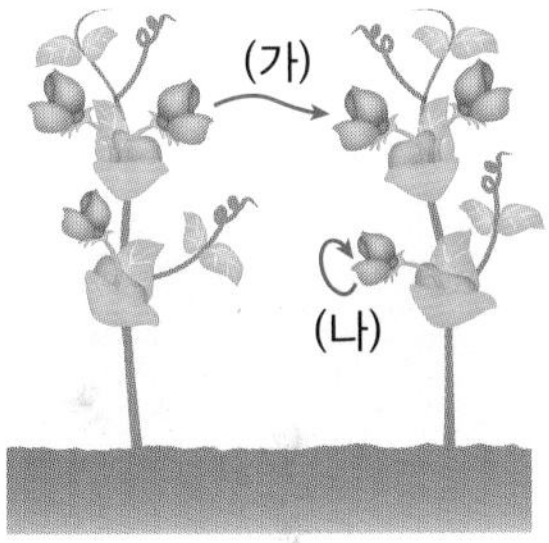

2-3

다음은 자가 수분과 타가 수분에 대해 두 학생이 나눈 대화이다. 빈칸에 알맞은 말을 쓰시오.

다른 그루의 꽃가루를 암술에 묻히는 것을 타가 수분이라고 해.

같은 그루의 꽃가루를 암술에 묻히면 자가 수분이라고 하지.

자가 수분을 계속 하면 같은 형질만 나오는 개체를 얻을 수 있는데, 멘델은 이와 같은 개체를 ( )이라고 했어.

용어 풀이

* **유전 인자**(遺 남길, 傳 전할, 因 인할, 子 아들): 멘델이 생각한 유전 인자는 오늘날의 유전자를 의미한다. 개체에서 하나의 형질을 결정하는 유전 인자는 1쌍이 필요하고, 생식세포를 형성할 때 서로 분리되어 딸세포로 들어간다.

1주 5일 기초 집중 연습

대표 기출문제 주제 1 유전과 형질

1-1

유전 용어에 대한 설명으로 옳지 않은 것은?

① 부모의 형질이 자손에게 전달되는 현상을 유전이라고 한다.
② 생물 고유의 모양, 색깔, 크기, 성질 등을 형질이라고 한다.
③ 둥근 완두 - 황색 완두는 서로 대립 형질이다.
④ 겉으로 드러나는 형질을 표현형이라고 한다.
⑤ 표현형을 결정하는 유전자 구성을 기호로 나타낸 것을 유전자형이라고 한다.

문제 해결 Point

가이드 유전에서 사용되는 용어를 정확하게 이해해야 한다.

해결 Point 부모의 형질이 자손에게 전달되는 현상을 **유전**이라고 한다. 생물 고유의 모양, 색깔, 크기, 성질 등을 **형질**이라고 한다. **대립 형질**이란 하나의 형질에 대하여 서로 뚜렷하게 구별되는 형질을 말한다. 예를 들면 모양이 둥근 것과 주름진 것, 색깔이 황색인 것과 녹색인 것 등이 서로 대립 형질 관계이다. 유전자 구성에 따라 겉으로 드러나는 형질을 **표현형**(예 둥근 것, 주름진 것)이라고 하며, 대립유전자 구성을 기호로 나타낸 것을 **유전자형**(예 RR, rr)이라고 한다.

오개념 주의 둥근 완두는 모양, 황색 완두는 색깔을 나타내는 형질로 하나의 형질이 아니라 2개의 형질에 해당한다. 따라서 둥근 완두와 황색 완두는 서로 대립 형질이라고 할 수 없다.

1-2

다음은 유전과 관련된 내용이다. 빈칸에 들어갈 용어를 각각 쓰시오.

고양이의 생김새는 얼굴 모양, 털색 등으로 설명할 수 있다. 이처럼 생물이 가지는 고유한 특징을 ㉠(　　　　)(이)라고 하며, 부모의 형질을 자손에게 물려주는 현상을 ㉡(　　　　)(이)라고 한다.

1-3

다음은 유전 용어를 설명한 것이다.

- 하나의 형질에서 서로 뚜렷하게 구분되는 형질을 ㉠(　　　　)이라고 한다.
- Rr처럼 한 형질을 나타내는 유전자 구성이 서로 다른 개체를 ㉡(　　　　)이라고 한다.
- RR, rr처럼 한 형질을 나타내는 유전자 구성이 동일한 개체를 ㉢(　　　　)이라고 한다.

㉠~㉢에 들어갈 유전 용어를 옳게 짝 지은 것은?

	㉠	㉡	㉢
①	순종	잡종	대립 형질
②	순종	대립 형질	잡종
③	잡송	순종	대립 형질
④	대립 형질	순종	잡종
⑤	대립 형질	잡종	순종

Hint 모양이 둥근 것과 주름진 것, 색깔이 황색인 것과 녹색인 것 등은 서로 대립 형질 관계이다.

1주 5일

대표 기출문제 주제 2 멘델의 유전 실험

2-1

멘델은 완두로 유전 실험을 하였다. 유전 실험의 재료로 완두가 가지는 이점에 대해 옳은 것을 보기에서 모두 고른 것은?

보기
ㄱ. 재배하기 쉽고 다음 세대를 얻기까지의 시간이 짧다.
ㄴ. 한번에 얻는 자손의 수가 많아서 통계적인 분석에 유리하다.
ㄷ. 대립 형질의 차이가 뚜렷하여 교배 결과를 명확하게 해석할 수 있다.
ㄹ. 타가 수분만 가능하기 때문에 인위적인 교배 실험을 하지 않아도 된다.

① ㄱ, ㄴ　② ㄴ, ㄷ　③ ㄷ, ㄹ
④ ㄱ, ㄴ, ㄷ　⑤ ㄴ, ㄷ, ㄹ

문제 해결 Point

가이드 | 멘델이 선택한 실험 재료는 완두로 유전 실험을 하기에 적합한 점이 많다.

해결 Point | 완두는 재배하기 쉽고 한 세대가 짧아 결과를 빨리 확인할 수 있으며, 자손의 수가 많아서 통계 처리가 용이하다. 또한 대립 형질이 뚜렷해서 교배 결과를 명확하게 해석할 수 있다.

오개념 주의 | 완두는 자가 수분과 타가 수분이 모두 가능하기 때문에 인위적인 교배 실험을 하기에 적절하다.

2-2

다음은 완두의 수분 방법에 대해 두 학생이 나눈 대화이다. 빈칸에 알맞은 말을 쓰시오.

자가 수분은 한 꽃 안에 있는 수술의 꽃가루가 같은 꽃의 암술에 붙는 거니까 유전자 구성이 같은 개체끼리 서로 교배하는 셈이야.
그럼 (　　　　　)은 유전자 구성이 서로 다른 개체가 교배하는 거네.

Hint 같은 그루 내에서 일어나는 교배가 자가 수분이고, 다른 그루의 꽃가루를 받는 것이 타가 수분이다.

2-3

그림은 둥근 완두를 심어서 핀 꽃의 수술을 자르고 주름진 완두의 꽃가루를 수분시키는 것을 나타낸 것이다.

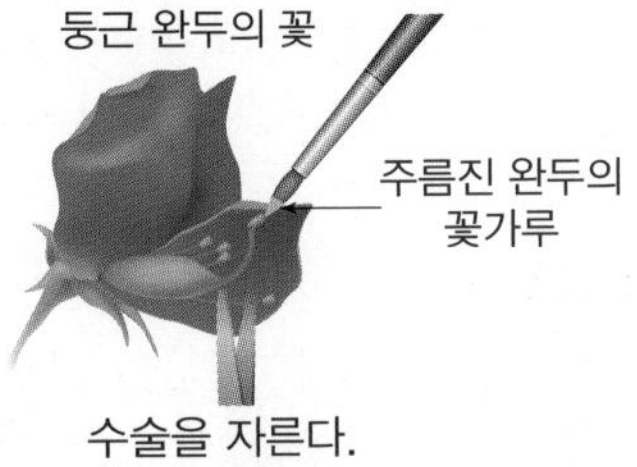

이는 자가 수분과 타가 수분 중 무엇에 해당하는지 쓰시오.

누구나 100점 테스트

염색체 ▶ p. 12

01 그림은 염색체의 구조를 나타낸 것이다.

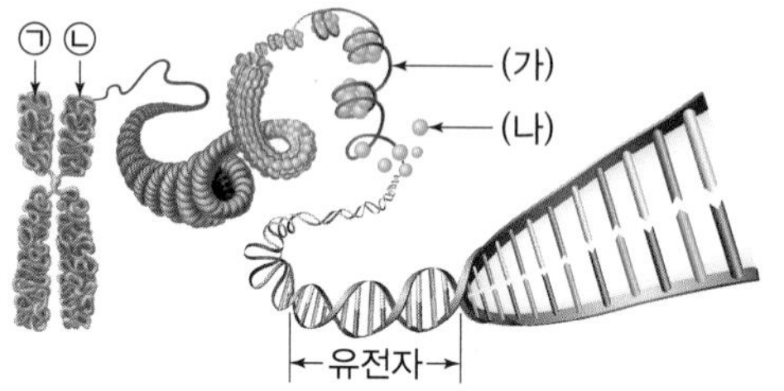

이에 대한 설명으로 옳지 않은 것은?

① 염색체는 분열하는 세포에서 관찰할 수 있다.
② ㉠, ㉡은 상동 염색체이다.
③ (가)는 DNA이다.
④ (나)는 단백질이다.
⑤ 유전자에는 생물의 형질에 대한 정보가 저장되어 있다.

사람의 염색체 ▶ p. 14

02 사람의 염색체에 대한 설명으로 옳은 것을 보기에서 모두 고르시오.

보기
ㄱ. 상염색체는 22개이다.
ㄴ. 남자의 성염색체 구성은 XX이다.
ㄷ. 상동 염색체는 부모로부터 각각 하나씩 받아 쌍을 이룬다.

세포가 분열하는 까닭 ▶ p. 18

03 다음은 크기가 큰 세포보다 작은 세포가 물질 교환에 더 유리한 까닭에 대해 세 학생이 나눈 대화이다. 옳게 말한 사람을 쓰시오.

체세포 분열 ▶ p. 20

04 그림은 양파 뿌리 끝 세포의 분열 과정 중 한 단계를 나타낸 것이다.

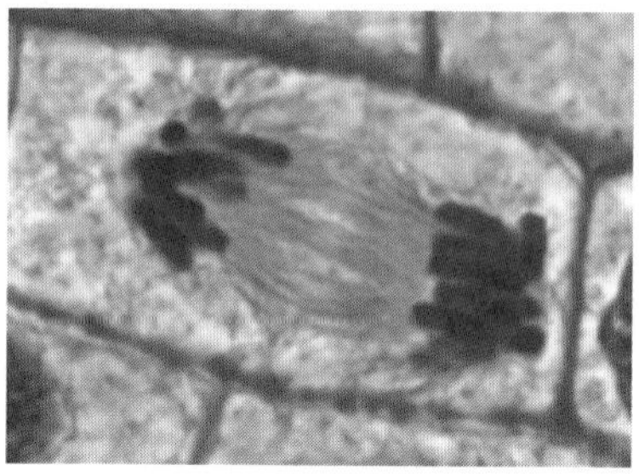

이에 대한 설명으로 옳은 것은?

① 유전 물질이 복제된다.
② 세포질 분열이 시작된다.
③ 염색체가 세포 중앙에 배열한다.
④ 핵막이 사라지고 염색체가 나타난다.
⑤ 염색 분체가 분리되어 양극으로 끌려간다.

생식세포 분열 ▶ p. 24

05 생식세포 분열에 대한 설명으로 옳지 않은 것은?

① 두 번 연속으로 분열이 일어난다.
② 생식세포 분열 결과 네 개의 딸세포가 형성된다.
③ 생식세포 분열 과정 중 두 번의 DNA 복제가 일어난다.
④ 생식세포 분열 결과 정자와 난자 같은 생식세포가 만들어진다.
⑤ 생물의 생식 기관에서 생식세포를 만들 때 일어나는 세포 분열이다.

체세포 분열과 생식세포 분열의 비교 ▶ p. 26

06 그림은 서로 다른 세포 분열 과정을 나타낸 것이다.

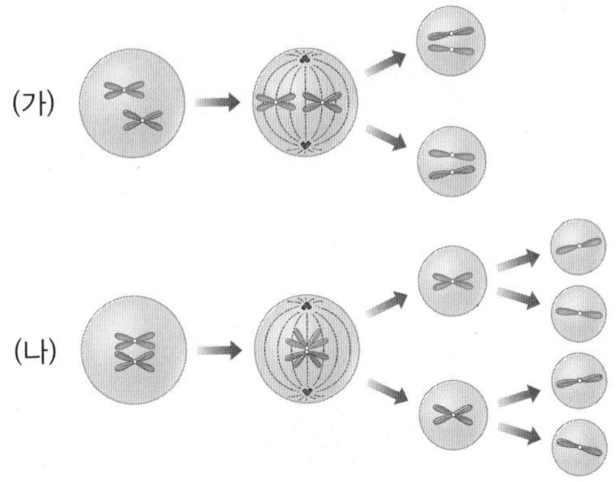

이에 대한 설명으로 옳지 않은 것은?

① (가) 분열은 생장과 재생에 관여한다.
② (가) 분열 결과 염색체 수가 변하지 않는다.
③ (나) 분열 결과 생식세포를 형성한다.
④ (나) 분열 과정에서 2가 염색체가 관찰된다.
⑤ (가)와 (나) 모두 연속 2회 분열한다.

사람의 생식 기관과 생식세포 ▶ p. 30

07 그림은 사람의 생식세포를 나타낸 것이다.

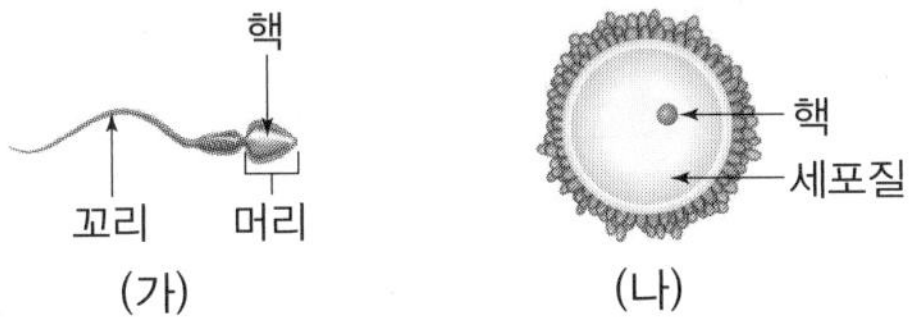

이에 대한 설명으로 옳은 것을 보기 에서 모두 고른 것은?

> **보기**
> ㄱ. 체세포 분열 과정을 거쳐 형성된다.
> ㄴ. 체세포 염색체 수의 절반에 해당하는 23개의 염색체를 가진다.
> ㄷ. (가)와 (나)는 수란관에서 수정이 된다.
> ㄹ. (가)는 난소에서, (나)는 정소에서 형성된다.

① ㄱ, ㄴ ② ㄴ, ㄷ ③ ㄷ, ㄹ
④ ㄱ, ㄴ, ㄷ ⑤ ㄴ, ㄷ, ㄹ

수정과 발생 ▶ p. 32

08 그림은 배란에서 착상까지의 과정을 나타낸 것이다.

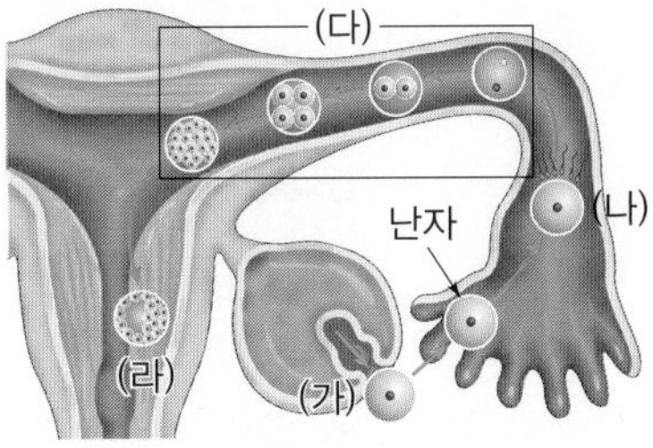

이에 대한 설명으로 옳지 않은 것은?

① (가)는 배란 과정이다.
② (나)에서 정자와 난자의 핵이 결합한다.
③ (다) 과정에서 세포의 크기는 점점 작아진다.
④ (다)의 세포 분열 결과 하나의 세포에 든 염색체 수는 23개로 줄어든다.
⑤ (라)는 포배 상태의 배아가 착상되는 과정이다.

유전 용어 ▶ p. 36

09 유전 용어에 대한 설명으로 옳은 것을 보기 에서 모두 고른 것은?

> **보기**
> ㄱ. 둥글다, 주름지다는 유전자형을 나타낸 것이다.
> ㄴ. 쌍꺼풀이 있다, 없다는 눈꺼풀에 대한 대립 형질이다.
> ㄷ. 한 가지 형질을 나타내는 유전자 구성이 같은 개체를 순종이라고 한다.

① ㄱ ② ㄴ ③ ㄷ
④ ㄱ, ㄴ ⑤ ㄴ, ㄷ

순종과 잡종 ▶ p. 36

10 순종이 아닌 것은?

① AA ② BB ③ Rr
④ rr ⑤ yy

특강 | 창의·융합·코딩

1주에 배운 개념을 그림으로 저장

생식과 유전(1)

염색체

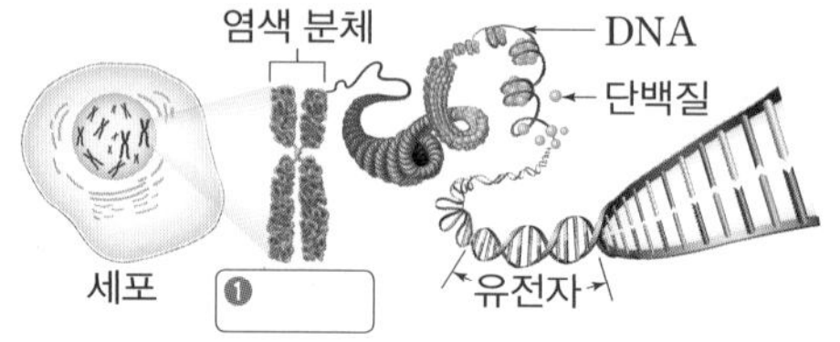

염색체는 ❷ ☐와 단백질로 구성된 복합체로, DNA에는 생물의 형질에 대한 정보가 저장된 유전자가 있다.

세포 분열

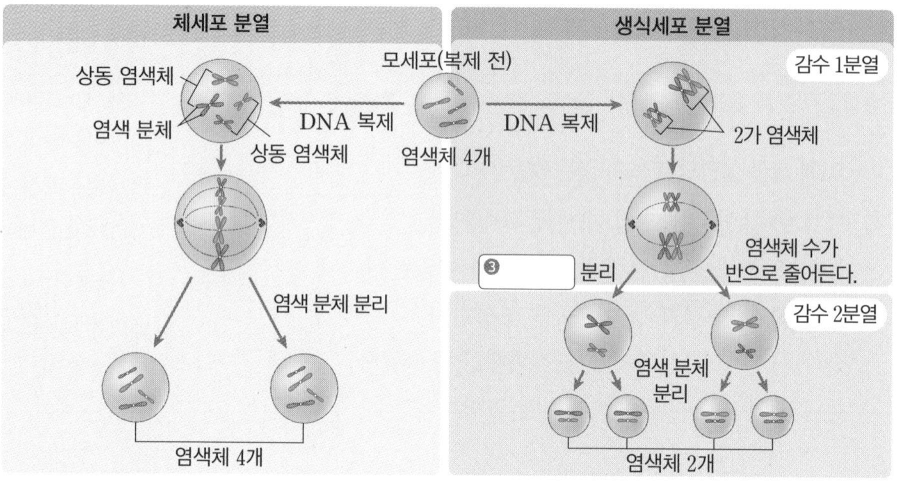

사람의 발생

사람의 생식세포

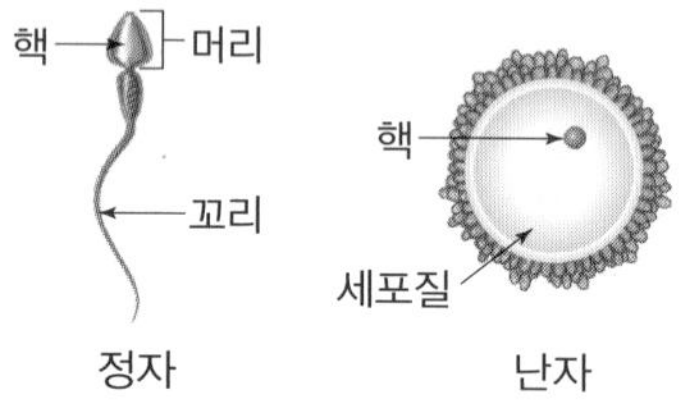

체세포 염색체 수의 절반인 ❹ ☐개의 염색체를 가진다.

수정과 발생

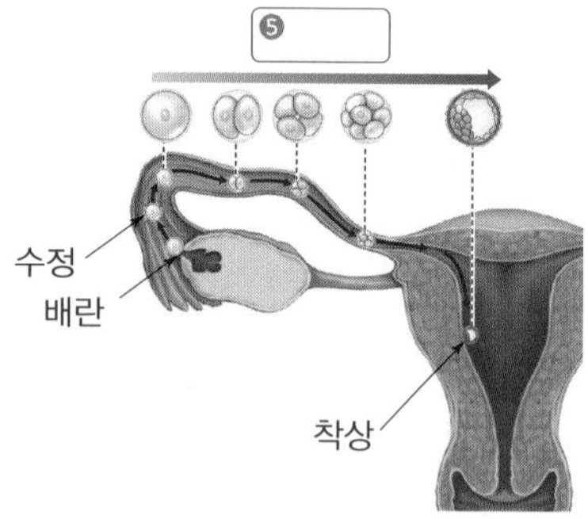

유전

자가 수분과 타가 수분

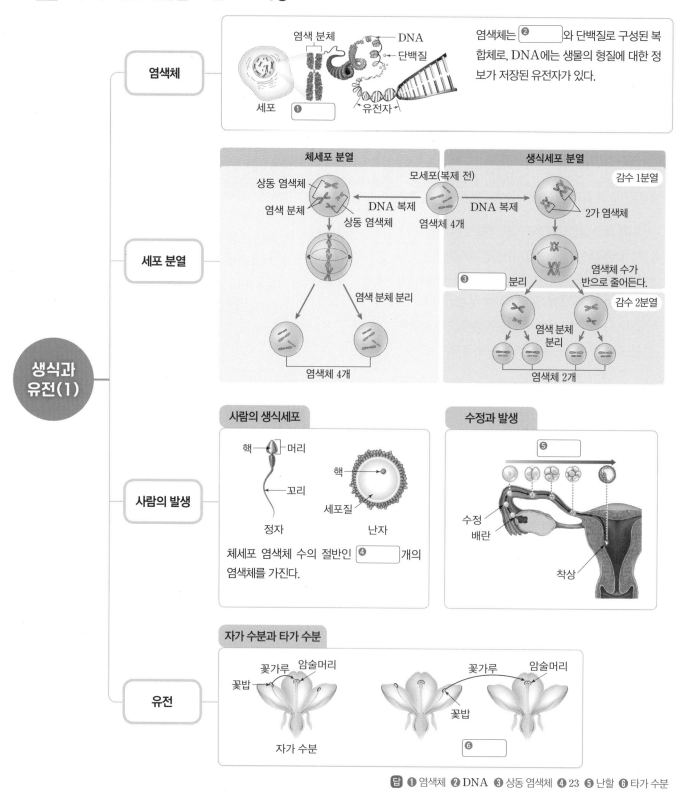

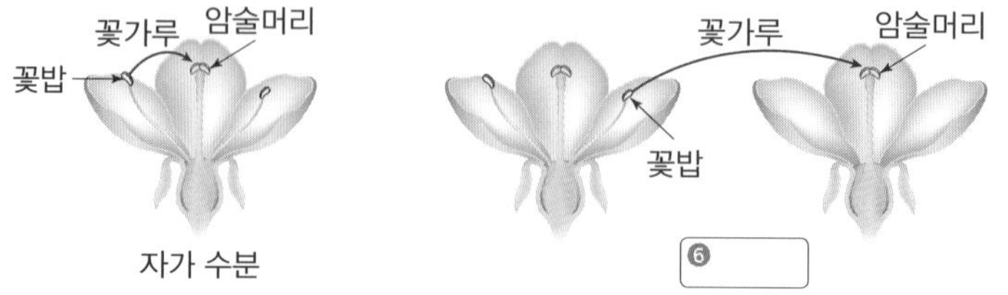

답 ❶ 염색체 ❷ DNA ❸ 상동 염색체 ❹ 23 ❺ 난할 ❻ 타가 수분

재미있는 개념 완성 퀴즈

먼저 떠난 친구에게 편지를 전달하려고 한다. 꼬불꼬불 길을 따라 ○, × 문제를 풀어 친구를 찾아가시오.

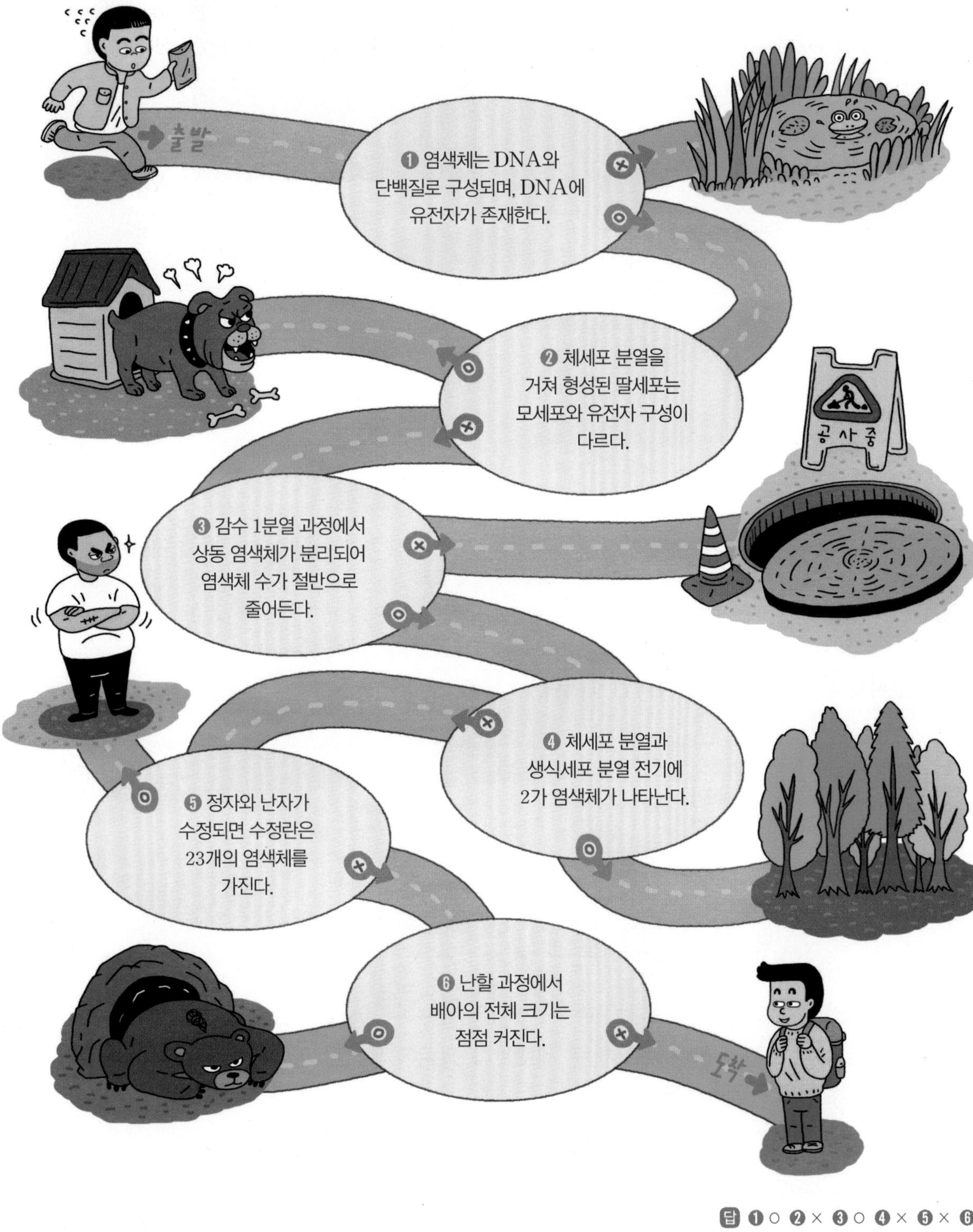

출발
❶ 염색체는 DNA와 단백질로 구성되며, DNA에 유전자가 존재한다.
❷ 체세포 분열을 거쳐 형성된 딸세포는 모세포와 유전자 구성이 다르다.
공사중
❸ 감수 1분열 과정에서 상동 염색체가 분리되어 염색체 수가 절반으로 줄어든다.
❹ 체세포 분열과 생식세포 분열 전기에 2가 염색체가 나타난다.
❺ 정자와 난자가 수정되면 수정란은 23개의 염색체를 가진다.
❻ 난할 과정에서 배아의 전체 크기는 점점 커진다.
도착

답 ❶ ○ ❷ × ❸ ○ ❹ × ❺ × ❻ ×

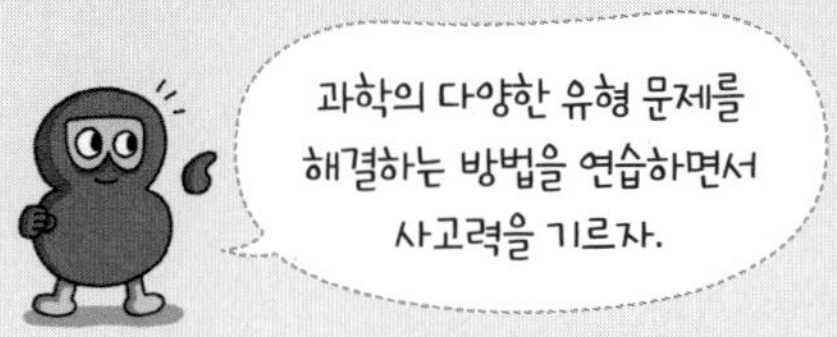

특강 | 창의·융합·코딩

1 그림은 사람의 염색체 구성을 나타낸 것이다.

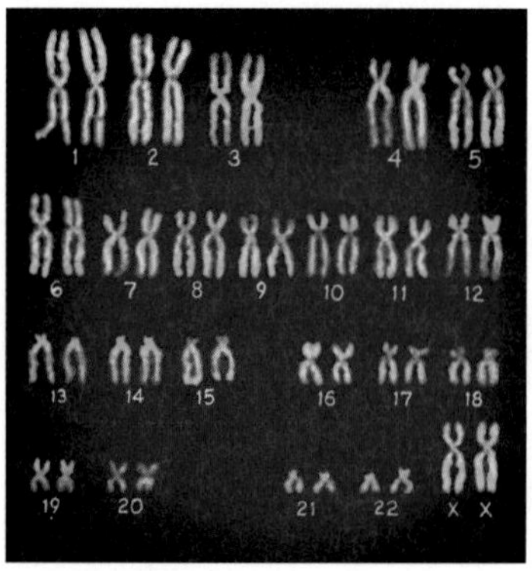

(1) 사람의 상염색체는 ㉠(　　　)쌍이고, 성염색체는 ㉡(　　　)쌍이다.

(2) 사람의 46개의 염색체는 23쌍의 상동 염색체로 짝을 지어 배열할 수 있다. 상동 염색체가 쌍을 이루고 있는 까닭을 서술하시오.

(3) 이 사람의 성별을 쓰시오.

(4) 이 사람의 성 염색체 구성을 쓰시오.

문제 해결 Tip
사람의 염색체는 상염색체와 성염색체로 구성되지.

2 다음은 부피와 표면적의 관계를 나타낸 것이다.

위의 내용을 토대로 크기가 작은 세포가 큰 세포보다 생존에 유리한 까닭을 다음 단어를 모두 포함하여 서술하시오.

세포의 부피	표면적의 비	효율적	물질 교환

문제 해결 Tip
세포의 부피에 대한 표면적의 비가 클수록 세포가 산소와 영양소를 받아들이고 이산화 탄소와 노폐물을 내보내기에 더 유리해.

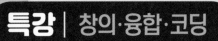

3 그림은 체세포 분열 과정을 관찰하기 위한 실험 과정을 순서대로 나타낸 것이다.

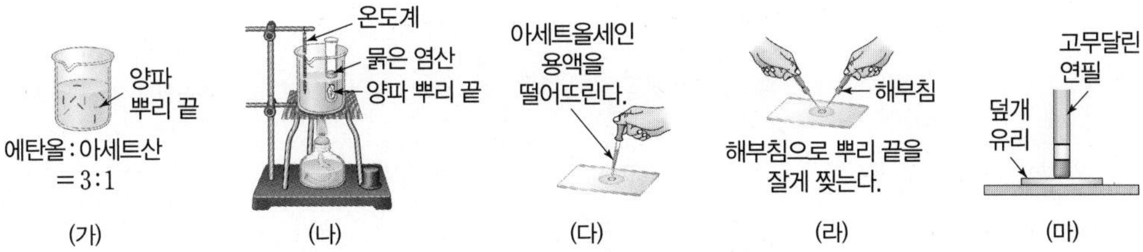
양파 뿌리 끝
에탄올 : 아세트산 = 3 : 1
(가)
온도계
묽은 염산
양파 뿌리 끝
(나)
아세트올세인 용액을 떨어뜨린다.
(다)
해부침
해부침으로 뿌리 끝을 잘게 찢는다.
(라)
고무달린 연필
덮개 유리
(마)

(1) 양파의 뿌리 끝을 실험 재료로 사용하는 까닭을 다음 단어를 모두 포함하여 서술하시오.

뿌리 끝	생장점	세포 분열

(2) (다) 과정에서 아세트올세인 용액에 의해 염색되는 것은 무엇인지 쓰시오.

문제 해결 Tip
실험 과정 각 단계의 목적을 이해할 수 있어야 해.

4 다음은 털실 철사로 체세포 분열 과정을 나타내려고 하는 두 학생이 나눈 대화이다. 오른쪽 완성된 모습을 토대로 빈칸에 알맞은 말을 쓰시오.

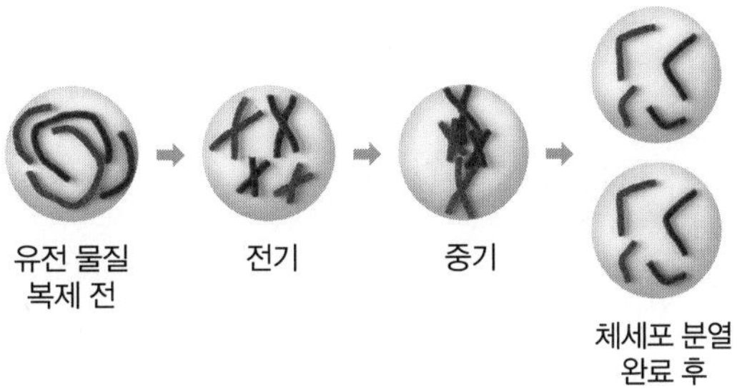
유전 물질 복제 전
전기
중기
체세포 분열 완료 후

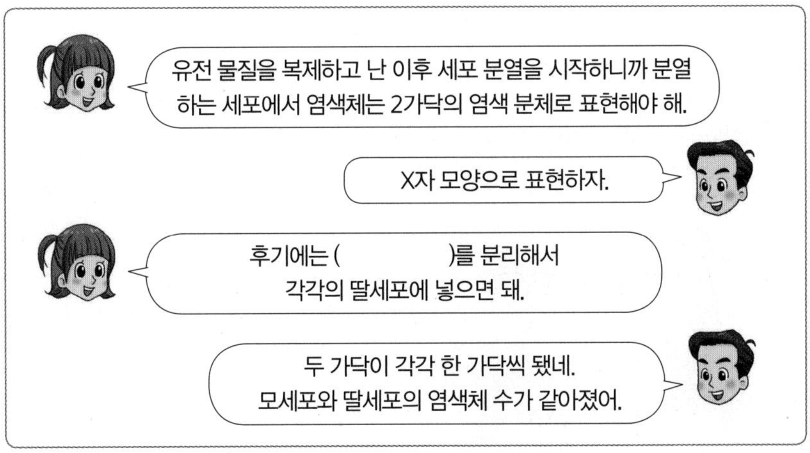
유전 물질을 복제하고 난 이후 세포 분열을 시작하니까 분열하는 세포에서 염색체는 2가닥의 염색 분체로 표현해야 해.
X자 모양으로 표현하자.
후기에는 (   )를 분리해서 각각의 딸세포에 넣으면 돼.
두 가닥이 각각 한 가닥씩 됐네. 모세포와 딸세포의 염색체 수가 같아졌어.

문제 해결 Tip
염색 분체는 DNA의 복제로 형성되므로 모세포와 딸세포의 유전자 구성이 같아.

5 다음은 털실 철사로 생식세포 분열 과정을 나타내려고 하는 두 학생이 나눈 대화이다. 아래의 완성된 모습을 토대로 빈칸에 알맞은 말을 쓰시오.

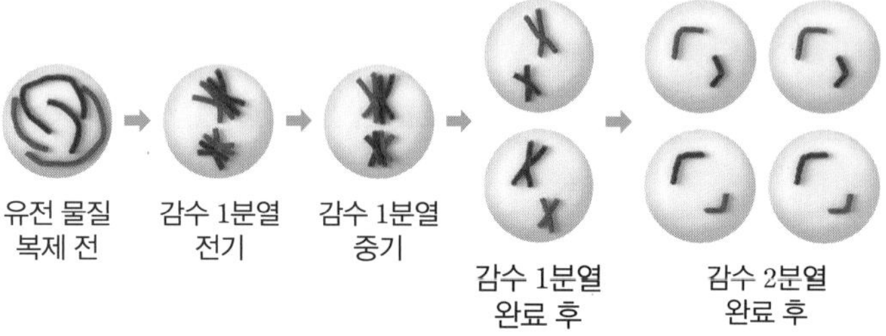

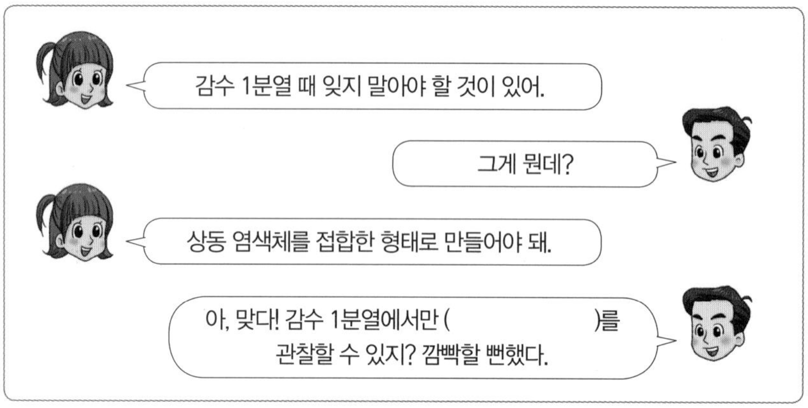

문제 해결 Tip

생식세포 분열에서는 상동 염색체가 접합하여 2가 염색체를 이루는데, 2가 염색체를 이루는 상동 염색체는 감수 1분열 후기에서 분리되어 서로 다른 딸세포로 들어가.

6 고무찰흙을 이용하여 난할 과정을 표현하려고 한다. 이를 의논하는 학생의 대화 중 옳게 말한 사람을 모두 쓰시오.

일단, 수정란과 크기가 같은 세포를 여러 개 만든 후 서로 붙이자.
아니, 분열이 진행될수록 딸세포의 크기를 점점 작게 만들어야 해.
딸세포를 서로 붙인 후의 배아 전체의 크기는 수정란과 거의 비슷하게 해야 하지?
준우
은혜
예준

문제 해결 Tip

난할 과정에서 딸세포는 거의 생장하지 않고 분열만 반복해.

7 그림은 수정과 발생 과정을 나타낸 것이다.

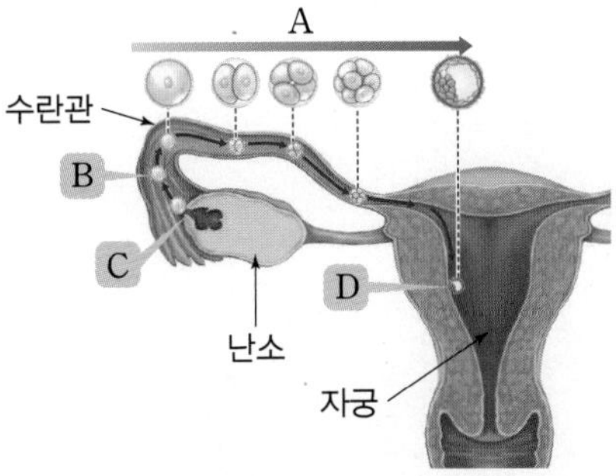
A
수란관
B
C
D
난소
자궁

(1) 다음 설명에 해당하는 과정을 그림에서 골라 기호와 용어를 쓰시오.

포배 상태의 배아가 자궁 안쪽 벽으로 파고든다.

(2) A~D를 배란에서 착상까지의 과정 순서대로 옳게 나열하시오.

문제 해결 Tip
수정 후 5~7일이 지나면 수정란이 포배가 되어 자궁 안쪽 벽을 파고들어 가는 착상이 일어나.

8 그림은 멘델의 실험 과정의 일부를 나타낸 것이다. 이에 대한 세 학생의 대화 중 옳지 않게 말한 사람의 이름을 쓰고, 내용을 옳게 고치시오.

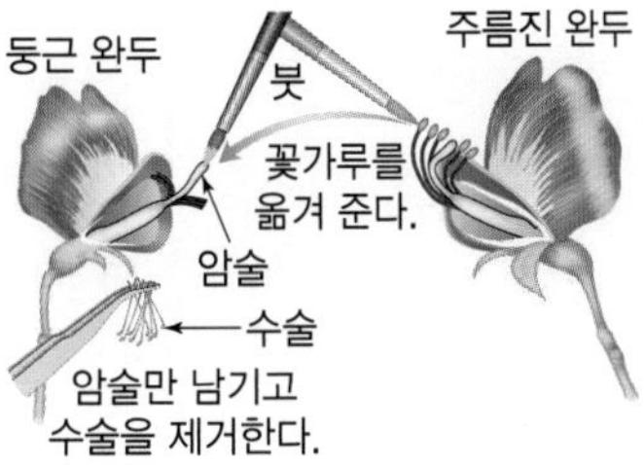
둥근 완두
주름진 완두
붓
꽃가루를 옮겨 준다.
암술
수술
암술만 남기고 수술을 제거한다.

다른 꽃의 꽃가루를 인위적으로 묻혀 주는 걸 보니 타가 수분인 것 같아.
이 실험은 유전자형이 같은 개체끼리 교배하는 거야.
멘델은 이런 방법으로 완두를 재료로 하여 유전 실험을 했어.
은설
하랑
온유

문제 해결 Tip
자가 수분을 하면 유전자형이 같은 개체끼리 교배하는 것과 결과가 같고, 타가 수분을 하면 서로 다른 유전자형을 가진 개체끼리 인위적인 교배 실험이 가능해.

2주

2주에는 무엇을 공부할까? 1

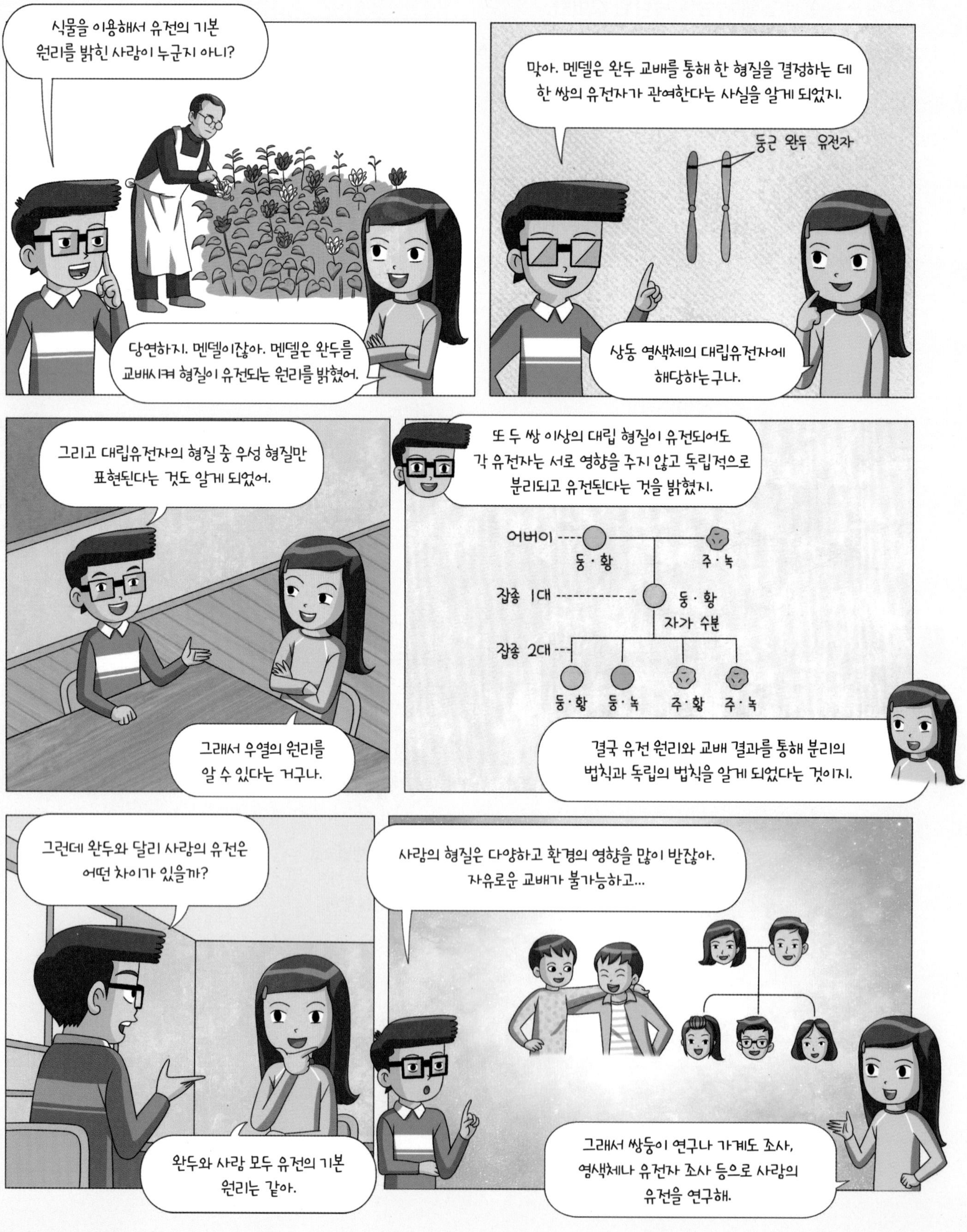

식물을 이용해서 유전의 기본 원리를 밝힌 사람이 누군지 아니?
당연하지. 멘델이잖아. 멘델은 완두를 교배시켜 형질이 유전되는 원리를 밝혔어.
맞아. 멘델은 완두 교배를 통해 한 형질을 결정하는 데 한 쌍의 유전자가 관여한다는 사실을 알게 되었지.
둥근 완두 유전자
상동 염색체의 대립유전자에 해당하는구나.
그리고 대립유전자의 형질 중 우성 형질만 표현된다는 것도 알게 되었어.
그래서 우열의 원리를 알 수 있다는 거구나.
또 두 쌍 이상의 대립 형질이 유전되어도 각 유전자는 서로 영향을 주지 않고 독립적으로 분리되고 유전된다는 것을 밝혔지.
어버이
둥·황
주·녹
잡종 1대
둥·황
자가 수분
잡종 2대
둥·황
둥·녹
주·황
주·녹
결국 유전 원리와 교배 결과를 통해 분리의 법칙과 독립의 법칙을 알게 되었다는 것이지.
그런데 완두와 달리 사람의 유전은 어떤 차이가 있을까?
완두와 사람 모두 유전의 기본 원리는 같아.
사람의 형질은 다양하고 환경의 영향을 많이 받잖아. 자유로운 교배가 불가능하고...
그래서 쌍둥이 연구나 가계도 조사, 염색체나 유전자 조사 등으로 사람의 유전을 연구해.

V. 생식과 유전(2)~VI. 에너지 전환과 보존(1)

배울 내용

1일 | 멘델의 유전 원리(1)	**4일** | 사람의 유전(2)
2일 | 멘델의 유전 원리(2)	**5일** | 역학적 에너지 전환과 보존
3일 | 사람의 유전(1)	

2주에는 무엇을 공부할까? ❷

꽃가루받이(수분)

호박꽃 속 암술에 앉은 꿀벌의 몸에 노란색 가루가 많이 묻어 있어요.
꿀벌에 묻은 가루는 꽃가루란다. 식물 스스로 꽃가루받이를 하지 못하기 때문에 꿀벌의 도움을 받는 거지.
그럼 벌이 없으면 호박을 못 먹게 되는 건가?

Quiz 1
대부분의 꽃은 암술, (　　　). 꽃잎, 꽃받침으로 이루어져 있다.

Quiz 2
꽃가루받이는 수술에서 만든 (　　　)를 곤충, 새, 바람, 물 등의 도움을 받아 암술로 옮기는 것이다.

식물이 씨를 퍼뜨리는 방법

옷에 도깨비바늘이 붙어 있어.
어디에서 붙은 거지?
눈에 버들씨가 들어갔나 봐.

Quiz 3
도깨비바늘은 (　　　)가 있어 동물의 털이나 사람의 옷에 붙어서 퍼져나간다.

Quiz 4
버드나무의 씨는 가벼운 (솜털 / 날개)이 있어 바람에 날려서 퍼져나간다.

답 1. 수술 2. 꽃가루 3. 갈고리 4. 솜털

생김새에 따른 분류

잎이 길쭉한 것과 뾰족한 것, 톱니 모양인 것을 분류해야지.
그럼, 난 잎이 길쭉하지 않은 것, 뾰족하지 않은 것, 톱니 모양이 아닌 것을 분류해야지.

Quiz 6
식물의 잎을 분류할 때 사람에 따라 분류 기준이 다르게 나오는 것은 분류 기준으로 (적합하다 / 적합하지 않다).

Quiz 5
잎을 길쭉하거나 뾰족한 것, 톱니 모양인 것 등 가장자리 모양으로 분류하는 것은 분류 기준으로 (적합하다 / 적합하지 않다).

주변에서 에너지의 형태가 바뀌는 예

Quiz 7
롤러코스터가 높은 곳에서 빠르게 내려올 때 (운동 / 위치) 에너지가 (운동 / 위치) 에너지로 전환된다.

답 **5.** 적합하다 **6.** 적합하지 않다 **7.** 위치, 운동

2주 1일 멘델의 유전 원리(1)

주제 1 대립유전자와 상동 염색체

체세포의 상동 염색체 상의 같은 위치에는 하나의 형질을 결정하는 한 쌍의 유전자가 있으며, 상동 염색체는 부모로부터 각각 한 개씩 물려받은 것이다.

특정 형질을 나타내는 유전자의 위치는 상동 염색체의 같은 자리에 있어. A와 a는 같은 형질을 나타내는 유전자이기 때문에 상동 염색체의 같은 위치에 있는 거야.
유전자 A와 a와 같이 하나의 형질에 대해 서로 다른 형질을 나타내는 유전자를 대립유전자라고 해.
세포가 분열하기 전 DNA가 복제되면 2가닥의 염색 분체가 되는데, 유전자 구성이 같아.
상동 염색체는 유전자 구성이 서로 달라.
염색 분체는 유전자 구성이 같아.
A
a
DNA 복제
A
A
a
a
상동 염색체
염색 분체
상동 염색체의 같은 자리에 있는 유전자 구성이 AA, aa처럼 같으면 순종, Aa처럼 다르면 잡종이라고 해.

중요 개념

대립유전자

- 대립 형질을 결정하는 유전자 — 완두의 둥근 형질을 결정하는 유전자 R와 주름진 형질을 결정하는 유전자 r는 대립유전자이다.
- 대립유전자는 상동 염색체 상의 동일한 위치에 존재한다.
- 상동 염색체의 동일한 위치에 존재하는 유전자 구성이 같을 때 → ❶(ㅅㅈ)(동형 접합성)
- 상동 염색체의 동일한 위치에 존재하는 유전자 구성이 다를 때 → ❷(ㅈㅈ)(이형 접합성)

상동 염색체

- 부모로부터 하나씩 물려받아 체세포에서 쌍을 이루고 있는 염색체
- 각각의 대립유전자 구성은 같을 수도 있고(동형 접합), 다를 수도 있지만(이형 접합), 하나의 염색체 상에는 많은 유전자가 있으므로 상동 염색체의 전체 유전자 구성은 다르다.
- 상동 염색체 상에 존재하는 대립유전자는 생식세포를 형성할 때 분리되어 서로 다른 딸세포로 들어간다. — 체세포에는 2개의 유전자가 있지만, 생식세포에는 1개의 유전자만 들어간다.

Tip

상동 염색체 상에 있는 유전자 구성은 모두 같을까?
➡ 특정 유전 형질을 나타내는 한 쌍의 유전자 구성은 같을 수도 있고 다를 수도 있다.

답 ❶ 순종 ❷ 잡종

○ 정답과 해설 10쪽

1-1

그림은 체세포에 존재하는 한 쌍의 염색체 상의 유전자 위치를 나타낸 것이다.

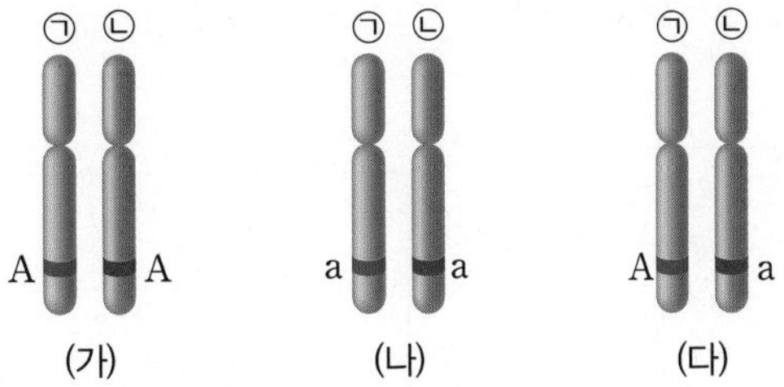

(1) 다음 설명에서 빈칸에 들어갈 알맞은 말을 쓰시오.

> ㉠과 ㉡은 부모로부터 각각 하나씩 물려받은 (   )이다.

(2) (가)~(다) 중 유전자형이 순종인 것과 잡종인 것을 구분하시오.

- 순종: (   )
- 잡종: (   )

(3) (가)~(다)에서 A와 a는 하나의 형질에서 서로 다른 대립 형질을 나타내는 유전자이다. 이를 무엇이라고 하는지 쓰시오.

(   )

1-2

그림은 어느 생물의 체세포에 들어 있는 상동 염색체 쌍을 나타낸 것이다. 이 세포의 특정 형질에 대한 유전자형이 Aa이며, A와 a는 서로 대립유전자이다. (가)~(다) 중 a 유전자의 위치는 어디인지 쓰시오. (   )

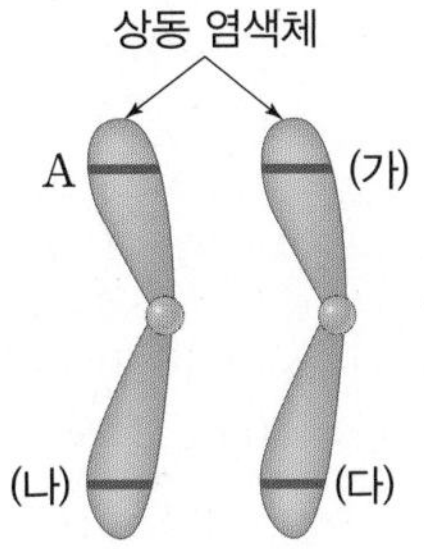

용어 풀이

＊ **대립유전자**(對 대답할, 立 설, 遺 남길, 傳 전할, 子 아들): 상동 염색체 상에 같은 위치에 존재하면서 서로 다른 형질을 표현하는 한 쌍의 유전자이다.

주제 2 우열의 원리

순종의 두 대립 형질을 교배했을 때 잡종 1대에서 우성 형질만 나타나는 현상을 우열의 원리라고 한다.

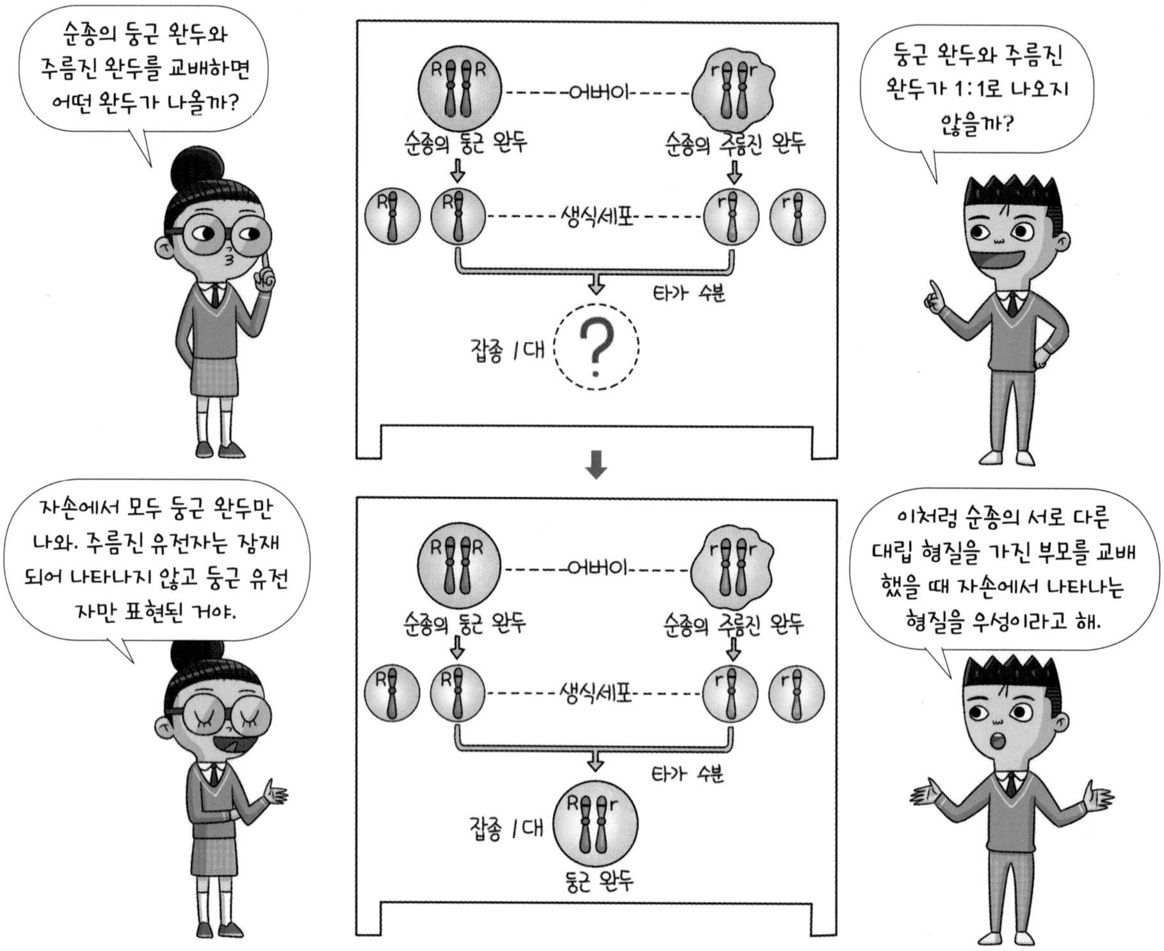

순종의 둥근 완두와 주름진 완두를 교배하면 어떤 완두가 나올까?
R R
어버이
r r
순종의 둥근 완두
순종의 주름진 완두
R R
생식세포
r r
타가 수분
잡종 1대
?
둥근 완두와 주름진 완두가 1:1로 나오지 않을까?
자손에서 모두 둥근 완두만 나와. 주름진 유전자는 잠재되어 나타나지 않고 둥근 유전자만 표현된 거야.
어버이
순종의 둥근 완두
순종의 주름진 완두
생식세포
타가 수분
잡종 1대
R r
둥근 완두
이처럼 순종의 서로 다른 대립 형질을 가진 부모를 교배했을 때 자손에서 나타나는 형질을 우성이라고 해.

중요 개념

- **멘델의 실험**
  - 서로 다른 대립 형질인 순종의 둥근 완두와 주름진 완두를 *타가 수분시켜 자손을 얻음
  - 자손에서 둥근 완두만 나타남
  - 자손에서 형질이 표현된 둥근 유전자 → ❶(ㅇㅅ)으로, 대문자 R로 표현함
  - 자손에서 형질이 표현되지 않은 주름진 유전자 → ❷(ㅇㅅ)으로, 소문자 r로 표현함
- **우성과 열성** — 순종의 둥근 완두에서 생성된 생식세포의 유전자형은 R, 순종의 주름진 완두에서 생성된 생식세포의 유전자형은 r로, 자손 1대의 유전자형은 Rr이다.
  - 우성: 자손 1대(이형 접합성)에서 표현되는 형질
  - 열성: 자손 1대(이형 접합성)에서 표현되지 않고 잠재되어 있는 형질

Tip

우성은 우수한 형질일까?
➡ 우성과 열성은 순종의 대립 형질끼리 교배했을 때 다음 세대에서 나타나는지의 여부로 구분하며, 어떤 형질이 우수한지 또는 열등한지로 구분하는 것이 아니다.

답 ❶ 우성 ❷ 열성

개념 원리 확인

○정답과 해설 10쪽

2-1

순종의 황색 완두와 녹색 완두를 교배하였더니 자손 1대에서 황색 완두만 나타났다.

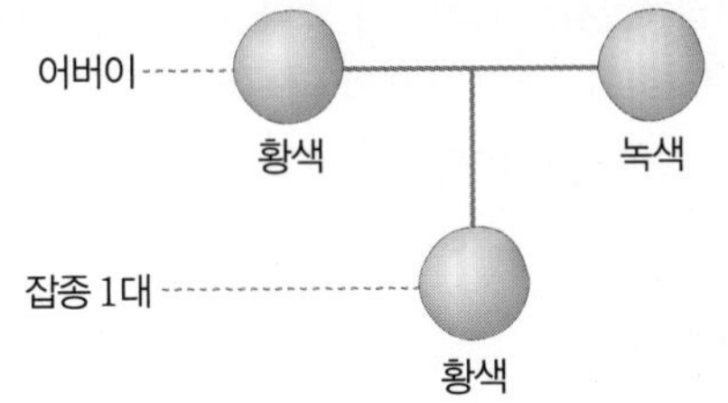

완두의 색깔에서 황색과 녹색 중 우성 형질은 무엇인지 쓰시오.

(   )

우성은 알파벳 대문자로, 열성은 알파벳 소문자로 표시해.

2-2

순종의 둥근 완두와 주름진 완두를 교배하여 자손 1대에서 모두 둥근 완두를 얻었다. 우성 대립유전자를 대문자 R, 열성 대립유전자를 소문자 r로 표현할 때, (가)~(다)의 유전자형을 각각 쓰시오.

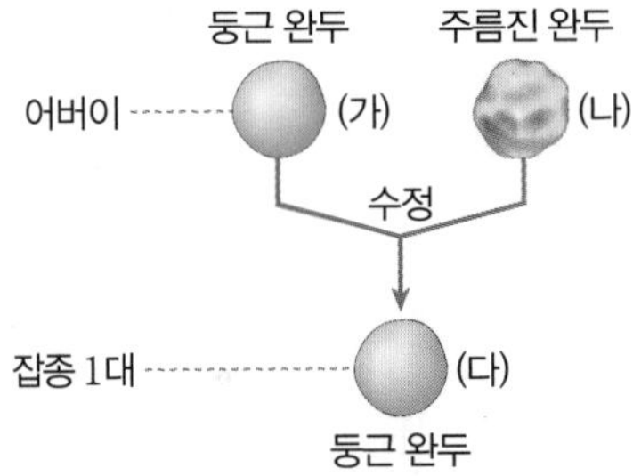

- (가): (   )
- (나): (   )
- (다): (   )

2-3

다음 두 학생의 대화에서 빈칸에 알맞은 말을 쓰시오.

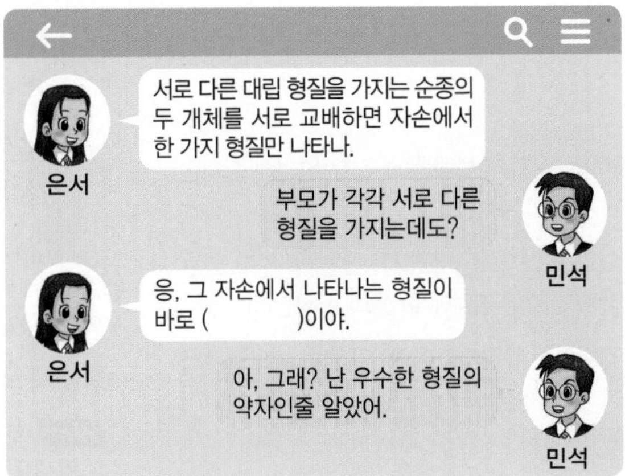

서로 다른 대립 형질을 가지는 순종의 두 개체를 서로 교배하면 자손에서 한 가지 형질만 나타나.
은서
부모가 각각 서로 다른 형질을 가지는데도?
민석
응, 그 자손에서 나타나는 형질이 바로 (   )이야.
은서
아, 그래? 난 우수한 형질의 약자인줄 알았어.
민석

용어 풀이

***타가 수분**(他 다를, 家 집, 受 받을, 粉 가루): 수술의 꽃가루를 다른 그루의 꽃에 있는 암술에 묻히는 것

2주 1일 기초 집중 연습

대표 기출문제 주제 1 대립유전자와 상동 염색체

1-1

완두의 모양을 나타내는 대립유전자는 R와 r가 있다. 다음 중 완두의 모양에 대한 유전자형이 Rr인 개체의 염색체 상에 대립유전자가 위치하는 모습을 옳게 나타낸 것은?

①
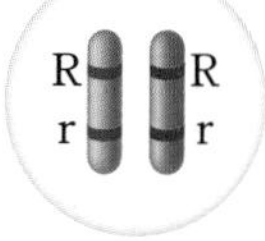
R R
r r

②
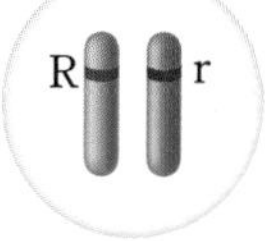
R r

③
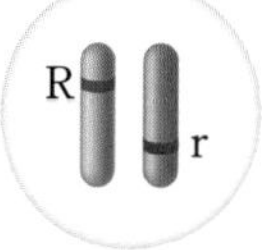
R
r

④
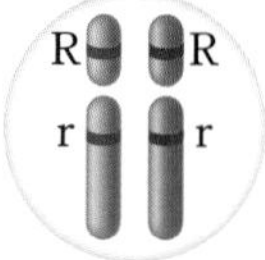
R R
r r

⑤

R
r

문제 해결 Point

가이드 | 대립유전자는 상동 염색체 상의 같은 위치에 존재한다.

해결 Point | 완두의 모양을 결정하는 유전자는 쌍을 이루고 있는 상동 염색체의 같은 위치에 한 쌍이 존재한다.

오개념 주의 | 모양을 결정하는 유전자형이 Rr인 경우 부모로부터 각각 R가 있는 염색체와 r가 있는 염색체를 하나씩 물려받은 것이다.

1-2

다음 두 학생의 대화 중 옳게 설명한 학생을 고르시오.

한 형질에 대한
서로 다른 대립 형질을
결정하는 유전자를
대립유전자라고 해.
만약 유전자형이
Aa라면 A와 a가
염색 분체상의 같은
위치에 있는 거지.

1-3

다음은 멘델의 가설 중 일부를 나타낸 것이다.

- 특정한 형질은 한 쌍의 유전 인자로 결정되며, 한 쌍의 유전 인자는 부모로부터 각각 하나씩 물려 받은 것이다.
- 한 쌍의 유전 인자는 생식세포가 만들어질 때 분리되어 각각 다른 생식세포로 들어가고, 자손에게 전달되어 다시 쌍을 이룬다.

위 글에서 한 쌍의 유전 인자가 위치하는 염색체 쌍을 무엇이라고 하는지 쓰시오.

Hint 부모로부터 각각 하나씩 물려받았고, 생식세포를 형성할 때 서로 다른 딸세포로 들어가는 염색체 쌍을 생각해 본다.

대표 기출문제 주제 2 우열의 원리

2-1

다음 중 우성과 열성에 대한 설명으로 옳은 것을 보기 에서 모두 고른 것은?

보기
ㄱ. 열성은 우성에 비해 생존에 불리하고 열등한 형질이다.
ㄴ. 유전자형이 잡종일 때 표현되는 형질을 우성이라고 한다.
ㄷ. 순종의 서로 다른 대립 형질을 가지는 개체끼리 교배했을 때 자손에서 나타나는 형질을 우성이라고 한다.

① ㄱ ② ㄴ ③ ㄱ, ㄷ
④ ㄴ, ㄷ ⑤ ㄱ, ㄴ, ㄷ

문제 해결 Point

가이드 | 유전자형이 잡종일 때 표현되는 형질을 우성, 표현되지 않는 형질을 열성이라고 한다.

해결 Point | 순종의 서로 다른 대립 형질을 가지는 개체끼리 교배했을 때 자손의 유전자형은 잡종이며, 표현되는 형질을 **우성**이라고 한다.

오개념 주의 | 우성과 열성은 우수한 형질이나 열등한 형질, 다수의 형질이나 소수의 형질 등의 개념과는 무관하다.

2-2

순종의 둥근 완두와 순종의 주름진 완두를 교배하여 자손에서 1000개의 완두를 얻었다.

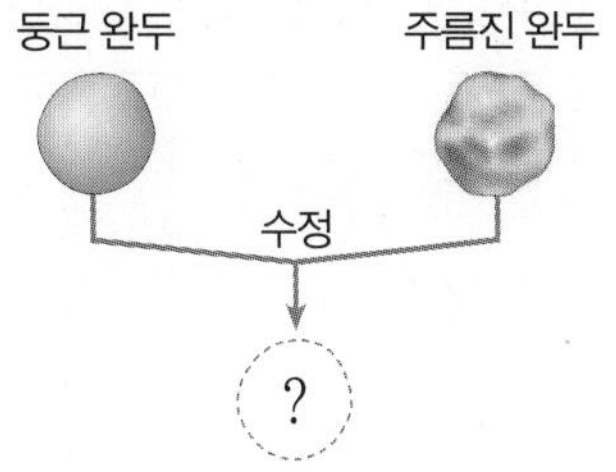

둥근 완두는 모두 몇 개인지 쓰시오.

Hint 순종의 서로 다른 대립 형질을 가진 개체끼리 교배하면 잡종 1대에서 우성의 형질만 나타난다.

2-3

표는 완두의 대립 형질 중 순종의 대립 형질을 가진 개체끼리 교배했을 때 잡종 1대에서 나타나는 형질을 제시한 것이다.

구분	부	모	자손
완두 모양	둥글다	주름지다	둥글다
완두 색깔	황색	녹색	황색
꽃 색	보라색	흰색	보라색
키	크다	작다	크다
꽃의 위치	잎 겨드랑이	줄기 끝	잎 겨드랑이

다음 중 우성 형질이 아닌 것은?

① 둥글다 ② 녹색 ③ 보라색
④ 크다 ⑤ 잎 겨드랑이

2주 2일 멘델의 유전 원리(2)

주제 1 분리의 법칙

생식세포를 만들 때 상동 염색체에 쌍을 이룬 잡종 1대의 대립유전자가 서로 다른 생식세포로 나누어져 들어가 다음 세대에 유전되는 현상을 분리의 법칙이라고 한다.

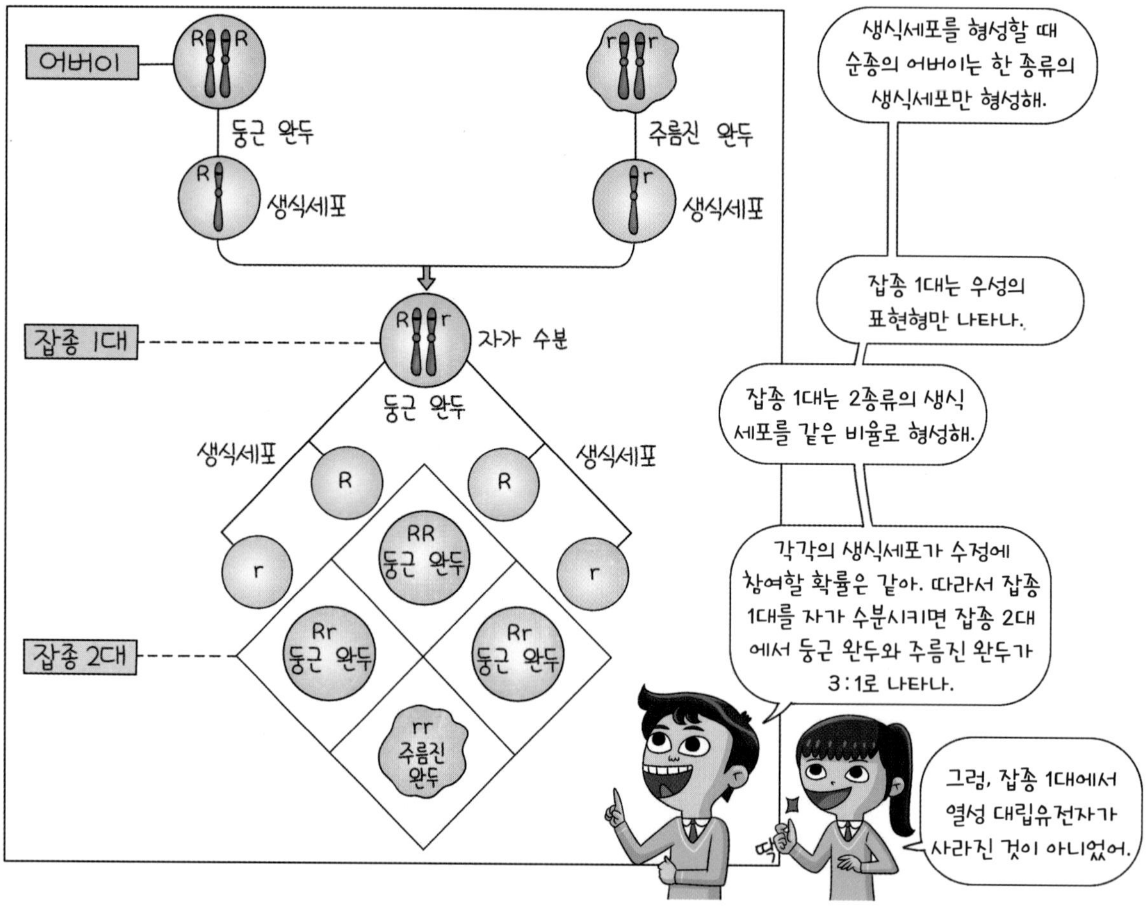

중요 개념

- **분리의 법칙**
  - 생식세포를 형성할 때 상동 염색체 상에 있던 한 쌍의 대립유전자는 분리되어 서로 다른 생식세포로 들어간다.
  - 개체의 세포 내에 있는 한 쌍의 대립유전자가 분리되어 다음 세대로 유전되는 현상을 ❶(ㅂㄹ)의 법칙이라고 한다.
- **잡종 1대(Rr)의 자가 수분 시 잡종 2대에서 표현형과 유전자형의 비**
  - 표현형의 비 ➡ 우성 : 열성 = ❷( )
  - 유전자형의 비 ➡ RR : Rr : rr = 1 : 2 : 1

Tip

잡종 2대에서 우성 : 열성 = 3 : 1의 비율로 나타나는 것이 분리의 법칙이다?

➡ 분리의 법칙은 대립유전자가 생식세포를 만들 때 하나씩 분리되어 서로 다른 생식세포로 들어가는 것을 의미한다.

답 ❶ 분리 ❷ 3 : 1

개념 원리 확인

정답과 해설 11쪽

1-1

다음은 순종의 둥근 완두와 순종의 주름진 완두를 교배하여 얻은 잡종 1대를 나타낸 것이다.

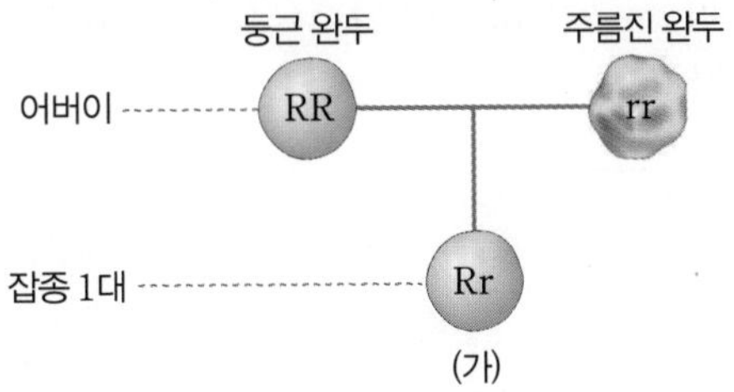

(가)가 만들 수 있는 생식세포의 유전자형을 모두 쓰시오.

(　　　　　　　　)

생식세포가 전달한 대립유전자를 서로 결합시키면 자손의 유전자형이 돼.

1-2

그림은 유전자형이 Rr인 둥근 완두를 자가 수분한 결과를 나타낸 것이다.

생식세포	R	r
R	(가)	(나)
r	(다)	(라)

(가)~(라)의 유전자형을 각각 쓰시오.

(　　　　　　　　　　　　　　)

1-3

그림은 멘델이 수행한 완두의 교배 실험을 나타낸 것이다. 순종의 황색 완두와 순종의 녹색 완두를 교배하여 잡종 1대를 얻은 다음, 다시 잡종 1대를 자가 수분하여 얻은 잡종 2대에서 전체 자손의 수에 대한 녹색 완두의 비율은 얼마인지 쓰시오.

(　　　　　　　　)

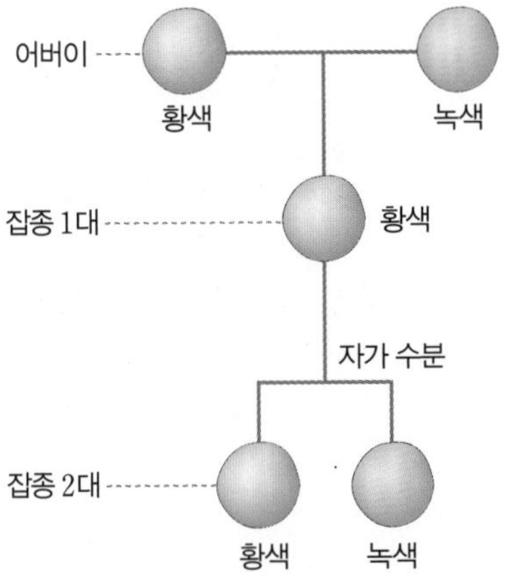

멘델의 유전 원리(2)

주제 2 독립의 법칙

두 쌍 이상의 대립 형질이 동시에 유전될 때 각각의 형질을 나타내는 유전자가 서로 영향을 주지 않고 독립적으로 분리되어 유전되는 현상을 독립의 법칙이라고 한다.

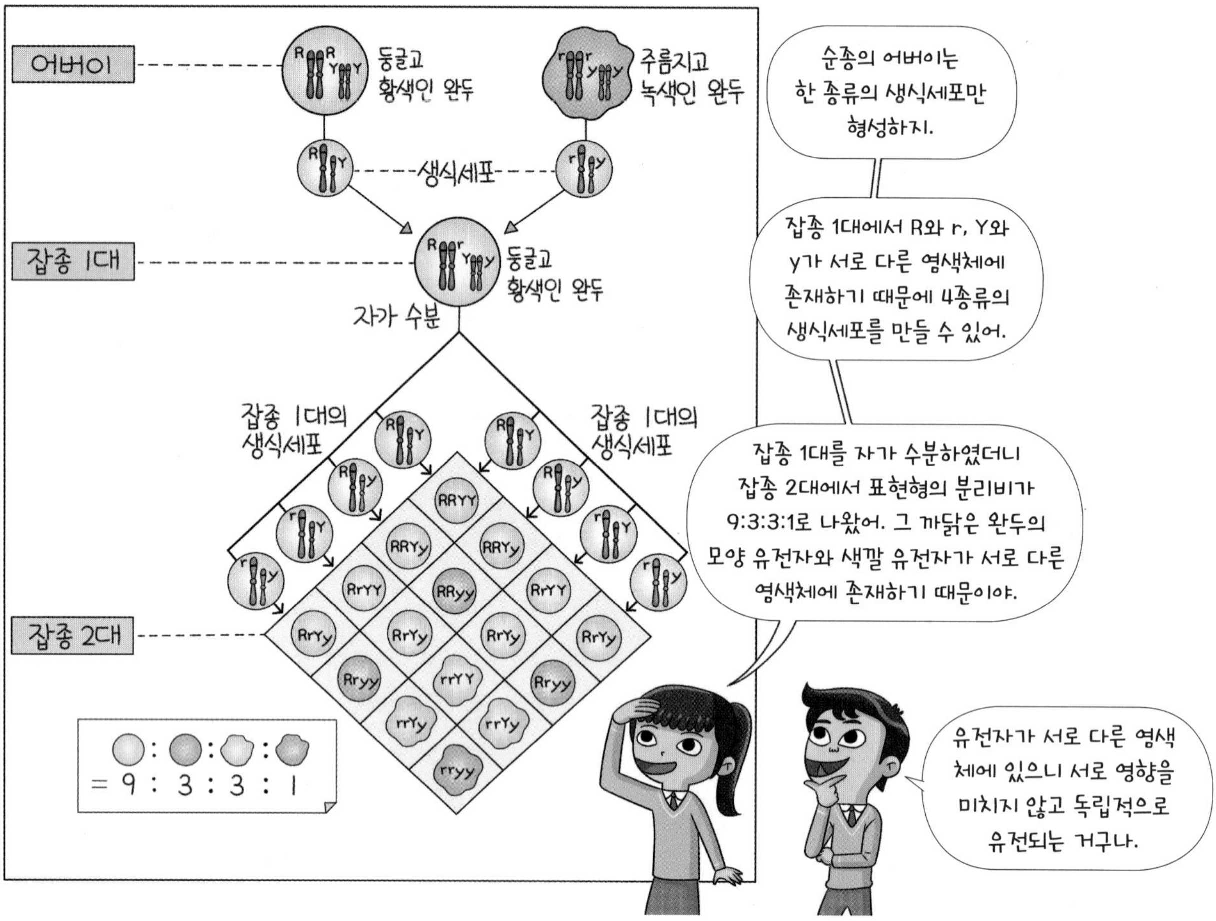

중요 개념

- **독립의 법칙**
  - 완두의 모양과 색깔 유전자는 서로 다른 상동 염색체 상에 존재함
  - 잡종 1대의 둥글고 황색(RrYy)인 완두는 ❶(   )종류의 생식세포를 형성함 └RY, Ry, rY, ry
    ➡ RY, Ry, rY, ry는 동일한 비율로 형성된다.
  - 잡종 1대를 자가 수분한 결과 잡종 2대에서는 둥글고 황색 : 둥글고 녹색 : 주름지고 황색 : 주름지고 녹색=❷(   )의 비로 나타남
    ➡ 둥글다:주름지다=3:1, 녹색:황색=3:1
  - 두 쌍 이상의 대립 형질이 동시에 유전될 때 각각의 형질을 나타내는 유전자가 서로 영향을 주지 않고 독립적으로 분리되어 유전됨

Tip

RrYy에서 Rr, Yy인 생식세포가 만들어지지 않는 까닭
➡ 대립유전자 쌍은 서로 다른 생식세포로 나뉘어 들어가기 때문에 대립유전자 관계인 R와 r, Y와 y가 동시에 들어가는 정상 생식세포는 존재하지 않는다.

답 ❶ 4 ❷ 9:3:3:1

개념 원리 확인

정답과 해설 11쪽

2-1

그림은 순종의 둥글고 황색인 완두(RRYY)와 순종의 주름지고 녹색인 완두(rryy)를 교배하여 잡종 1대를 얻고, 이를 다시 자가 수분하여 잡종 2대를 얻는 과정을 나타낸 것이다.

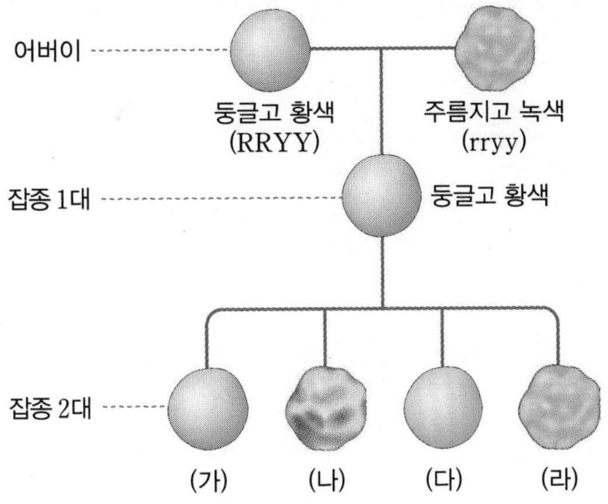

(1) 잡종 1대의 둥글고 황색인 완두의 유전자형을 쓰시오.

( )

(2) 잡종 1대인 완두에서 만들 수 있는 생식세포의 종류를 모두 쓰시오.

( )

(3) 잡종 2대에서 (가) : (나) : (다) : (라)의 분리비는 얼마인지 쓰시오.

( )

독립의 법칙은 두 쌍의 대립유전자가 각각 다른 염색체에 있을 때 성립해.

2-2

다음은 독립의 법칙에 대한 설명이다. 빈칸에 알맞은 말을 쓰시오.

독립의 법칙은 두 쌍 이상의 대립 형질이 동시에 유전될 때, 각 형질을 나타내는 ㉠(   ) 유전자 쌍이 서로 영향을 미치지 않고 각각 독립적으로 ㉡(   )의 법칙에 따라 유전된다는 원리이다.

2주 2일 기초 집중 연습

대표 기출문제 주제 1 분리의 법칙

1-1

그림은 순종의 황색 완두와 순종의 녹색 완두를 교배하여 잡종 1대를 얻고, 잡종 1대를 자가 수분하여 잡종 2대를 얻는 과정을 나타낸 것이다.

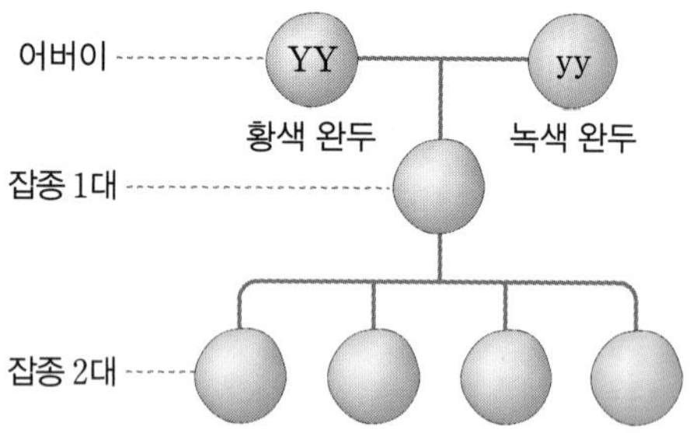

이에 대한 설명으로 옳은 것을 보기 에서 모두 고른 것은?

보기

ㄱ. 황색은 우성, 녹색은 열성으로 유전된다.
ㄴ. 잡종 1대의 개체가 생성하는 생식세포는 한 종류이다.
ㄷ. 잡종 2대에서 우성 : 열성의 표현형의 비는 1 : 2 : 1이다.
ㄹ. 잡종 2대의 개체 중 25 %는 녹색 완두이다.

① ㄱ, ㄷ ② ㄱ, ㄹ ③ ㄴ, ㄷ
④ ㄴ, ㄹ ⑤ ㄷ, ㄹ

문제 해결 Point

가이드 | 잡종 1대의 표현형을 통해 우성과 열성을 판단할 수 있다. 또한, 잡종 1대의 자가 수분 결과는 퍼넷 사각형으로 확인할 수 있다.

해결 Point | 잡종 1대에서 표현된 황색 형질이 우성, 표현되지 않은 녹색 형질이 열성이다. 잡종 2대에서 열성 개체가 나타나는 비율은 $\frac{1}{4}$, 즉 25 %이다.

오개념 주의 | 잡종 1대의 유전자형은 Yy로 생식세포는 Y, y 2종류가 생긴다. 잡종 2대에서 우성 : 열성의 표현형의 비는 3:1이고, 유전자형의 비는 YY : Yy : yy = 1:2:1이다.

1-2

유전자형을 알 수 없는 둥근 완두와 주름진 완두를 교배하여 다음과 같은 결과를 얻었다.

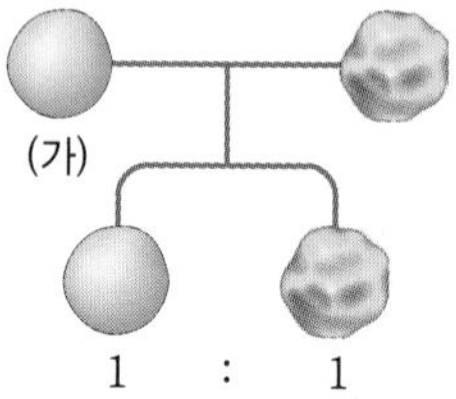

(가)의 유전자형에 대한 두 학생의 대화 중 옳게 설명한 학생을 쓰시오.

(가)는 표현형이 둥글잖아. 그래서 유전자형이 RR, Rr 둘다 가능하지.
(가)는 Rr야. 자손에서 주름진 완두가 나왔잖아. r를 부모로부터 하나씩 받았기 때문이다.
태영
수연

1-3

그림은 순종의 둥근 완두와 순종의 주름진 완두를 교배하여 잡종 1대를 얻고, 이를 자가 수분하여 잡종 2대를 얻는 과정을 나타낸 것이다.

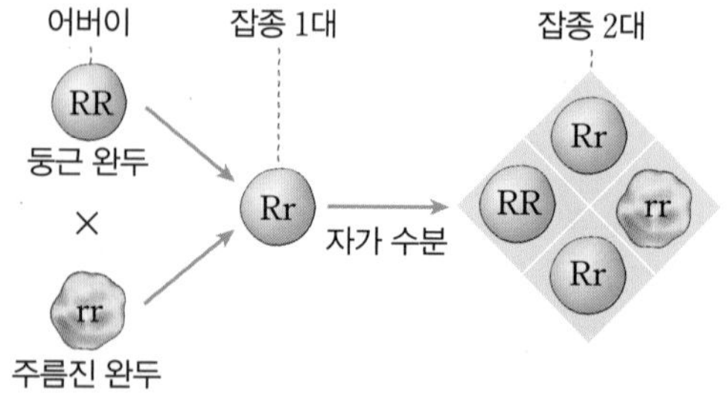

잡종 2대에서 200개의 완두를 얻었을 때 주름진 완두의 개수는 이론상 몇 개인지 쓰시오.

Hint 잡종 2대에서 우성 : 열성의 비는 3:1로 나타난다.

대표 기출문제 주제 2 독립의 법칙

2-1

그림은 순종의 둥글고 황색인 완두와 순종의 주름지고 녹색인 완두를 교배하여 잡종 1대를 얻고, 다시 잡종 1대를 자가 수분하여 잡종 2대를 얻는 과정을 나타낸 것이다.

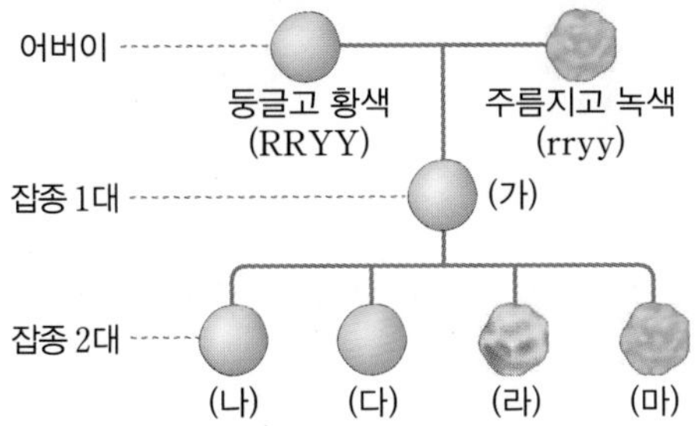

이에 대한 설명으로 옳지 않은 것은?

① (가)의 유전자형은 RrYy이다.
② (가)에서는 우성 형질이 나타난다.
③ (가)에서 생성하는 생식세포는 2종류이다.
④ (가)의 R과 r, Y와 y는 동일한 생식세포로 들어갈 수 없다.
⑤ (나):(다):(라):(마)의 표현형의 비는 9:3:3:1이다.

문제 해결 Point

가이드 (가)의 유전자형은 RrYy로 R와 r, Y와 y는 서로 다른 염색체 상에 있다.

해결 Point 잡종 1대에서는 완두의 모양과 색깔에서 우성의 표현형만 나타난다. (가)는 RY, Ry, rY, ry 4종류의 생식세포를 생성하는데, 대립유전자 관계인 R와 r, Y와 y는 동일한 생식세포로 들어갈 수 없다.

오개념 주의 R와 r, Y와 y는 서로 다른 염색체 상에 있으므로 4종류의 생식세포를 생성하고, 잡종 2대에서 (나)~(마)의 표현형의 비는 9:3:3:1로 나타난다.

2-2

완두의 모양과 색깔 유전자는 서로 다른 염색체 상에 있으며, 모양을 나타내는 R와 r, 색깔을 나타내는 Y와 y는 서로 대립유전자이다. 그림과 같이 유전자형이 RrYY인 개체가 생성하는 생식세포의 종류를 모두 쓰시오.

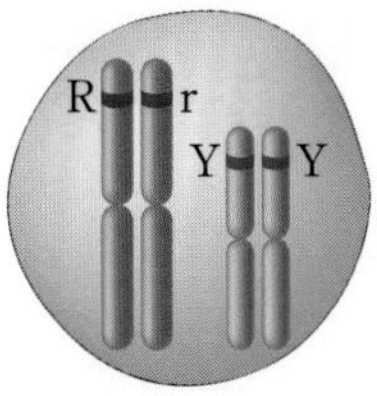

Hint 생식세포 분열에서 대립유전자 R와 r 중에서 하나가 선택되는 경우의 수가 두 가지이고, Y는 한 가지 경우만 가능하다.

2-3

완두의 모양과 색깔에 대한 유전자형이 RrYy인 둥글고 황색인 완두를 유전자형이 rryy인 열성 개체와 교배하여 자손을 얻었다.

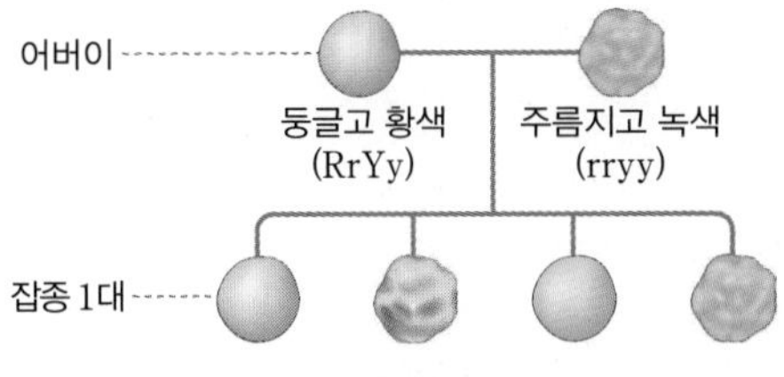

이 자손에서 나타나는 표현형의 분리비로 옳은 것은?

① 1:1 ② 1:1:1:1 ③ 3:1
④ 9:3:3:1 ⑤ 1:2:1

2주 3일 사람의 유전(1)

주제 1 사람의 유전 연구 방법

완두와 달리 사람을 대상으로 한 유전 연구에는 많은 어려움이 있어서 직접 적인 연구보다는 간접적인 방법을 이용한다. 사람의 유전 연구 방법에는 쌍둥이 연구, 가계도 분석, 통계 조사, 염색체와 유전자 조사 등이 있다.

중요 개념

● 사람의 유전 연구가 어려운 까닭

- 형질의 수가 너무 많고 복잡하다.
- 환경의 영향을 많이 받는다.
- 주로 한두 명의 자손을 낳기 때문에 통계 자료로 활용할 사례가 충분하지 않다.
- 한 세대가 길어서 자손에게 형질이 유전되는 것을 관찰하는 데 오랜 시간이 걸린다.
- 연구자가 의도한 대로 자유로운 교배 실험을 할 수 없다.

● 사람의 유전 연구 방법

- 쌍둥이 연구: 형질에 대한 유전과 ❶(ㅎㄱ)의 영향을 파악할 수 있다.
- ❷(ㄱㄱㄷ) 분석: 잘 알려진 가계의 *가계도를 통해 형질의 유전 원리를 파악할 수 있다.
- 통계 조사(집단 조사): 집단에서 형질의 유전 특징과 유전자의 분포를 추측할 수 있다.
- 염색체와 유전자 조사: 염색체의 수와 모양, 유전자 정보를 비교·분석할 수 있다.

Tip

각각 다른 지역에서 떨어져 자란 1란성 쌍둥이의 형질이 항상 동일한 경우
➡ 환경의 영향보다는 유전에 의해 결정되는 형질임을 알 수 있다.

답 ❶ 환경 ❷ 가계도

○ 정답과 해설 12쪽

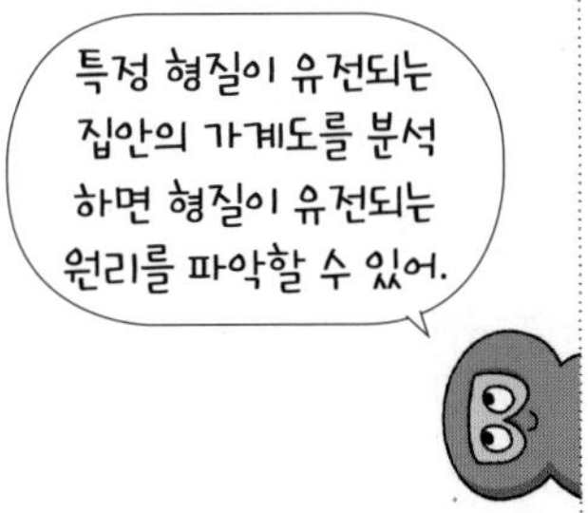
특정 형질이 유전되는 집안의 가계도를 분석하면 형질이 유전되는 원리를 파악할 수 있어.

1-1

다음은 유전 연구 방법에 대한 자료이다.

- 남자는 □, 여자는 ○로 나타낸다.
- 형질의 표현은 ■, ●로 나타낸다.
- 집안 내에서 특정 형질이 자손에게 유전되는 원리와 경로를 파악할 수 있다.

위 자료는 사람의 유전 연구 방법 중 무엇을 설명한 것인지 쓰시오.

( )

다른 환경에서 자랐어도 1란성 쌍둥이의 형질이 비슷하다면 환경보다는 유전의 영향을 강하게 받는 거라고 볼 수 있어.

1-2

(가)~(다)는 세 명의 1란성 쌍둥이로, 중학생 시절까지 한집에서 자라다가 그 중 (다)는 형제들과 떨어져 다른 곳에서 생활하였다. 10년 후 세 쌍둥이의 키와 몸무게를 나타낸 결과는 다음 표와 같다.

구분	(가)	(나)	(다)
키	177 cm	177.5 cm	177.5 cm
몸무게	70 kg중	71 kg중	82 kg중

키와 몸무게 중 유전의 영향을 더 강하게 받는 것은 무엇인지 쓰시오.

( )

1-3

그림은 어느 집안의 가계도를 나타낸 것이다. 이에 대한 설명으로 옳지 않은 것은?

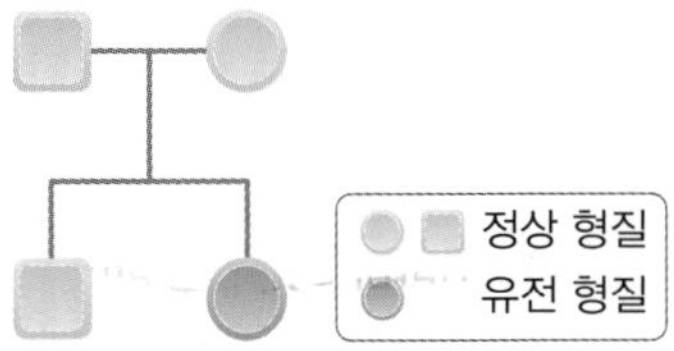
정상 형질
유전 형질

① □는 남자를 나타낸다.
② ○는 여자를 나타낸다.
③ 가로선은 부부 관계를 의미한다.
④ 세로선은 부모와 자손 관계를 의미한다.
⑤ 가계도를 통해 유전과 환경이 형질에 미치는 영향을 알 수 있다.

용어 풀이

* **가계도**(家 집, 系 이을, 圖 그림): 한 가문의 계통을 그림으로 나타낸 것으로, 특정한 형질이나 유전병 등에 대한 정보를 포함하여 작성한다.

사람의 유전(1)

주제 2 미맹 유전

미맹 유전은 우열의 원리와 분리의 법칙을 따르며, 유전자가 상염색체에 있어 남녀에 따른 차이가 나타나지 않는다.

중요 개념

- **사람의 다양한 유전 형질**
  - 머리 선 모양, 눈꺼풀 모양, 보조개 유무, 귓불 모양, 혀 말기, 엄지손가락의 젖혀짐, 발가락의 길이, 미맹 등은 대립 형질이 비교적 뚜렷하고 멘델 유전 법칙에 따라 유전된다.
  - *상염색체 상에 존재하는 유전 형질이므로 남녀에 따라 형질이 나타나는 빈도에 차이가 없다.
- **미맹 유전**
  - PTC 용액의 쓴맛을 느끼지 못하는 형질을 ❶(ㅁㅁ)이라고 하며, 정상에 대해 열성으로 유전된다.
  - 가계도 상에서 부모의 형질이 같은데, 부모와 다른 형질이 태어날 경우 부모의 형질이 우성, 자손의 형질이 ❷(ㅇㅅ)이 된다. — 미맹이 아닌 부모 사이에서 미맹인 아이가 태어났다면 미맹이 아닌 것이 우성, 미맹이 열성 형질이다.

Tip

열성 형질인 부모에게서 태어나는 자손의 표현형
➡ 항상 열성 형질인 자손이 태어난다.

답 ❶ 미맹 ❷ 열성

2-1

다음에 제시된 유전 형질에 대해 옳게 설명한 학생을 모두 쓰시오.

미맹, 머리 선 모양, 보조개 유무, 쌍꺼풀 유무

대립 형질은 우성과 열성으로 구분할 수 있어.
멘델의 분리의 법칙이 성립해.
남녀 성별에 따라 형질이 발현되는 빈도가 달라져.
민석
은서
세원

( )

같은 형질의 부모 사이에서 부모에 없는 형질의 자손이 태어났는지 찾아봐.

2-2

그림은 어느 가족의 혀 말기 형질을 조사하여 나타낸 것이다.

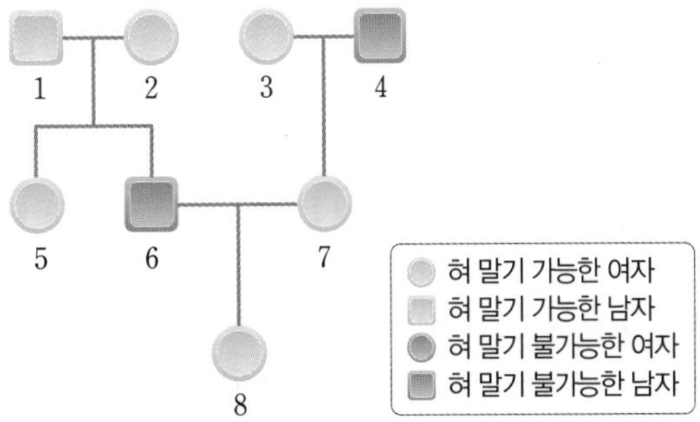

(1) 혀 말기 가능한 형질과 혀 말기 불가능 형질 중 우성 형질을 쓰시오.

( )

(2) 위 가계도의 혀 말기 가능인 사람 중에서 혀 말기 불가능 유전자를 하나 가지고 있는 사람(이형 접합자)을 모두 고르시오.

( )

용어 풀이

* **상염색체**(常 항상, 染 물들일, 色 색, 體 몸): 생물의 염색체 가운데 성염색체가 아닌 보통 염색체

2주 3일 기초 집중 연습

대표 기출문제 주제 1 사람의 유전 연구 방법

1-1

다음 중 사람의 유전 연구의 어려운 점에 대한 설명으로 옳은 것은?

① 한 세대가 짧다.
② 자손을 많이 낳는다.
③ 대립 형질이 뚜렷하다.
④ 환경의 영향을 많이 받는다.
⑤ 자유로운 교배 실험이 가능하다.

문제 해결 Point

가이드 | 사람의 유전 연구는 직접적인 연구 방법보다는 간접적인 방법을 이용해야 한다.

해결 Point | 사람은 한 세대가 너무 길어서 자손에 어떤 형질이 나타나는지 관찰하기가 쉽지 않고, 적은 수의 자손을 낳기 때문에 우성과 열성 형질의 비율을 통계 처리하기 힘들다. 또한, 사람의 유전 연구는 자유로운 교배 실험이 불가능하기 때문에 직접적인 연구보다 간접적인 연구 방법을 이용해야 한다.

오개념 주의 | 사람의 유전은 형질이 복잡하고 유전과 환경의 영향을 동시에 받는 형질도 많기 때문에 유전 원리를 파악하기 어렵다.

1-2

사람의 유전 연구에 대한 두 학생의 대화 중 빈칸에 들어갈 말을 쓰시오.

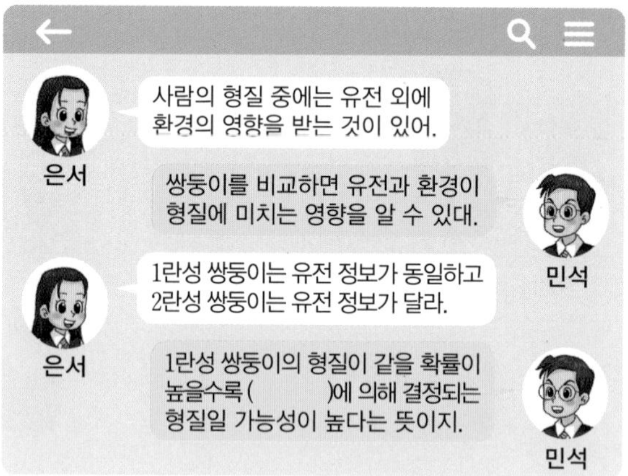

1-3

다음은 가계도를 그리는 방법에 대해 세 학생이 나눈 대화이다. 옳게 말한 학생을 모두 쓰시오.

Hint 가계도 상의 관계를 연결하는 선으로 부부 관계, 부모 자녀 관계를 나타낼 수 있다.

대표 기출문제 주제 2 미맹 유전

2-1

다음 중 미맹 유전에 대한 특징을 설명한 것으로 옳지 않은 것은?

① 멘델의 분리의 법칙을 따른다.
② 유전자는 상염색체 상에 존재한다.
③ 형질이 남녀의 성별에 관계없이 나타난다.
④ 미맹은 정상 형질에 대해 열성으로 유전된다.
⑤ 정상인 부모 사이에서는 정상인 자녀만 태어난다.

문제 해결 Point

가이드 사람의 유전 형질 중 미맹은 비교적 대립 형질이 뚜렷하게 나타나는 유전 형질로, 한 쌍의 대립유전자에 의해 형질이 결정된다.

해결 Point 미맹 유전자는 상염색체 상에 존재하고, 미맹은 정상에 대해 열성으로 유전된다. 대립유전자는 생식세포를 형성할 때 분리되어 다른 생식세포로 들어가므로 멘델의 분리의 법칙을 따르고, 상염색체 상에 있으므로 남녀 성별에 관계없이 형질이 발현된다.

오개념 주의 미맹이 정상에 대해 열성으로 유전하기 때문에 부모가 정상 형질인 이형 접합자일 경우 미맹인 자녀가 태어날 수 있다.

2-2

그림은 철수 가족의 미맹 형질을 나타낸 가계도이다.

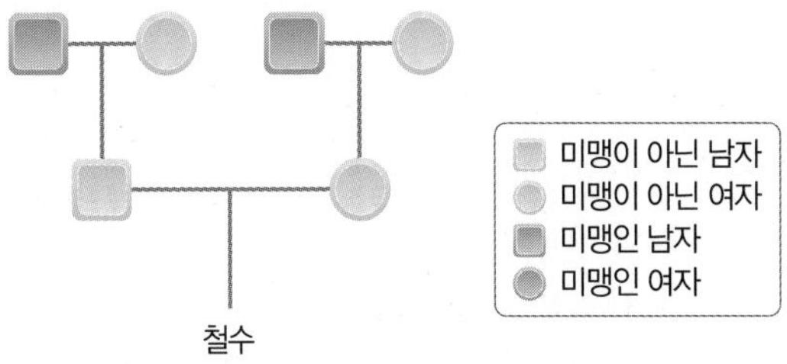

철수가 미맹이 아닌 형질을 가질 확률은 얼마인지 쓰시오.

2-3

그림은 보조개의 형질에 대해 작성한 지윤 가족의 가계도이다.

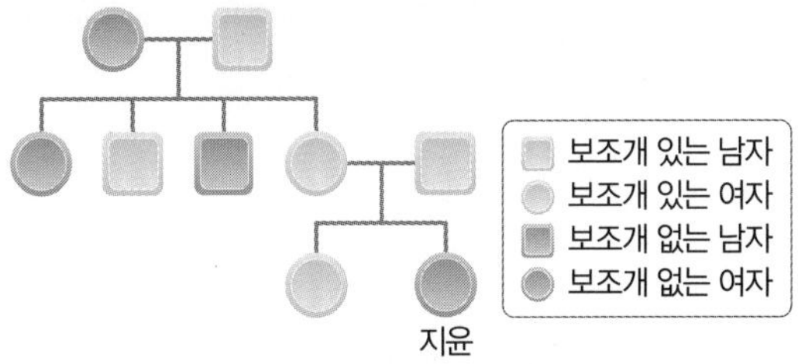

보조개 유전에 대해 옳게 설명한 학생을 모두 쓰시오.

지윤이 부모님은 모두 보조개가 있는데 지윤이는 보조개가 없네. 그럼 보조개가 없는 게 우성 맞지?
부모님은 보조개가 있고 나는 없지만, 부모님 모두 보조개가 없는 유전자를 갖고 계셔.
영우
지윤

2주 3일

사람의 유전(2)

주제 1 ABO식 혈액형 유전

ABO식 혈액형은 A, B, O 세 가지 대립유전자가 관여하지만, 상염색체에 있는 한 쌍의 대립유전자에 의해 혈액형이 결정된다.

중요 개념

ABO식 혈액형 유전

- 대립유전자는 A, B, O로 3개이다. ─ 대립유전자가 3개 이상인 유전을 복대립 유전이라고 한다.
- 유전자 A와 B는 O에 대해 각각 우성이고, O는 열성이다.
- 유전자 A와 B 사이에는 우열 관계가 없다.
- 표현형은 ❶(　　　)가지, 유전자형은 ❷(　　　)가지이다.
  - 표현형: A형, B형, AB형, O형
  - 유전자형: AA, AO, BB, BO, AB, OO
- 유전자가 상염색체 상에 있으므로 형질의 발현은 남녀 성별과 무관하다.

Tip

한 사람의 혈액형을 결정하는 데 대립유전자는 몇 개가 필요할까?

➡ 혈액형의 대립유전자는 3개이지만, 혈액형을 결정하는 대립유전자는 한 쌍이 필요하다.

답 ❶ 4 ❷ 6

개념 원리 확인

○ 정답과 해설 13쪽

유전자 A와 B는
대립유전자 관계야.

1-1

다음은 혈액형이 AB형인 사람의 대립유전자 위치에 대해 세 학생이 나눈 대화이다. 옳게 설명한 학생을 쓰시오.

대립유전자 A와 B가 같은 염색체 상에 있어.
대립유전자 A와 B가 상동 염색체의 같은 위치에 있어.
대립유전자 A와 B가 같은 염색체 상에 있고, 상동 염색체에도 존재해.
민석
은서
세원

(　　　　　　)

AB형, A형, B형, O형이
모두 나올 수 있는 부모의
유전자 조합을 생각해.

1-2

자녀의 혈액형 표현형이 A형, B형, AB형, O형 모두 나올 수 있는 부모의 혈액형은 무엇인지 쓰시오.

(　　　　　　)

1-3

다음 중 ABO식 혈액형 유전에 대한 설명으로 옳지 않은 것은?

① 유전자는 상염색체 상에 존재한다.
② A와 B는 공동 우성 관계이다.
③ A와 B는 O에 대해 우성으로 유전된다.
④ 표현형은 4가지, 유전자형은 6가지로 나타난다.
⑤ 한 사람의 혈액형을 결정하는 데 3개의 대립유전자가 모두 필요하다.

용어 풀이

* **혈액형**(血 피, 液 진, 型 거푸집): 혈액의 유형으로, ABO식 혈액형과 Rh식 혈액형 등이 있다.

사람의 유전(2)

주제 2 색맹 유전

적색과 녹색이 섞여 있을 때 두 색을 잘 구분하지 못하는 경우를 적록 색맹이라고 한다. 색맹 유전은 형질을 결정하는 유전자가 성염색체에 있어 남녀에 따라 형질이 나타나는 비율이 다르다.

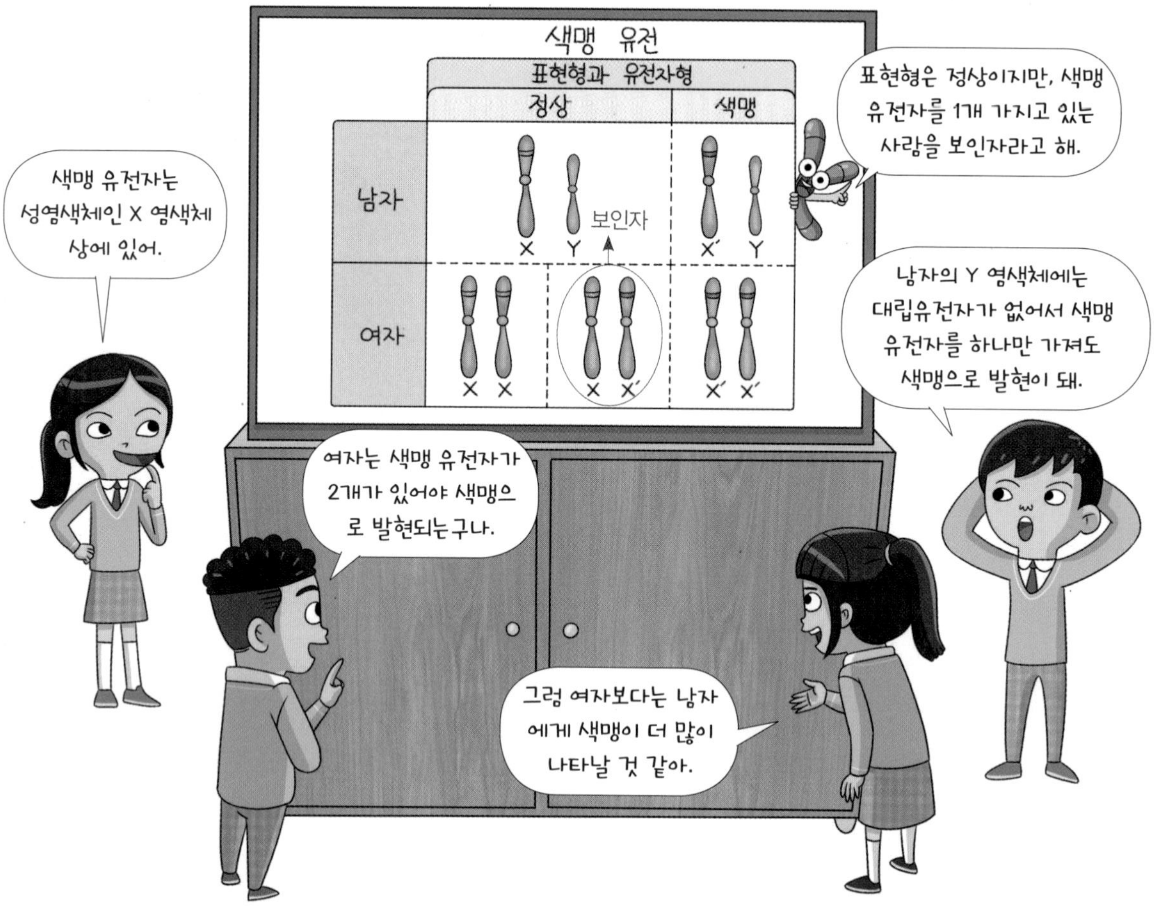

중요 개념

- **사람의 성 결정**
  - X 염색체를 가진 정자와 X 염색체를 가진 난자가 만나면 성염색체 구성이 XX가 되어 딸이 된다. ➡ 아버지의 X 염색체는 딸에게만 전달된다.
  - Y 염색체를 가진 정자와 X 염색체를 가진 난자가 만나면 성염색체 구성이 XY가 되어 아들이 된다. ➡ 아들의 X염색체는 어머니로부터 전달받는다.
  - 유전자가 성염색체 상에 있으면 남녀에 따라 형질이 나타나는 비율이 달라진다. ➡ *반성 유전
- **색맹 유전**
  - 색맹 유전자는 ❶(   ) 염색체 상에 존재한다.
  - 색맹 유전자는 정상 유전자에 대해 ❷(ㅇㅅ)이다.
  - 아들의 색맹 유전자는 어머니로부터 받았다.
  - 아버지의 색맹 유전자는 딸에게 전달된다.

Tip

색맹 이외에 반성 유전을 하는 형질
➡ 상처가 났을 때 피가 잘 응고되지 않는 혈우병도 정상에 대해 열성으로 유전하며, 유전자가 X 염색체 상에 존재한다.

답 ❶ X ❷ 열성

○ 정답과 해설 13쪽

색맹과 혈우병의 보인자는
정상의 형질을 나타낸단다.

2-1

다음 형질의 유전 방식의 공통점에 대해 세 학생이 나눈 대화이다. 옳게 설명한 학생을 모두 쓰시오.

색맹　　　혈우병

둘다 유전자가
X 염색체
상에 있어.
남녀에 따라
발현되는 비율이
다르겠네.
둘다 정상에 대해
우성으로 유전해.
준수
수연
태영

(　　　　　　　)

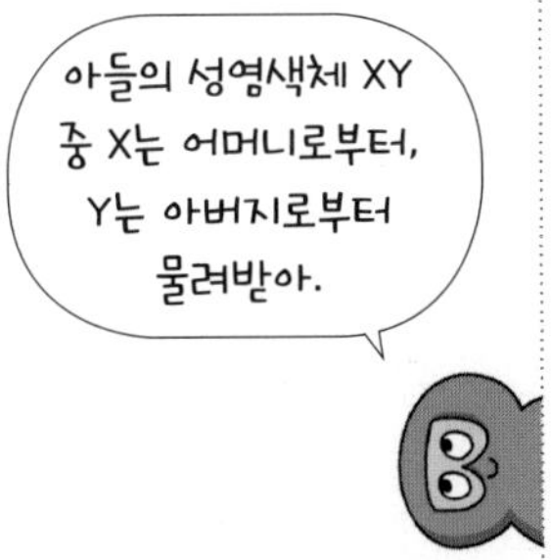
아들의 성염색체 XY
중 X는 어머니로부터,
Y는 아버지로부터
물려받아.

2-2

그림은 어느 가족의 색맹 형질을 조사하여 나타낸 것이다.

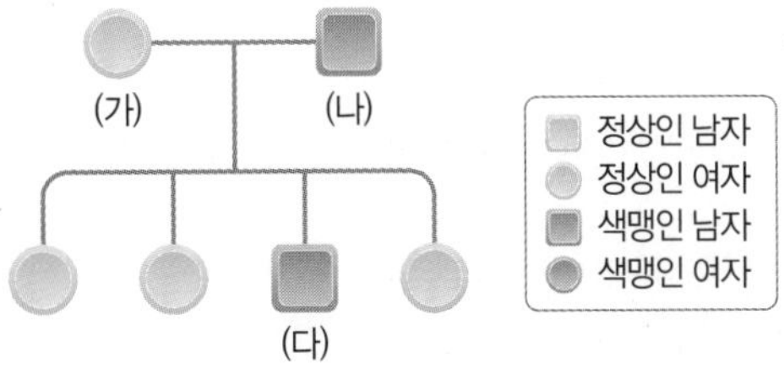
(가)
(나)
(다)
정상인 남자
정상인 여자
색맹인 남자
색맹인 여자

(1) (다)의 색맹 유전자는 (가), (나) 중 누구로부터 물려받은 것인지 쓰시오.

(　　　　　　　)

(2) 이 가계도상에 표시된 여자들의 유전자형을 쓰시오. (단, 정상인의 X 염색체는 X로, 색맹 유전자를 지닌 X 염색체는 X′로 표현한다.)

(　　　　　　　)

용어 풀이

* **반성 유전**(伴 짝, 性 성품, 遺 남길, 傳 전할): 형질을 결정하는 유전자가 성염색체에 있어 남녀에 따라 형질이 나타나는 비율이 달라지는 유전 현상

2주 4일 기초 집중 연습

대표 기출문제 주제 1 ABO식 혈액형 유전

1-1

다음은 어느 집안의 혈액형을 나타낸 가계도이다.

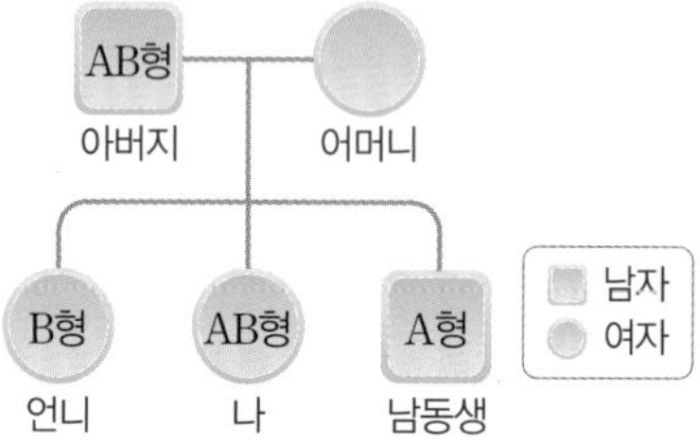

이에 대한 설명으로 옳은 것을 보기에서 모두 고른 것은? (단, 언니의 유전자형은 BB, 남동생의 유전자형은 AO이다.)

보기

ㄱ. 어머니와 언니의 유전자형은 같다.
ㄴ. 나는 아버지로부터 A 유전자를 물려받았다.
ㄷ. 남동생의 O 유전자는 어머니로부터 물려받았다.

① ㄱ ② ㄴ ③ ㄱ, ㄷ
④ ㄴ, ㄷ ⑤ ㄱ, ㄴ, ㄷ

문제 해결 Point

가이드 부모의 혈액형 대립유전자는 분리되어 서로 다른 생식세포로 들어가 자손에게 전달된다.

해결 Point 언니의 BB 유전자 중 하나는 아버지로부터, 다른 하나는 어머니로부터 받은 것이다. 따라서 어머니는 B 유전자를 하나 가지고 있다. 아버지는 A와 B 유전자를 가지고 있으므로 남동생의 O 유전자는 어머니로부터 받은 것이다. 따라서 어머니의 유전자형은 BO가 된다.

오개념 주의 언니의 유전자형은 BB, 어머니의 유전자형은 BO로 유전자형은 서로 다르다.

1-2

그림은 철수네 가족의 혈액형을 나타낸 것이다. 철수의 외할아버지와 외할머니의 혈액형은 조사하지 못했지만, 할아버지와 할머니의 혈액형은 두 분 다 B형이라는 것을 알 수 있었다.

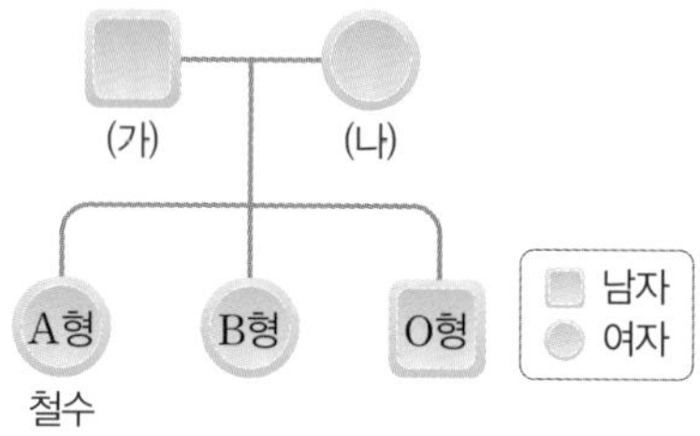

(가)와 (나)의 혈액형 유전자형을 각각 쓰시오.

Hint 자녀 중 O형이 있으므로 (가)와 (나) 모두 O 유전자를 하나씩 가지고 있다.

1-3

아버지의 혈액형 유전자형이 AB이고 어머니의 혈액형 유전자형이 OO일 때 자녀에게서 아버지와 같은 혈액형이 나올 확률은 얼마인지 쓰시오.

대표 기출문제 주제 2 색맹 유전

2-1

다음 중 색맹 유전에 대한 특징을 설명한 것으로 옳지 않은 것은?

① 유전자는 상염색체 상에 존재한다.
② 보인자인 여자는 정상 형질을 나타낸다.
③ 색맹은 정상 형질에 대해 열성으로 유전된다.
④ 남녀에 따라 형질이 발현되는 빈도가 달라진다.
⑤ 생식세포를 형성할 때 멘델의 분리의 법칙을 따른다.

문제 해결 Point

가이드 색맹은 혈우병과 함께 **반성 유전**을 하는 형질이다.

해결 Point 색맹은 정상에 대해 열성이고, 유전자가 X 염색체 상에 있어서 남녀에 따라 형질이 발현되는 빈도가 달라진다. 생식세포를 형성할 때 대립유전자는 서로 다른 생식세포로 들어가 멘델의 분리의 법칙을 따르고, 보인자인 여자는 정상의 형질을 나타낸다.

오개념 주의 색맹 유전자는 성염색체인 X 염색체 상에 있다.

2-2

그림은 철수 가족의 적록 색맹 형질을 나타낸 가계도이다.

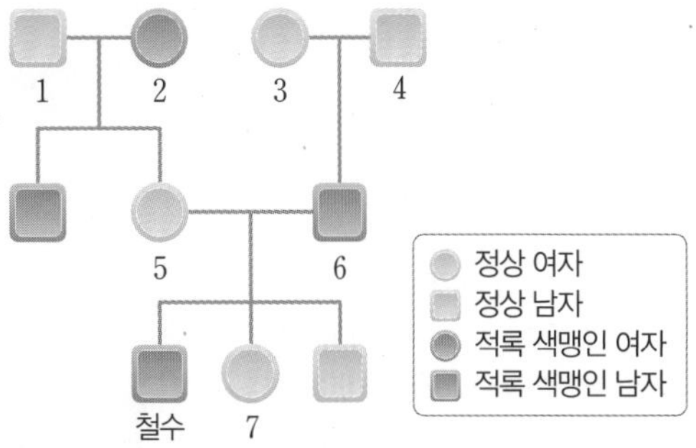

1~6 중에서 철수에게 색맹 유전자를 전달해 준 사람을 모두 쓰시오.

2-3

다음은 지훈이네 가족의 색맹 유전에 대한 가계도를 나타낸 것이다.

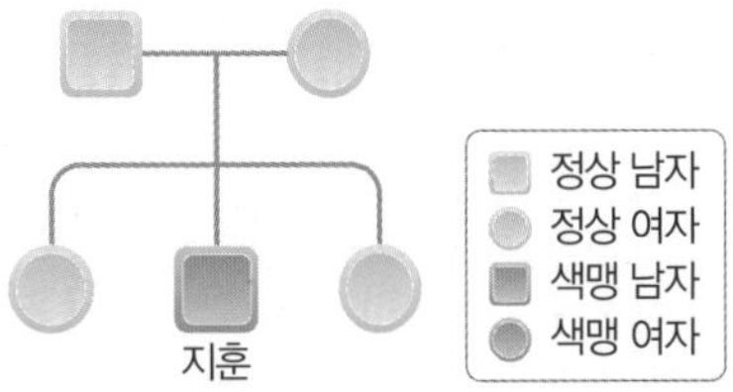

지훈 어머니의 색맹 유전자형을 쓰시오.(단, 정상인의 X 염색체는 X로, 색맹 유전자를 지닌 X 염색체는 X′로 표현한다.)

2주 5일 역학적 에너지 전환과 보존

주제 1 역학적 에너지 전환

중력을 받으면서 운동하는 물체는 중력에 의한 위치 에너지와 운동 에너지가 서로 전환되어 그 크기가 달라진다. 이를 역학적 에너지 전환이라고 한다.

자이로드롭이 자유 낙하할 때 위치 에너지가 운동 에너지로 전환돼.
슈우웅
야호~롤러코스터가 내려갈 때 속력이 엄청 빨라져.
드르르
바이킹은 높이가 높아졌다 낮아졌다 하므로 위치 에너지와 운동 에너지가 서로 전환돼.
Viking
아 차가워~ 후룸라이드를 타고 내려올수록 속력이 빨라지고 운동 에너지가 커졌어.
촤아악

중요 개념

- *역학적 에너지 물체의 위치 에너지와 운동 에너지의 합
- 역학적 에너지의 *전환 운동하는 물체의 높이가 변할 때 위치 에너지와 운동 에너지가 서로 전환된다.
  - 물체를 위로 던져 올릴 때: ❶(ㅇㄷ) 에너지가 ❷(ㅇㅊ) 에너지로 전환된다.
  - 물체가 자유 낙하 할 때: 위치 에너지가 운동 에너지로 전환된다.
  - 롤러코스터 운동에서 역학적 에너지 전환: 롤러코스터가 내려가거나 올라갈 때도 역학적 에너지 전환이 일어난다.
    ① 롤러코스터가 올라갈 때: 운동 에너지가 위치 에너지로 전환
    ② 롤러코스터가 내려갈 때: 위치 에너지가 운동 에너지로 전환

Tip

물체를 위로 던져 올릴 때 속력이 감소하는 까닭
➡ 물체를 위로 던져 올리면 올라가는 동안 운동 방향과 반대 방향으로 중력이 계속 작용하기 때문에 속력이 점점 느려진다.

답 ❶ 운동 ❷ 위치

개념 원리 확인

정답과 해설 14쪽

물체가 중력을 받아 떨어지는 동안 높이와 속력이 달라지므로 위치 에너지와 운동 에너지 또한 계속해서 달라져.

1-1

다음은 다이빙대에서 다이빙을 하는 모습을 보고 지헌이와 유미가 나눈 대화이다. 대화의 빈칸에 알맞은 말을 쓰시오.

물체가 낙하할 때 위치 에너지와 운동 에너지는 함께 변하는데, 이 두 에너지의 합을 ㉠(   )라고 해.
높은 곳에서 다이빙할 때 ㉡(   )가 ㉢(   )로 전환되므로 속력이 점점 빨라져.
지헌
유미

물체를 위로 던져 올리면 속력이 점점 감소하다가, 가장 높은 지점에 이르는 순간 속력이 0이 돼.

1-2

그림은 위로 던져 올린 야구공에 작용하는 중력과 운동 방향을 나타낸 것이다. (   ) 안에 알맞은 말을 고르시오.

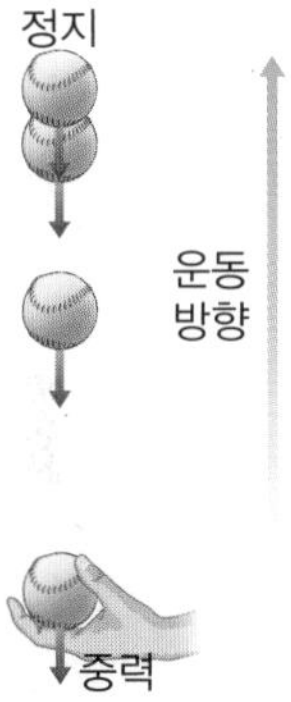

(1) 공의 높이는 점점 ㉠(낮아 / 높아)지며, 속력이 점점 ㉡(감소 / 증가)한다.

(2) 공의 높이가 높아질수록 위치 에너지는 점점 ㉠(감소 / 증가)하고, 운동 에너지는 점점 ㉡(감소 / 증가)한다.

(3) 공이 올라가는 동안 ㉠(위치 에너지 / 운동 에너지)가 ㉡(위치 에너지 / 운동 에너지)로 전환된다.

1-3

그림은 레일을 따라 롤러코스터가 운동하는 모습을 나타낸 것이다.

내려갈 때는 ㉠(   )가 ㉡(   )로 전환된다.
올라갈 때는 ㉢(   )가 ㉣(   )로 전환된다.

롤러코스터가 내려갈 때와 올라갈 때 역학적 에너지 전환에 대한 설명에서 ㉠~㉣에 알맞은 에너지를 쓰시오. (단, 마찰이나 공기의 저항은 무시한다.)

용어 풀이

- **역학**(力 힘, 學 학문): 물체의 운동에 관한 법칙을 연구하는 학문
- **전환**(轉 구를, 換 바꿀): 다른 방향이나 상태로 바뀌거나 바꿈

역학적 에너지 전환과 보존

주제 2 역학적 에너지 보존 법칙

공기 저항이나 마찰이 없을 때 운동하는 물체의 역학적 에너지는 높이와 관계 없이 항상 일정하게 보존된다.

중요 개념

- **역학적 에너지* 보존 법칙** 물체를 위로 던져 올릴 때나 물체가 자유 낙하 할 때 공기 저항과 마찰이 없으면 물체의 역학적 에너지는 일정하게 보존된다.

역학적 에너지=위치 에너지+운동 에너지=일정

- **바닥에서 위로 던져 올린 물체의 역학적 에너지 보존**
  - 처음 운동 에너지와 최고 높이에서의 위치 에너지가 같다.
  - 감소한 ❶(ㅇㄷ) 에너지=증가한 ❷(ㅇㅊ) 에너지

• 위로 던져 올리는 경우 던지는 순간 운동 에너지를 가진다.
• 자유 낙하 할 때 물체가 바닥에 닿는 순간 운동 에너지만 가진다.

- **자유 낙하 하는 물체의 역학적 에너지 보존**
  - 처음 위치 에너지와 바닥에 도달하는 순간의 운동 에너지가 같다.
  - 감소한 위치 에너지=증가한 운동 에너지

Tip

역학적 에너지가 보존되지 않는 경우

➡ 운동하는 물체에 중력만 작용하면 역학적 에너지가 보존된다. 그러나 물체에 공기 저항이나 마찰이 작용하면 역학적 에너지가 보존되지 않는다.

답 ❶ 운동 ❷ 위치

개념 원리 확인

○ 정답과 해설 14쪽

2-1

다음은 물체가 자유 낙하 할 때 역학적 에너지 변화에 대한 설명이다. 빈칸에 알맞은 말을 쓰시오.

위치 에너지가 감소한 만큼 운동 에너지가 증가하므로 역학적 에너지는 일정하게 보존되는 것을 알 수 있어.

물체가 자유 낙하 하는 경우 물체의 위치 에너지가 ㉠(　　　)한 만큼 운동 에너지가 ㉡(　　　)한다. 따라서 낙하하는 동안 물체의 역학적 에너지는 ㉢(　　　)하다. 공기의 저항을 무시한다면 물체의 역학적 에너지는 바닥에 도달하는 순간의 ㉣(　　　) 에너지와 같다.

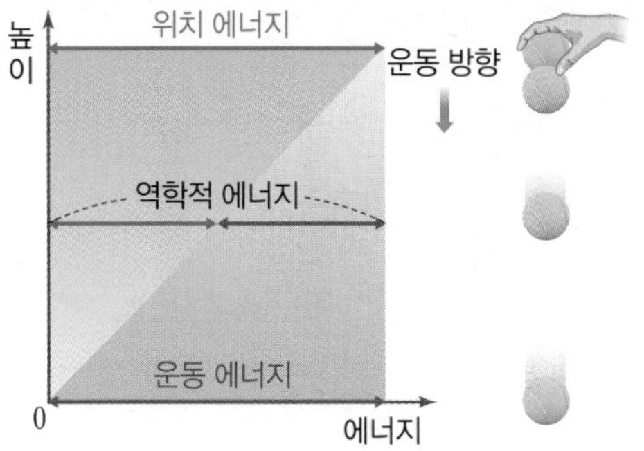
높이
위치 에너지
운동 방향
역학적 에너지
운동 에너지
0
에너지

2-2

그림은 위로 던져 올린 물체의 운동과 역학적 에너지 변화를 나타낸 것이다. ( ) 안에 알맞은 말을 고르시오.

위로 던져 올린 물체는 최고 높이에 도달하면 정지하므로 운동 에너지가 0이야. 따라서 위치 에너지만 가져.

(1) 물체의 (위치 에너지 / 운동 에너지)가 감소한 만큼 (위치 에너지 / 운동 에너지)가 증가한다.

(2) 물체의 역학적 에너지는 최고 높이에서의 (위치 에너지 / 운동 에너지)와 같다.

(3) 물체가 최고 높이에 도달하는 순간에는 물체의 (위치 에너지 / 운동 에너지)가 최대이고 (위치 에너지 / 운동 에너지)가 0이 된다.

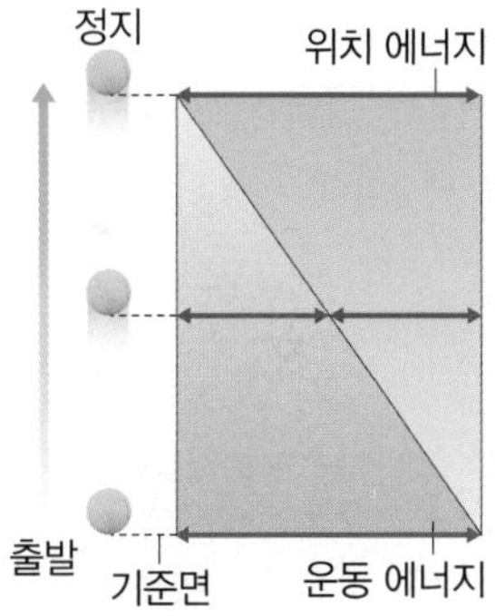
정지
위치 에너지
출발
기준면
운동 에너지

2-3

물체를 위로 던져 올리면 위로 올라갔다가 최고점에 도달한 후 다시 자유 낙하 한다. 이때 물체가 올라가는 동안과 최고 높이 이후 자유 낙하 하는 동안 역학적 에너지에 대한 설명에 해당하는 것을 모두 옳게 연결하시오. (단, 공기의 저항이나 마찰은 무시한다.)

(1) 물체가 올라가는 동안 •　　　　• ㉠ 증가한 운동 에너지와 감소한 위치 에너지가 같다.

(2) 물체가 자유 낙하 하는 동안 •　　　　• ㉡ 증가한 위치 에너지와 감소한 운동 에너지는 같다.

• ㉢ 역학적 에너지는 일정하게 보존된다.

용어 풀이

* **보존**(保 지킬, 存 있을): 보호하고 간직해서 일정하게 유지함

2주 5일 기초 집중 연습

대표 기출문제 주제 1 역학적 에너지 전환

1-1

그림은 롤러코스터의 운동에서 열차의 높이에 따른 에너지 변화를 나타낸 것이다.

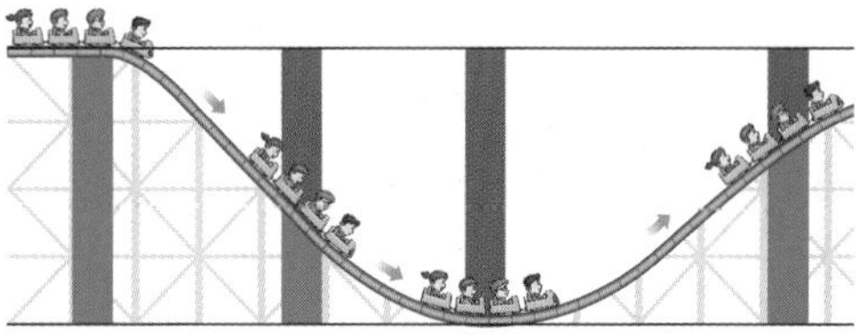

(A) 최대 ⟶ 감소 ⟶ 최소 ⟶ 증가
(B) 최소 ⟶ 증가 ⟶ 최대 ⟶ 감소

A와 B에 들어갈 에너지의 종류를 옳게 짝 지은 것은? (단, 공기의 저항 및 모든 마찰은 무시한다.)

	A	B
①	위치 에너지	운동 에너지
②	운동 에너지	위치 에너지
③	위치 에너지	역학적 에너지
④	운동 에너지	역학적 에너지
⑤	역학적 에너지	운동 에너지

문제 해결 Point

가이드 | 물체가 운동할 때 높이 변화가 생기면 **역학적 에너지 전환**이 일어난다. 물체가 올라갈 때는 높이가 높아지면서 속력은 느려진다. 반대로 자유 낙하 할 때는 높이는 낮아지고 속력은 빨라진다.

해결 Point | 열차가 운동할 때 높이가 낮아지면 위치 에너지는 감소하고 운동 에너지는 증가한다. 반대로 높이가 높아지면 운동 에너지는 감소하고 위치 에너지는 증가한다.
A는 최고 높이에서 최댓값을 가지며 열차가 내려갈 때 감소하고 올라갈 때 증가하므로 **위치 에너지**를 의미하며, B는 가장 낮은 지점에서 최댓값을 가지며 내려갈 때 증가하고 올라갈 때 감소하므로 **운동 에너지**를 의미한다.

오개념 주의 | 최고 높이에 정지해 있거나 기준면에서 물체의 속력만 있을 때는 위치 에너지와 운동 에너지만을 역학적 에너지라고 하기도 한다.

1-2

그림은 진자 운동을 찍은 다중 섬광 사진이다. 추가 A에서 O로 갈 때 속력 변화와 역학적 에너지의 전환을 옳게 짝 지은 것은? (단, 공기의 저항은 무시한다.)

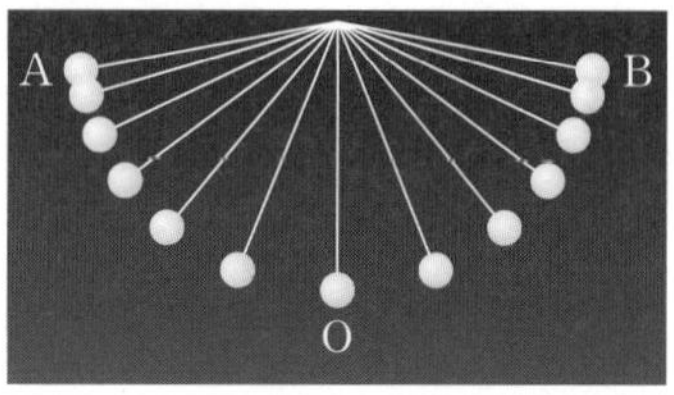

	속력 변화	역학적 에너지 전환
①	빨라짐	위치 에너지 → 운동 에너지
②	빨라짐	운동 에너지 → 위치 에너지
③	느려짐	위치 에너지 → 운동 에너지
④	느려짐	운동 에너지 → 위치 에너지
⑤	변화 없음	위치 에너지 → 운동 에너지

Hint 다중 섬광 사진은 같은 시간 간격으로 불빛을 비추면서 운동하는 물체를 찍은 사진이다. 상과 상 사이의 시간이 같으므로 상과 상 사이의 거리 변화로부터 물체의 속력 변화를 알 수 있다.

1-3

그림과 같이 A 지점에 작은 구슬을 가만히 놓았더니 같은 높이인 E 지점까지 구슬이 올라갔다. 구슬의 운동 에너지가 위치 에너지로 전환되는 구간을 보기에서 모두 고른 것은? (단, 공기의 저항 및 모든 마찰은 무시한다.)

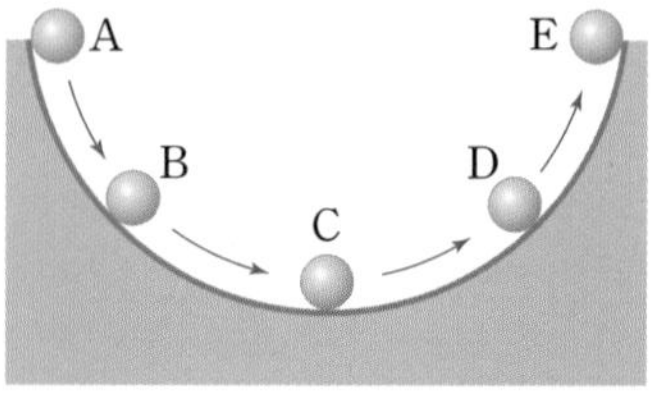

보기

ㄱ. A → B　　ㄴ. B → C
ㄷ. C → D　　ㄹ. D → E

① ㄱ, ㄴ　② ㄱ, ㄹ　③ ㄴ, ㄷ
④ ㄴ, ㄹ　⑤ ㄷ, ㄹ

대표 기출문제 주제 2 역학적 에너지 보존 법칙

2-1

그림은 롤러코스터의 운동을 나타낸 것이다. 모터로 롤러코스터를 A에서 B까지 끌어올려주면 롤러코스터는 저절로 운동하게 된다.

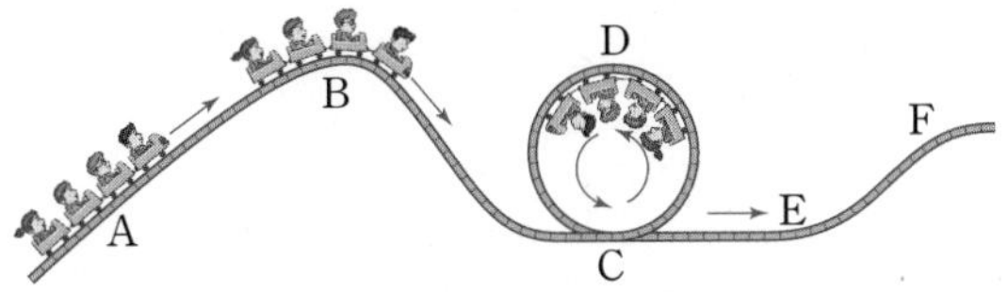

이에 대한 설명으로 옳은 것을 보기에서 모두 고른 것은? (단, 공기의 저항 및 모든 마찰은 무시한다.)

보기
ㄱ. C와 D에서 역학적 에너지는 같다.
ㄴ. B에서 C로 갈 때는 위치 에너지가 운동 에너지로 전환된다.
ㄷ. E에서 F로 갈 때는 운동 에너지가 위치 에너지로 전환된다.

① ㄱ ② ㄷ ③ ㄱ, ㄴ
④ ㄴ, ㄷ ⑤ ㄱ, ㄴ, ㄷ

문제 해결 Point

가이드 물체가 운동할 때 높이가 변하면 속력도 달라진다. 따라서 **위치 에너지**와 **운동 에너지**도 달라진다. 이 경우 위치 에너지와 운동 에너지의 상호 전환이 일어나며, 공기의 저항이나 마찰을 무시하면 **역학적 에너지**는 보존된다.

해결 Point 롤러코스터의 운동에서 열차가 높은 곳에서 낮은 곳으로 운동할 때는 위치 에너지가 운동 에너지로 전환이 일어나고 낮은 곳에서 높은 곳으로 운동할 때는 운동 에너지가 위치 에너지로의 전환이 일어난다. 물체가 운동할 때 공기의 저항 및 모든 마찰을 무시하면 물체가 운동하는 동안 **역학적 에너지는 보존**된다. 따라서 롤러코스터가 운동하는 동안 공기의 저항 및 모든 마찰을 무시하면 A~B 구간을 제외한 어느 지점에서나 역학적 에너지는 같다.

오개념 주의 공기의 저항이나 마찰이 있는 경우 역학적 에너지는 소리 에너지, 열에너지 등으로 전환이 일어나므로 역학적 에너지는 보존되지 않는다. 하지만 전환된 에너지의 총합은 처음 역학적 에너지와 같으므로 에너지 보존 법칙은 성립한다.

2-2

그림은 다이빙 선수가 다이빙 보드에서 높이 뛰어오른 순간부터 물에 입수하기 전까지의 모습을 나타낸 것이다. 이에 대한 설명으로 옳지 않은 것은? (단, 공기 저항은 무시한다.)

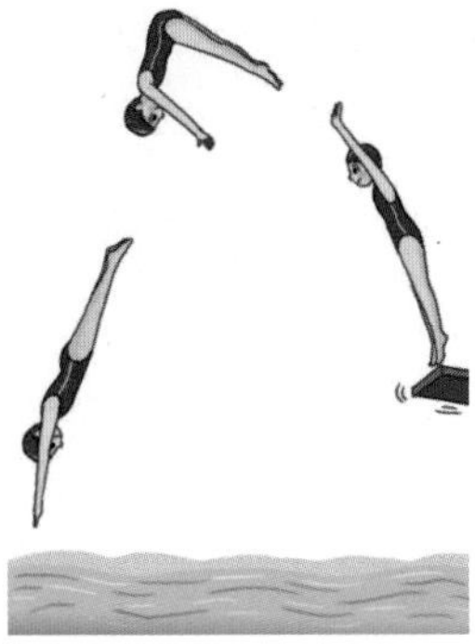

① 운동하는 동안 역학적 에너지 전환이 일어난다.
② 운동하는 동안 역학적 에너지는 일정하게 보존된다.
③ 운동하는 동안 위치 에너지와 운동 에너지는 서로 같다.
④ 최고 높이로부터 떨어지는 동안 위치 에너지가 운동 에너지로 전환된다.
⑤ 보드로부터 최고 높이까지 올라가는 동안 운동 에너지가 위치 에너지로 전환된다.

Hint 물체가 위로 올라갈 때는 높이가 높아지고 속력은 느려진다. 반대로 아래로 떨어질 때는 높이는 낮아지고 속력이 빨라진다.

2-3

그림은 가만히 떨어뜨린 공의 운동을 나타낸 것이다. 자유 낙하 하는 공의 역학적 에너지 변화에 대한 설명으로 옳은 것을 보기에서 모두 고른 것은? (단, 공기의 저항은 무시한다.)

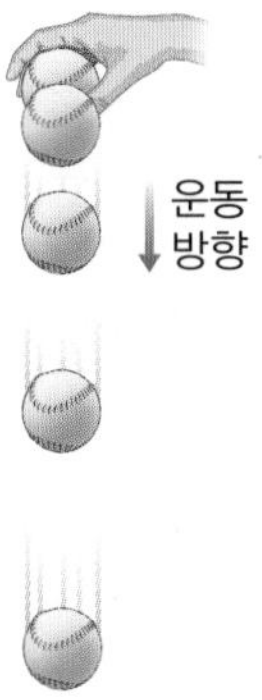

보기
ㄱ. 위치 에너지가 점점 감소한다.
ㄴ. 운동 에너지는 점점 증가한다.
ㄷ. 운동 에너지가 위치 에너지로 전환된다.

① ㄱ ② ㄷ ③ ㄱ, ㄴ
④ ㄴ, ㄷ ⑤ ㄱ, ㄴ, ㄷ

누구나 100점 테스트

대립유전자와 상동 염색체 ▶ p. 54

01 완두의 모양에 대한 유전자형이 Rr인 개체에 대한 설명으로 옳지 않은 것은?

① 2종류의 생식세포가 생성된다.
② R와 r는 대립유전자 관계이다.
③ R는 우성 유전자, r는 열성 유전자이다.
④ R와 r를 모두 가지는 생식세포가 존재한다.
⑤ R와 r는 상동 염색체의 같은 위치에 존재한다.

우열의 원리 ▶ p. 56

02 순종의 둥근 완두와 주름진 완두를 교배하여 잡종 1대를 얻었다. 잡종 1대의 유전자형과 표현형을 쓰시오. (단, R와 r는 대립유전자이고 R는 r에 대하여 우성이다.)

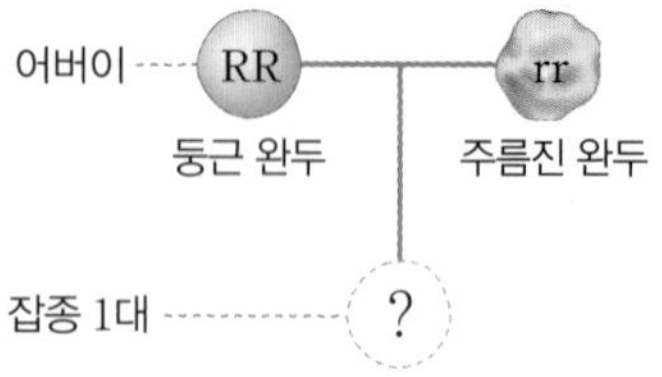

사람의 유전 연구 방법 ▶ p. 66

03 다음은 사람에 대한 여러 가지 유전 연구 방법이다.

(가) 형질을 가진 가계도를 조사하여 유전 원리를 파악한다.
(나) 특정 형질이 유전과 환경 중 어느 요인의 영향을 많이 받는지 알아낸다.
(다) 특정 형질에 대해 많은 사람을 조사하여 얻은 자료를 통해 유전자 빈도를 조사한다.

(가)~(다)의 연구 방법을 바르게 짝 지은 것은?

	(가)	(나)	(다)
①	가계도 분석	쌍둥이 연구	통계 조사
②	쌍둥이 연구	가계도 분석	통계 조사
③	가계도 분석	통계 조사	쌍둥이 연구
④	쌍둥이 연구	통계 조사	가계도 분석
⑤	통계 조사	쌍둥이 연구	가계도 분석

분리의 법칙 ▶ p. 60

04 그림은 완두의 교배 실험을 나타낸 것이다.

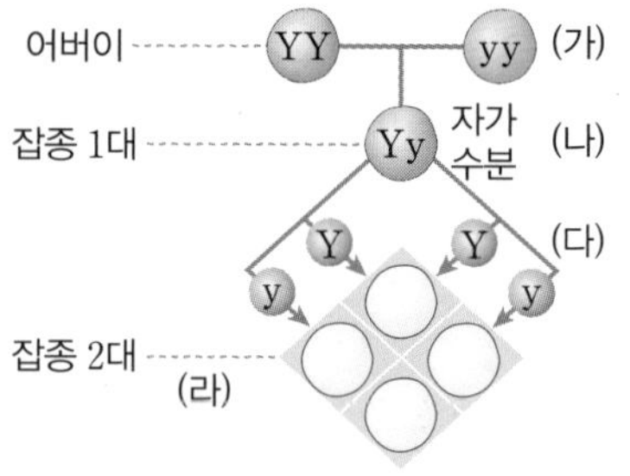

멘델의 분리의 법칙을 설명한 것으로 옳은 것은?

① (가)에서 같은 형질의 개체를 계속 심어서 순종의 개체를 얻었다.
② (나)에서 황색 완두만 나타났다.
③ (다)에서 대립유전자 Y와 y는 서로 다른 생식세포로 들어간다.
④ (라)에서 각각의 생식세포는 동일한 비율로 수정에 참여한다.
⑤ (라)에서 잡종 2대의 표현형의 분리비는 3:1이다.

독립의 법칙 ▶ p. 62

05 그림은 완두의 교배 실험을 나타낸 것이다.

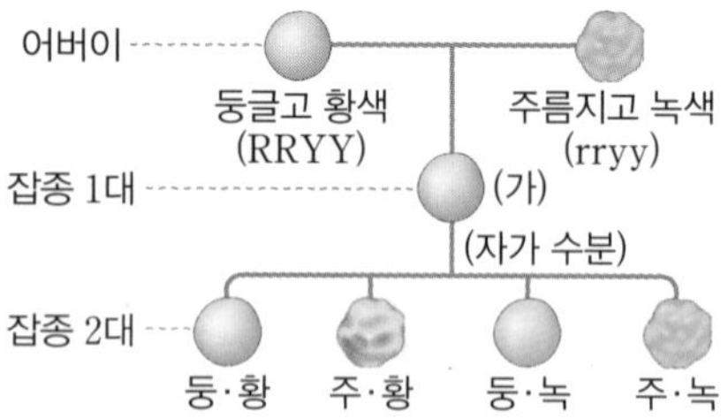

이에 대한 설명으로 옳지 않은 것은?

① (가)의 유전자형은 RrYy이다.
② (가)는 2종류의 생식세포를 형성한다.
③ 잡종 2대의 표현형의 분리비는 9 : 3 : 3 : 1이다.
④ 잡종 2대에서 둥근 완두 : 주름진 완두의 분리비는 3 : 1이다.
⑤ 잡종 2대에서 황색 완두 : 녹색 완두의 분리비는 3 : 1이다.

미맹 유전 ▶ p. 68

06 그림은 어느 가족의 미맹 여부를 표시한 가계도이다.

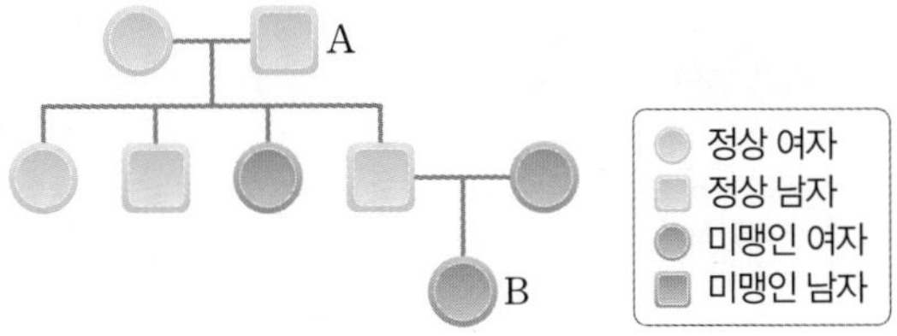

이에 대한 설명으로 옳지 않은 것은?

① 미맹은 정상에 대해 열성이다.
② 미맹 유전자는 상염색체 상에 존재한다.
③ 미맹은 남자보다 여자에게서 더 많이 발현된다.
④ A는 정상 유전자와 미맹 유전자를 모두 가진다.
⑤ B는 부모 양쪽으로부터 열성 유전자를 하나씩 받았다.

ABO식 혈액형 유전 ▶ p. 72

07 그림은 어느 집안의 혈액형을 나타낸 가계도이다.

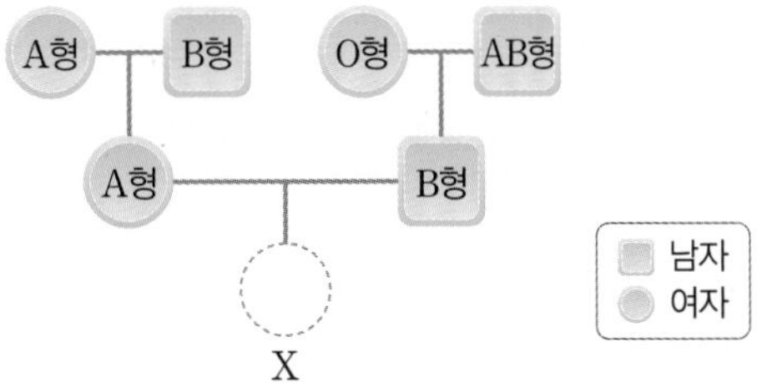

X에서 AB형인 남자 아이가 태어날 확률은?

① 1 ② $\frac{1}{2}$ ③ $\frac{1}{4}$
④ $\frac{1}{8}$ ⑤ $\frac{1}{16}$

색맹 유전 ▶ p. 74

08 다음은 사람의 특정 형질의 유전 원리에 대한 설명이다.

> • 유전자는 X 염색체 상에 있으며 정상에 대해 열성으로 유전된다.
> • 어머니가 형질을 나타내면 아들도 모두 형질을 나타낸다.
> • 아버지가 정상이면 딸도 모두 정상이다.

이에 해당하는 형질을 고르면?

① 키 ② 미맹 ③ 색맹
④ 보조개 ⑤ ABO식 혈액형

역학적 에너지 전환 ▶ p. 78

09 그림은 위로 던져 올린 공의 운동을 나타낸 것이다. A 지점에서 공이 올라가다가 최고점 O를 지나 다시 B 지점에 떨어질 때까지 역학적 에너지 전환에 대한 두 사람의 대화에서 옳게 말한 사람을 쓰시오. (단, 공기의 저항은 무시한다.)

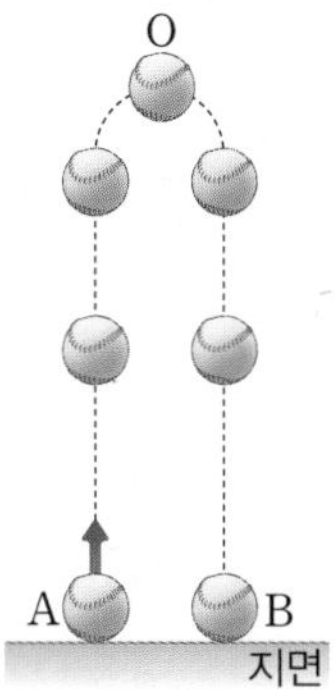

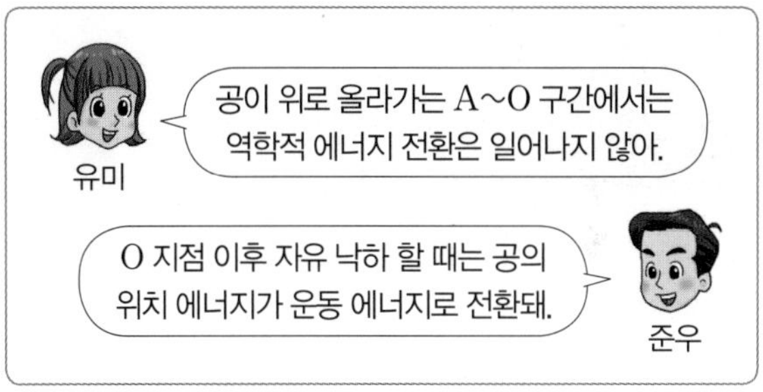

역학적 에너지 보존 법칙 ▶ p. 80

10 그림은 스케이트보드 선수가 A, B, C 지점을 왕복 운동하는 모습을 나타낸 것이다.

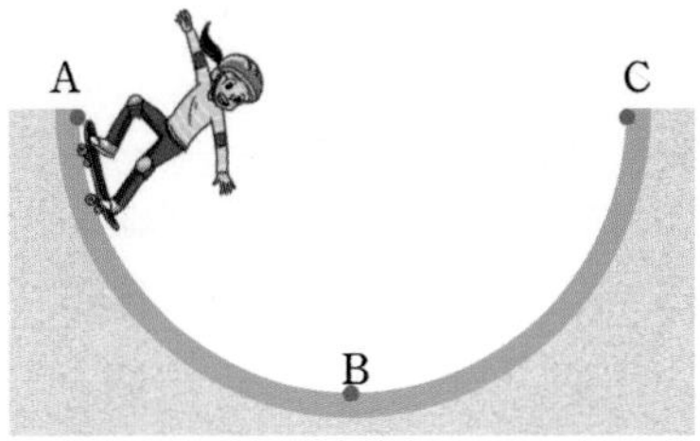

이 선수의 운동에 대한 설명으로 옳은 것을 보기 에서 모두 고른 것은? (단, 공기의 저항 및 모든 마찰은 무시하며, A와 C 지점의 높이는 서로 같다.)

> 보기
> ㄱ. A와 C에서 위치 에너지는 같다.
> ㄴ. A에서 B로 갈 때 운동 에너지는 감소한다.
> ㄷ. B에서 C로 갈 때 위치 에너지는 증가한다.
> ㄹ. A에서 C로 갈 때 역학적 에너지는 점점 감소한다

① ㄱ, ㄴ ② ㄱ, ㄷ ③ ㄱ, ㄹ
④ ㄴ, ㄷ ⑤ ㄷ, ㄹ

특강 | 창의·융합·코딩

2주에 배운 개념을 그림으로 저장

생식과 유전(2)

멘델의 유전 원리

특정 형질은 한 쌍의 유전 인자로 결정된다.

분리의 법칙

한 쌍의 유전 인자는 생식세포가 만들어질 때 분리되어 각각 다른 생식세포로 들어가고 자손에게 전달되어 다시 쌍을 이룬다.

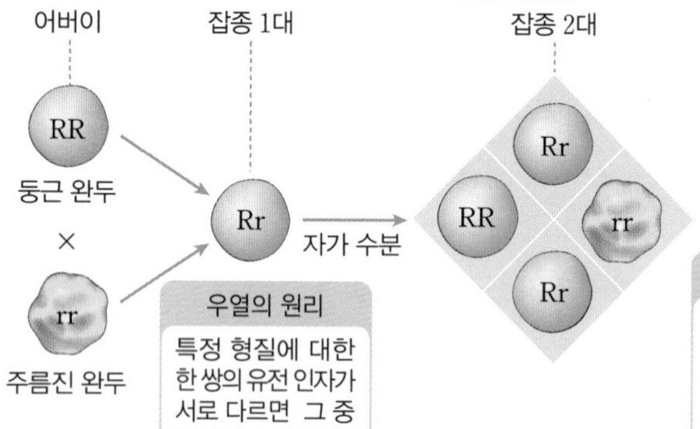

우열의 원리

특정 형질에 대한 한 쌍의 유전 인자가 서로 다르면 그 중 하나는 표현되고 다른 하나는 표현되지 않는다.

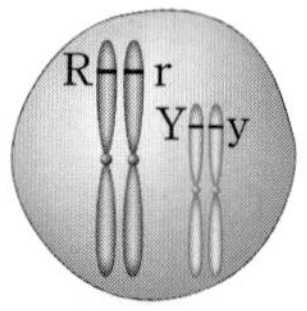

독립의 법칙

모양과 색깔처럼 유전자가 서로 다른 상동 염색체 상에 있으면 두 유전자는 서로 영향을 미치지 않고 독립적으로 분리의 법칙을 따른다.

사람의 유전

상염색체 유전-미맹	복대립 유전-ABO식 혈액형	성염색체 유전-색맹
• 유전자가 ❶ ( ) 상에 존재 • 남녀 성별에 관계없이 형질 발현 • 대립유전자는 2개 • 정상에 대해 열성 • 유전자형이 TT, Tt는 정상, tt는 미맹	• 유전자가 상염색체 상에 존재 • 남녀 성별에 관계없이 형질 발현 • 대립유전자가 A, B, O로 3개 • A, B는 O에 대해 우성 • A와 B는 공동 우성 • 표현형은 ❷ ( )가지, 유전자형은 6가지	• 유전자가 성염색체인 ❸ ( ) 상에 존재 • 남녀 성별에 따라 형질의 발현 빈도가 달라짐 • 정상에 대해 열성으로 유전 • 남자는 색맹 유전자가 하나만 있어도 색맹으로 발현 • 여자는 색맹 유전자가 2개 있어야 색맹으로 발현

에너지 전환과 보존(1)

역학적 에너지 전환

• 역학적 에너지 전환: 높은 곳에서 떨어질 때 ❹ ( ) 에너지 증가, 위치가 높아질 때 ❺ ( ) 에너지가 증가

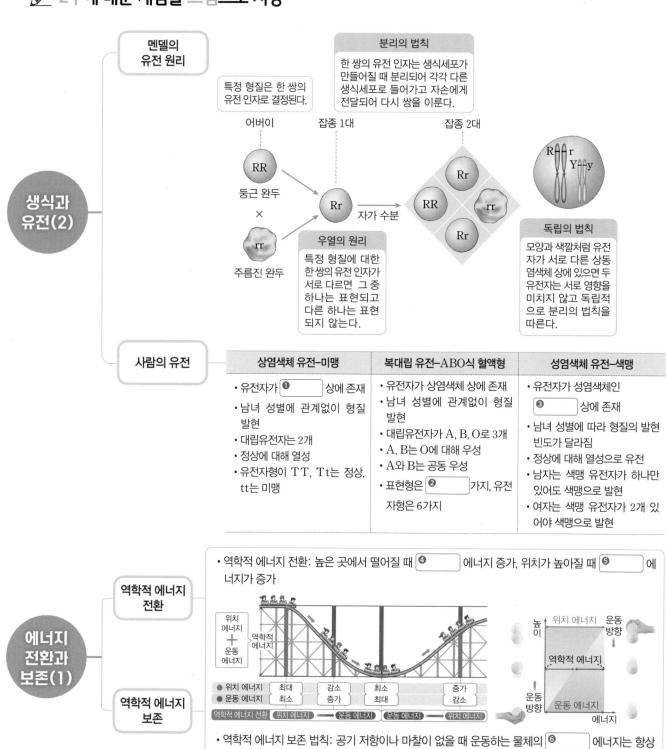

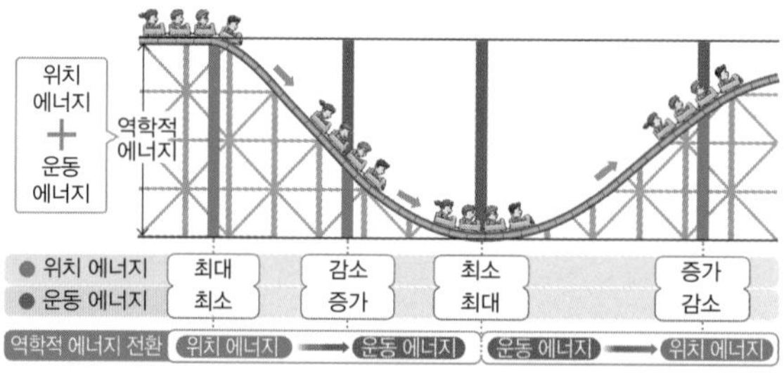

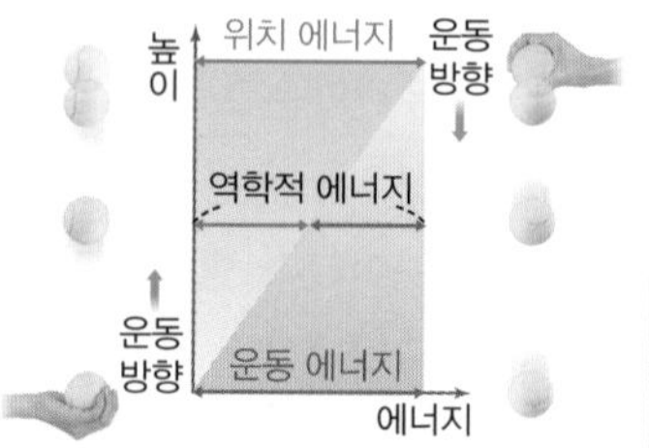

역학적 에너지 보존

• 역학적 에너지 보존 법칙: 공기 저항이나 마찰이 없을 때 운동하는 물체의 ❻ ( ) 에너지는 항상 일정하게 보존된다. 역학적 에너지=위치 에너지+운동 에너지=일정

답 ❶ 상염색체 ❷ 4 ❸ X 염색체 ❹ 운동 ❺ 위치 ❻ 역학적

재미있는 개념 완성 퀴즈

다음 가로 열쇠와 세로 열쇠를 이용하여 낱말 퍼즐을 완성하시오.

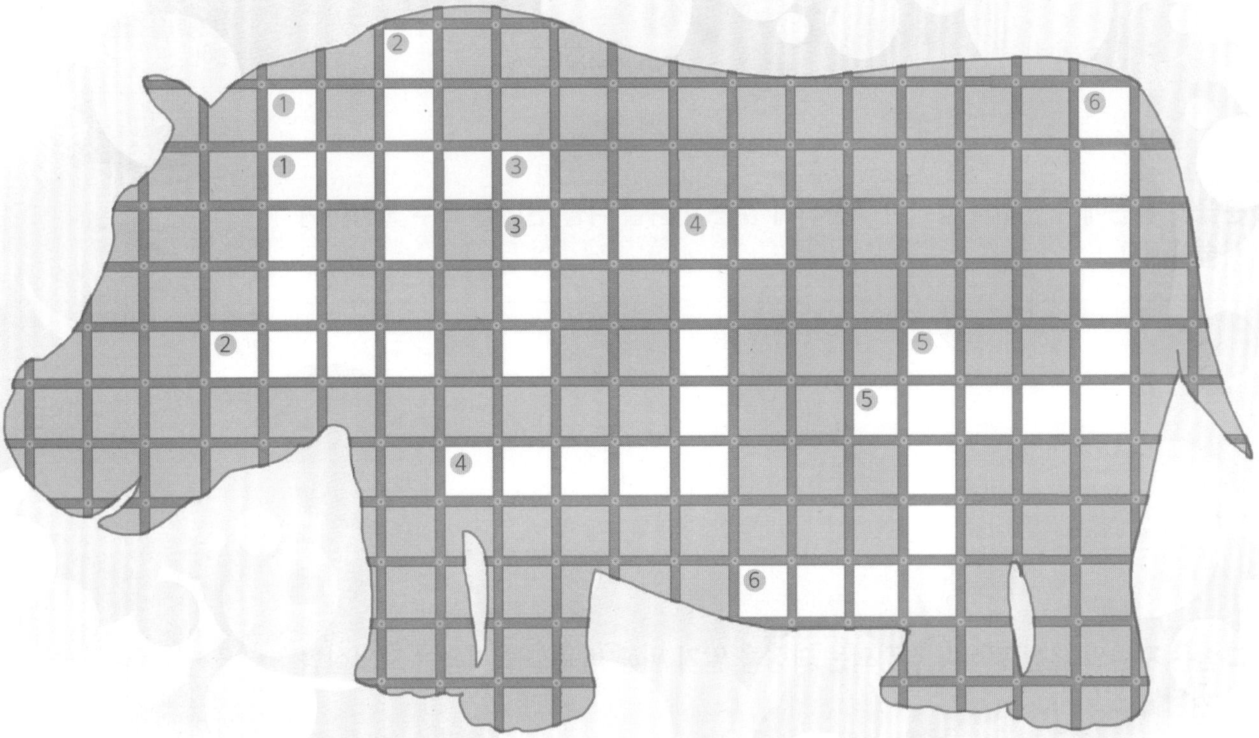

가로 열쇠

1 상동 염색체의 같은 위치에 존재하는 유전자
2 대립유전자 구성을 기호로 나타낸 것
3 특정 유전 형질을 가지는 집안의 내력을 조사하여 유전 원리를 알아내는 방법
4 두 쌍 이상의 대립 형질이 서로 영향을 주지 않고 독립적으로 분리되어 유전되는 현상
5 운동하는 물체가 가지고 있는 에너지
6 색맹 유전자가 존재하는 성염색체

세로 열쇠

1 하나의 형질에 3개 이상의 유전자가 관여하는 유전
2 유전자가 성염색체에 있어서 남녀에 따라 형질이 나타나는 비율이 달라지는 유전 현상
3 수술의 꽃가루를 같은 그루의 암술에 묻히는 것
4 상동 염색체에 쌍을 이룬 대립유전자가 서로 다른 생식세포로 나누어져 들어가 유전되는 현상
5 하나의 세포에 있는 모양과 크기가 같은 한 쌍의 염색체
6 운동하는 물체가 가지고 있는 위치 에너지와 운동 에너지의 합

2주

과학의 다양한 유형 문제를 해결하는 방법을 연습하면서 사고력을 기르자.

특강 | 창의·융합·코딩

1 그림은 붉은색 분꽃과 흰색 분꽃을 교배한 결과를 나타낸 것이다.

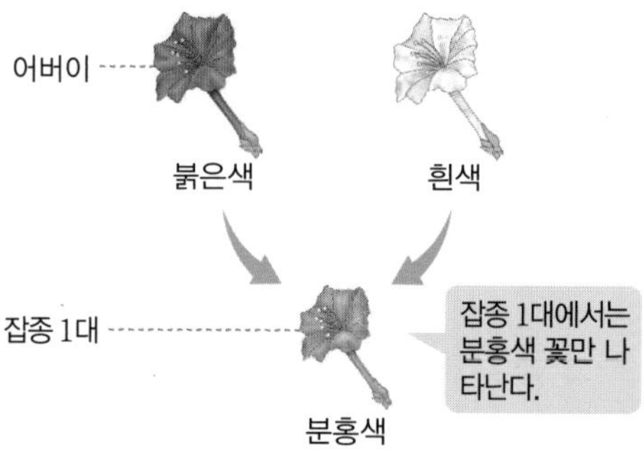

분꽃의 유전에서 멘델의 법칙이 적용되지 않는 까닭을 다음 단어를 모두 포함하여 서술하시오.

잡종 1대	완전한 우성	중간 형질

문제 해결 Tip
멘델은 잡종 1대에서 표현형으로 나타난 형질을 우성, 나타나지 않고 잠재된 형질을 열성으로 정의했어.

2 그림은 자손의 유전 형질이 결정되는 과정을 알기 위해 바둑알을 이용한 모의실험을 나타낸 것이다.

(가) 파란색과 빨간색 두 개의 주머니를 준비하여 각각 '수술', '암술'이라고 표시한다.
(나) 검은 바둑알에는 A, 흰색 바둑알에는 a로 표시한 바둑알을 20개씩 모두 40개의 바둑알을 파란색 주머니와 빨간색 주머니에 각각 넣는다.
(다) 파란색 주머니와 빨간색 주머니에서 임의로 바둑알을 하나씩 꺼낸다.

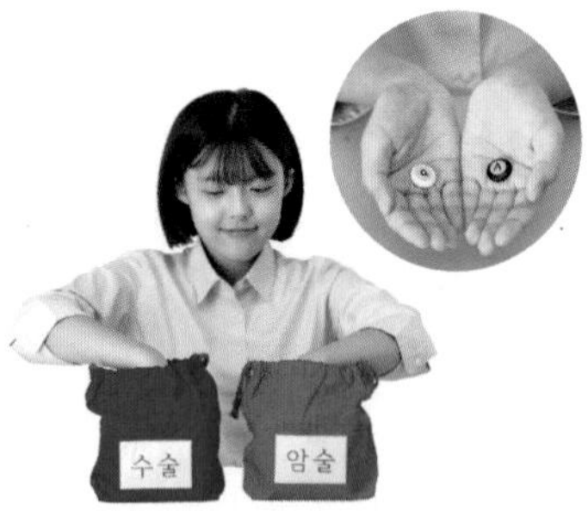

(라) 하나씩 꺼낸 바둑알을 짝 지은 다음, 유전자 조합을 기록한다. 꺼낸 바둑알은 다시 주머니에 넣는다.
(마) 과정 (다), (라)를 30회 반복한다.

(1) (가)~(마) 중 분리의 법칙에 해당하는 단계를 쓰시오.

(2) 이 모의실험을 통해 설명할 수 있는 멘델의 유전 원리를 쓰시오.

문제 해결 Tip
수술과 암술에 있는 한 쌍의 대립유전자 중 하나씩만 꺼내는 과정이므로 생식세포를 형성하는 과정이라고 봐야 해.

○ 정답과 해설 17쪽

3 그림은 순종의 둥글고 황색인 완두와 순종의 주름지고 녹색인 완두를 교배하여 잡종 1대를 얻고, 이를 다시 자가 수분하여 잡종 2대를 얻는 과정을 나타낸 것이다.

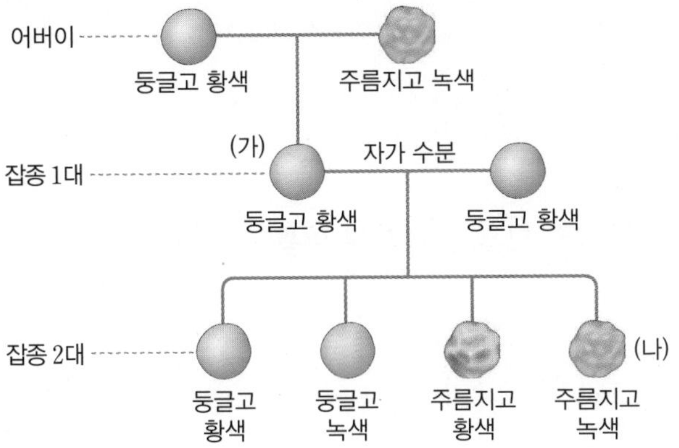

(가)와 유전자형이 동일한 개체와, (나)와 유전자형이 동일한 개체를 서로 교배했을 때 자손에서 나타나는 표현형의 비는 얼마인지 쓰시오.

문제 해결 Tip
(가)는 4종류의 생식세포를 만들고, (나)는 1종류의 생식세포를 만들어.

4 귀지의 종류에는 축축한 귀지가 있고 마른 귀지가 있다. 또한, 귀지는 한 쌍의 대립유전자에 의해 결정되며, 귀지 유전자는 상염색체 상에 있다. 표는 여러 가구에서 부모의 귀지 상태에 따른 자녀의 귀지 상태와 자녀의 수를 나타낸 것이다.

구분	부모의 귀지 상태	가구 수	자녀의 귀지 상태	
			축축한 귀지	마른 귀지
A	축축한 귀지×축축한 귀지	10	32명	6명
B	축축한 귀지×마른 귀지	8	21명	9명
C	마른 귀지×마른 귀지	12	0명	42명

축축한 귀지와 마른 귀지 중 우성 형질에 해당하는 것은 무엇인지 쓰시오.

문제 해결 Tip
형질이 같은 부모 사이에서 형질이 다른 자손이 있는지 살펴봐야 해.

5 그림은 어느 가족 구성원의 ABO식 혈액형을 표시한 것이다.

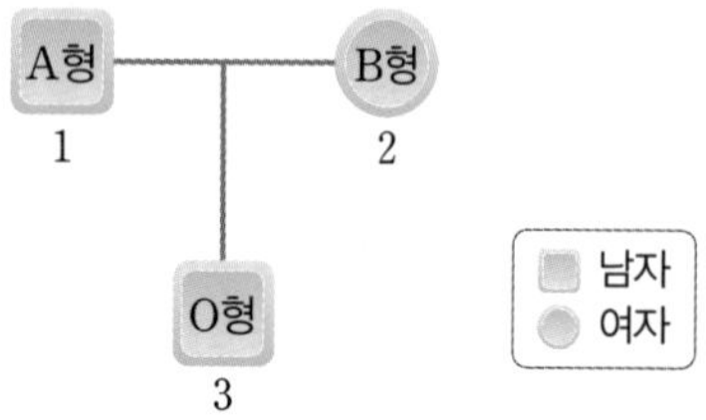

3에서 O형인 자녀가 나온 까닭을 다음 단어를 모두 포함하여 확률과 함께 서술하시오.

열성	25 %	AO	BO

문제 해결 Tip
혈액형 유전자 A와 B는 유전자 O에 대해 우성으로 작용해.

6 다음은 미맹, ABO식 혈액형, 색맹을 분류한 것이다.

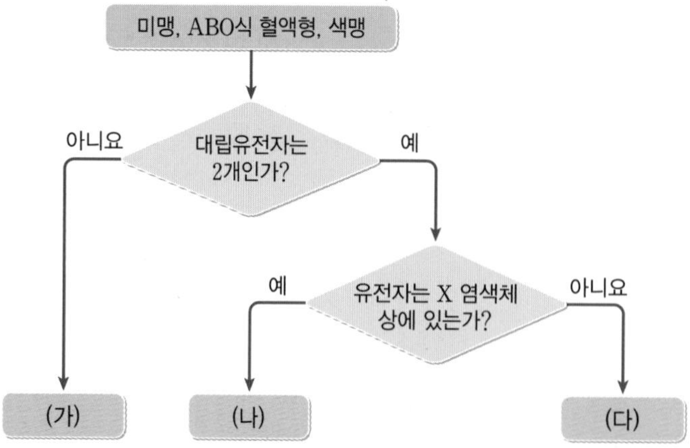

(가)~(다)에 들어갈 형질을 각각 쓰시오.

문제 해결 Tip
ABO식 혈액형은 복대립 유전에 해당하고, 색맹은 반성 유전에 해당해.

7 **그림은 공기 저항과 마찰을 무시할 때 롤러코스터가 레일을 따라 운동하는 모습을 나타낸 것이다. 롤러코스터의 운동에 대해 세 사람이 나눈 대화에서 잘못 설명하고 있는 사람을 쓰고, 그 내용을 옳게 고쳐 쓰시오.**

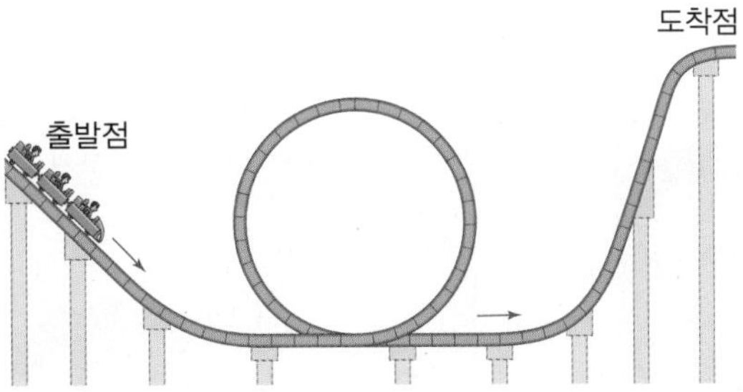
도착점
출발점

롤러코스터가 운동하는 동안 역학적 에너지 전환이 일어나.
맞아. 역학적 에너지는 보존되니까 열차는 도착점에 도착할거야.
공기의 저항과 마찰을 무시하면 운동하는 동안 역학적 에너지는 보존돼.
윤희
윤호
지우

문제 해결 Tip
롤러코스터의 운동에서 출발점과 도착점에서는 운동하지 않으므로 위치 에너지만 가져. 따라서 역학적 에너지가 보존된다면 도착점의 높이는 출발점과 같거나 출발점보다 낮아야 해.

8 **그림과 같이 질량이 0.1 kg인 공을 A 지점에서 연직 위로 던져 올렸더니 C 지점까지 올라갔다. 표는 이때 공의 높이와 속력 변화를 나타낸 것이다. (단, 공기 저항은 무시한다.)**

위치	A	B	C
속력(m/s)	2.8	1.4	0
높이(m)	0	(가)	(나)

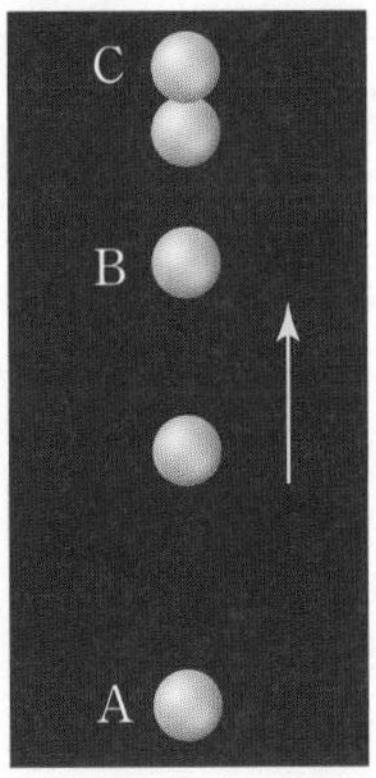
C
B
A

(1) 공이 A 지점에서 B, C 지점으로 이동하는 동안 위치 에너지와 운동 에너지 변화를 서술하시오.

(2) 표의 (가), (나)에 알맞은 값을 쓰시오.

(3) C 지점에서 공의 역학적 에너지를 풀이 과정과 함께 구하시오.

문제 해결 Tip
위로 던져 올린 물체는 올라갈수록 속력이 줄어들기 때문에 운동 에너지도 감소해. 역학적 에너지는 전환되고 보존되므로 감소한 운동 에너지는 위치 에너지로 전환돼.

3주

3주에는 무엇을 공부할까? ❶

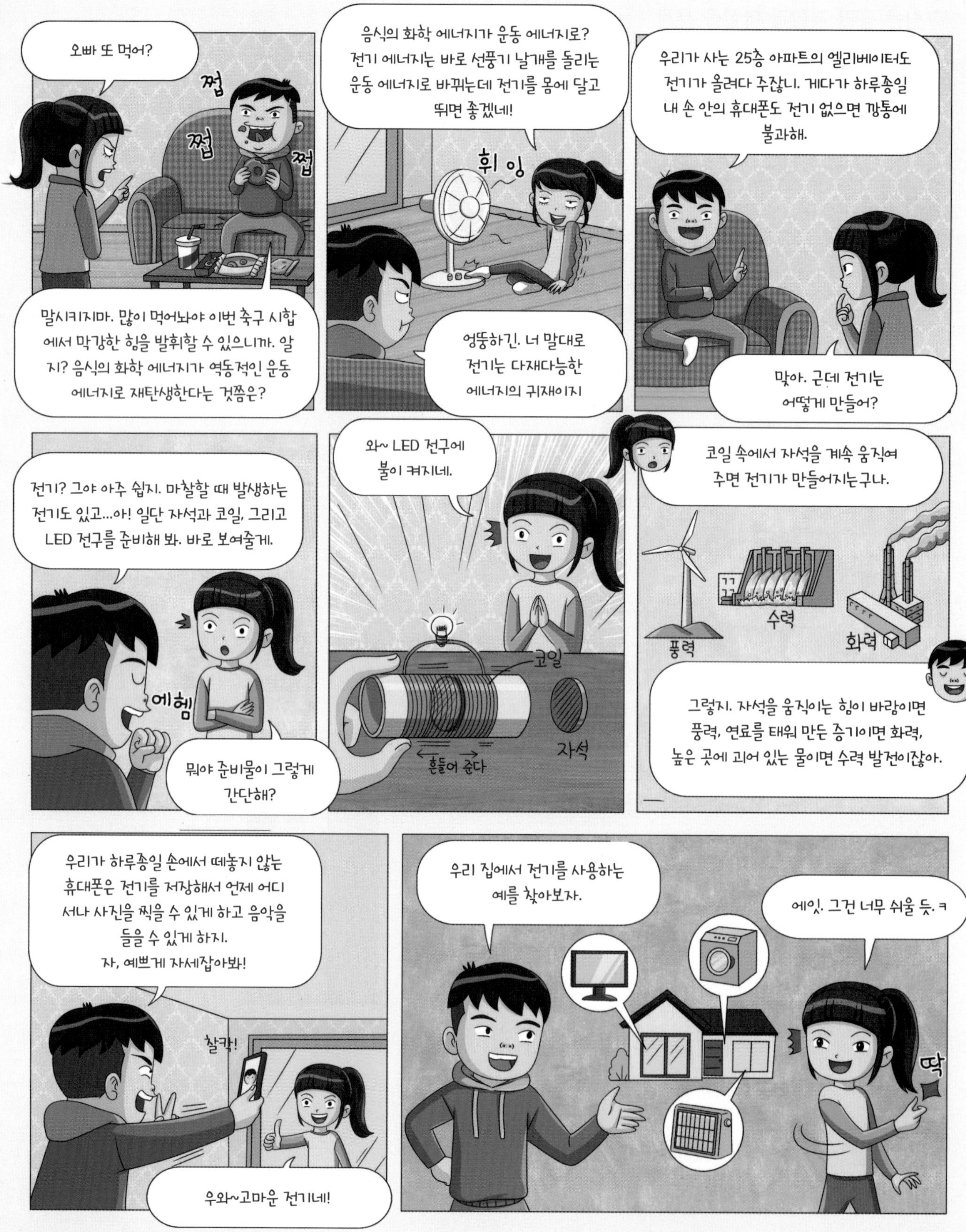

오빠 또 먹어?
쩝
쩝
쩝
말시키지마. 많이 먹어놔야 이번 축구 시합에서 막강한 힘을 발휘할 수 있으니까. 알지? 음식의 화학 에너지가 역동적인 운동 에너지로 재탄생한다는 것쯤은?
음식의 화학 에너지가 운동 에너지로? 전기 에너지는 바로 선풍기 날개를 돌리는 운동 에너지로 바뀌는데 전기를 몸에 달고 뛰면 좋겠네!
휘 잉
엉뚱하긴. 너 말대로 전기는 다재다능한 에너지의 귀재이지
우리가 사는 25층 아파트의 엘리베이터도 전기가 올려다 주잖니. 게다가 하루종일 내 손 안의 휴대폰도 전기 없으면 깡통에 불과해.
맞아. 근데 전기는 어떻게 만들어?
전기? 그야 아주 쉽지. 마찰할 때 발생하는 전기도 있고...아! 일단 자석과 코일, 그리고 LED 전구를 준비해 봐. 바로 보여줄게.
에헴
뭐야 준비물이 그렇게 간단해?
와~ LED 전구에 불이 켜지네.
코일
자석
흔들어 준다
코일 속에서 자석을 계속 움직여 주면 전기가 만들어지는구나.
풍력
수력
화력
그렇지. 자석을 움직이는 힘이 바람이면 풍력, 연료를 태워 만든 증기이면 화력, 높은 곳에 괴어 있는 물이면 수력 발전이잖아.
우리가 하루종일 손에서 떼놓지 않는 휴대폰은 전기를 저장해서 언제 어디서나 사진을 찍을 수 있게 하고 음악을 들을 수 있게 하지. 자, 예쁘게 자세잡아봐!
찰칵!
우와~고마운 전기네!
우리 집에서 전기를 사용하는 예를 찾아보자.
에잇. 그건 너무 쉬울 듯. ㅋ
딱

VI. 에너지 전환과 보존(2) ~ VII. 별과 우주(1)

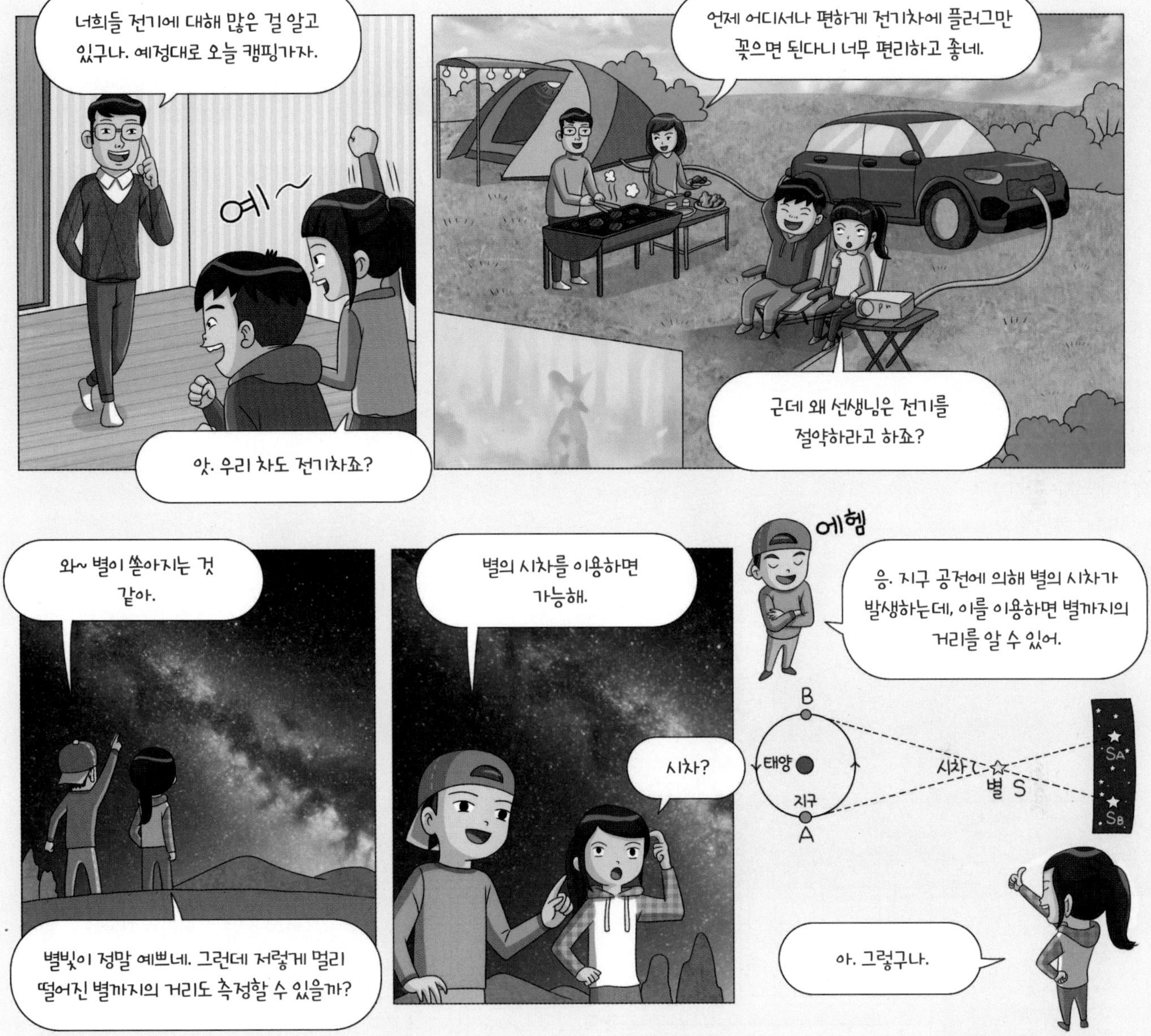

너희들 전기에 대해 많은 걸 알고 있구나. 예정대로 오늘 캠핑가자.
예~
앗. 우리 차도 전기차죠?
언제 어디서나 편하게 전기차에 플러그만 꽂으면 된다니 너무 편리하고 좋네.
근데 왜 선생님은 전기를 절약하라고 하죠?
와~ 별이 쏟아지는 것 같아.
별빛이 정말 예쁘네. 그런데 저렇게 멀리 떨어진 별까지의 거리도 측정할 수 있을까?
별의 시차를 이용하면 가능해.
시차?
에헴
응. 지구 공전에 의해 별의 시차가 발생하는데, 이를 이용하면 별까지의 거리를 알 수 있어.
B
태양
지구
A
시차
별 S
SA
SB
아. 그렇구나.

배울 내용

- **1일** | 여러 가지 에너지 전환과 보존
- **2일** | 전기 에너지의 발생
- **3일** | 전기 에너지의 전환
- **4일** | 전기 에너지의 이용
- **5일** | 별까지의 거리

3주에는 무엇을 공부할까? ②

태양에서 온 에너지 전환 과정

답 1. 태양 2. 화학 3. 전기

전기 에너지의 전환

헤어드라이어
전기 에너지 → 열, 운동 에너지

전등
전기 에너지 → 빛에너지

세탁기
전기 에너지 → 운동 에너지

전기밥솥
전기 에너지 → 열에너지

텔레비전
전기 에너지 → 빛, 소리 에너지

Quiz 4
휴대폰을 콘센트에 꽂아 충전하는 것은 전기 에너지가 (열 / 화학) 에너지로 전환되는 예이다.

태양에서 행성까지의 거리

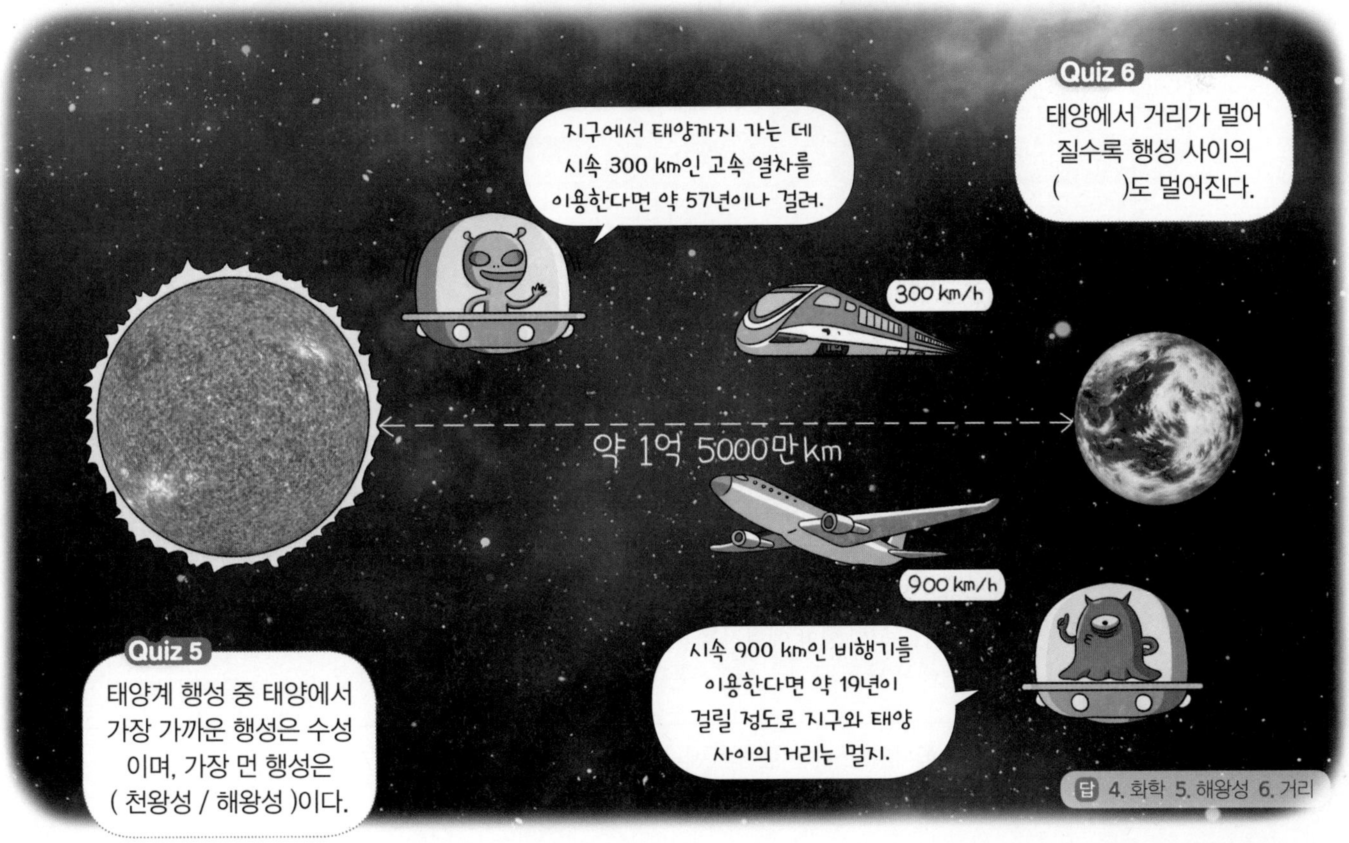

지구에서 태양까지 가는 데 시속 300 km인 고속 열차를 이용한다면 약 57년이나 걸려.
300 km/h
약 1억 5000만 km
900 km/h
시속 900 km인 비행기를 이용한다면 약 19년이 걸릴 정도로 지구와 태양 사이의 거리는 멀지.

Quiz 5
태양계 행성 중 태양에서 가장 가까운 행성은 수성이며, 가장 먼 행성은 (천왕성 / 해왕성)이다.

Quiz 6
태양에서 거리가 멀어질수록 행성 사이의 (   )도 멀어진다.

답 4. 화학 5. 해왕성 6. 거리

3주 1일 여러 가지 에너지 전환과 보존

주제 1 에너지의 종류

우리는 활동하는 데 필요한 에너지를 얻기 위해 음식을 먹고, 밤에는 전등을 켜서 주변을 밝게 한다. 이처럼 일상생활에서 다양한 형태의 에너지를 사용한다.

중요 개념

● **에너지의 종류** 에너지는 여러 가지 형태로 존재함

- 빛에너지: 태양이나 촛불 등에서 볼 수 있는 에너지로 빛이 가지고 있는 에너지 (태양 에너지: 태양이 방출하는 에너지로 지구상의 모든 에너지의 근원)
- 소리 에너지: 물체를 두드리거나 흔드는 경우 공기의 진동을 통해 이동하는 에너지로, 물체가 진동할 때 발생함
- 화학 에너지: 우리가 섭취하는 ❶(ㅇㅅ)이나 석유, 석탄, 가스와 같은 ❷(ㅇㄹ) 속에 저장된 에너지, 식물은 *광합성을 통해 화학 에너지를 저장
- 열에너지: 온도가 높은 물체에서 낮은 물체로 이동하는 에너지로, 물체의 온도나 상태를 변화시킬 수 있음
- 전기 에너지: 전류가 가지는 에너지로, 다른 형태의 에너지로 쉽게 바꾸어 사용할 수 있음
- 역학적 에너지: 물체가 운동하거나 기준면으로부터 어떤 높이에 있을 때 갖는 에너지

Tip

핵에너지란?
➡ 방사성 원소가 핵분열하거나 가벼운 원소들이 핵융합하는 과정에서 방출하는 에너지이다. 원자력 발전은 이러한 핵에너지를 이용한다.

답 ❶ 음식 ❷ 연료

개념 원리 확인

○ 정답과 해설 18쪽

1-1

다음은 어린 아이가 음식물을 먹고 있는 모습을 보고 두 사람이 나눈 대화를 나타낸 것이다. 두 사람이 설명하는 에너지의 종류를 쓰시오. (　　　　　　　　)

▲ 음식을 먹는 아이

동물과 사람들은 여러 가지 음식물을 섭취하여 에너지원으로 사용하지.
맞아. 화학 결합에 의해 물질 속에 저장된 에너지야. 연료와 음식물 속에 저장된 에너지이기도 해.
준수
지나

소리 에너지는 고체나 액체, 기체 등의 매질을 통해 전파되는 파동 에너지야.

1-2

다음은 에너지의 종류에 대한 설명이다. 빈칸에 알맞은 에너지의 종류를 쓰시오.

> 에너지의 종류에는 운동하고 있는 물체가 가지는 운동 에너지, 높은 곳에 있는 물체가 가지는 위치 에너지가 있다. 이 외에도 물체의 진동으로 발생하는 ㉠(　　　　), 광원에서 나오는 ㉡(　　　　), 온도가 높은 물체에서 낮은 물체로 이동하는 ㉢(　　　　) 등이 있다.

용어 풀이

＊**광합성**(光 빛, 合 합할, 成 이룰): 녹색 식물의 엽록체가 빛에너지를 이용하여 공기 중에서 빨아들인 이산화 탄소와 뿌리에서 흡수한 수분으로 포도당을 생성하는 작용

1-3

에너지의 종류와 각 에너지에 해당하는 설명을 옳게 연결하시오.

(1) 빛에너지 ·　　　　· ㉠ 전기를 생산하거나 광합성을 통해 각종 영양분을 만들어 낸다.

(2) 소리 에너지 ·　　　　· ㉡ 전기 기구에서 열, 빛, 소리 등을 낸다.

(3) 열에너지 ·　　　　· ㉢ 주위 사람과 이야기 나누고 음악을 들을 수 있게 한다.

(4) 전기 에너지 ·　　　　· ㉣ 물체의 온도나 상태를 변화시킨다.

3주 1일 여러 가지 에너지 전환과 보존

주제 2 에너지 전환과 보존 법칙

우리 주변에 존재하는 에너지는 한 종류의 에너지에서 다른 종류의 에너지로 전환되지만 그 에너지 총량은 일정하게 보존된다.

중요 개념

- **에너지 전환** 에너지는 한 종류로만 존재하는 것이 아니라 한 종류의 에너지에서 다른 종류의 에너지로 끊임없이 변한다.
  - 선풍기: 전기 에너지 → 운동 에너지
  - 모닥불: 화학 에너지 → 빛에너지, 열에너지
  - 마이크: 소리 에너지 → ❶(ㅈㄱ) 에너지
  - 광합성: 빛에너지 → ❷(ㅎㅎ) 에너지
  - *원자력 발전: 핵에너지 → 전기 에너지

화력 발전: 화학 에너지 → 전기 에너지
수력 발전: 역학적 에너지 → 전기 에너지
풍력 발전: 운동 에너지 → 전기 에너지

- **에너지 보존 법칙** 에너지가 전환될 때 에너지는 새로 만들어지거나 사라지지 않고 에너지의 총합은 항상 일정하게 보존된다.

Tip

에너지는 보존되는데 아껴야 하는 까닭

➡ 에너지가 전환되어도 새로 생겨나거나 사라지지 않고 일정하게 보존되지만 우리가 사용할 수 있는 에너지의 형태는 제한적이기 때문이다.

답 ❶ 전기 ❷ 화학

개념 원리 확인

정답과 해설 18쪽

식물의 광합성에 필요한 에너지는 빛에너지야. 광합성의 결과 식물에서는 포도당이 만들어져.

2-1

그림과 같이 식물은 빛에너지를 이용해 광합성을 하여 스스로 양분을 생산한다. 광합성에서의 에너지 전환에 대한 두 사람의 대화에서 빈칸에 알맞은 말을 쓰시오.

▲ 식물의 광합성

에너지는 한 종류로 만 존재하는 것이 아니라, 한 종류의 에너지에서 다른 종류의 에너지로 끊임 없이 변한대.
맞아. 식물의 광합성에서는 ㉠(　　　)가 ㉡(　　　)로의 전환이 일어나지.
준수
지나

태양열 발전은 태양 에너지를 모아서 열로 변환하고 열기관에 의하여 전기 에너지를 만드는 발전 방식이야.

2-2

전기를 생산하는 여러 발전소에서의 에너지 전환 과정을 옳게 연결하시오.

(1) 화력 발전 ·		· ㉠ 운동 에너지 → 전기 에너지
(2) 수력 발전 ·		· ㉡ 핵에너지 → 전기 에너지
(3) 풍력 발전 ·		· ㉢ 화학 에너지 → 전기 에너지
(4) 태양광 발전 ·		· ㉣ 역학적 에너지 → 전기 에너지
(5) 원자력 발전 ·		· ㉤ 빛에너지 → 전기 에너지

2-3

에너지 보존 법칙에 대한 설명으로 옳은 것은?

① 에너지는 다른 형태로 전환될 때 사라지기도 한다.
② 에너지는 다른 형태로 전환될 때 새로 생겨나기도 한다.
③ 모든 에너지는 형태와 그 총량이 항상 일정하게 보존된다.
④ 물체의 역학적 에너지는 어떤 경우에도 일정하게 보존된다.
⑤ 에너지는 다른 형태로 전환될 뿐 그 총량은 항상 일정하게 보존된다.

용어 풀이

* **원자력**(原 근원, 子 아들, 力 힘): 원자핵의 붕괴나 핵융합할 때에 방출되는 에너지

3주 1일 기초 집중 연습

대표 기출문제 주제 1 에너지의 종류

1-1

다음은 어떤 에너지에 대한 설명이다.

> 매질이 없는 진공에서도 전달되며 전달 속력도 매우 빠르다.

이 에너지와 관계있는 것을 보기 에서 모두 고른 것은?

보기

ㄱ. 태양이나 전등에서 나오는 에너지이다.
ㄴ. 식물이 광합성을 하는 데 필요한 에너지이다.
ㄷ. 우리가 사물을 볼 수 있도록 해 주는 에너지이다.
ㄹ. 음식물이나 연료 등 물질 속에 저장된 에너지이다.
ㅁ. 사람의 체온을 유지하고 활동에 필요한 에너지이다.

① ㄱ, ㄴ, ㄷ ② ㄱ, ㄷ, ㄹ ③ ㄴ, ㄷ, ㄹ
④ ㄴ, ㄹ, ㅁ ⑤ ㄷ, ㄹ, ㅁ

문제 해결 Point

가이드 매질이 없는 진공에서도 전달될 수 있는 에너지는 **빛에너지**임을 알고 빛에너지가 일상생활에서 어떤 역할을 하는지 알고 있어야 한다.

해결 Point **빛에너지**는 매질이 없는 진공에서도 전달되며, 속력도 매우 빠르다.
빛에너지는 태양이나 전등에서 나오는 빛이 가지고 있는 에너지로, 식물이 광합성을 통해 각종 영양분을 만들어 내거나 전기를 만드는 데 이용한다.
빛에너지는 우리가 물체를 볼 수 있게 해 준다. 즉 물체에서 나온 빛이 우리 눈에 들어와야 물체를 볼 수 있다.

오개념 주의 음식물의 섭취를 통해 사람은 체온을 유지하고 활동에 필요한 에너지를 얻는다. 음식물 등에 포함되어 있는 에너지를 화학 에너지라고 한다.

1-2

다음은 어떤 에너지에 대해 두 사람이 나눈 대화 내용이다.

난로를 켜 놓으면 이 에너지에 의해 집 안이 따뜻해져.
온도가 다른 물체 사이에서 이동하는 에너지로, 물체의 온도나 상태를 변화시키기도 해.
준수
지나

두 사람이 말하고 있는 에너지의 종류를 쓰시오.

Hint 온도가 다른 두 물체 사이에서 이동하는 에너지이며, 이 에너지에 의해 물체의 상태가 달라진다.

1-3

다음 물질들이 공통적으로 가지고 있는 에너지로 옳은 것은?

> • 석탄 • 음식물
> • 천연가스 • 석유

① 열에너지 ② 빛에너지
③ 전기 에너지 ④ 화학 에너지
⑤ 소리 에너지

대표 기출문제 주제 2 에너지 전환과 보존 법칙

2-1

다음은 여러 경우의 에너지 전환을 나타낸 것이다. 에너지 전환 과정을 잘못 나타낸 것은? (정답 2개)

① 전기난로

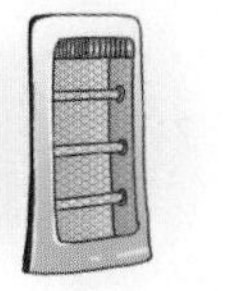

전기 에너지 → 열에너지

② 수력 발전

역학적 에너지 → 전기 에너지

③ 불꽃놀이

열에너지 → 빛에너지

④ 광합성

빛에너지 → 화학 에너지

⑤ 마이크

전기 에너지 → 소리 에너지

문제 해결 Point

가이드 **에너지 전환**은 주로 어떤 형태의 에너지를 얻기 위해서인지에 따라 에너지 전환을 설명한다. 예를 들어 전구에서는 전기 에너지가 빛에너지와 열에너지 등으로 전환되지만 빛에너지를 얻는 것이 목적이므로 빛에너지로의 전환만 기술한다.

해결 Point
- 에너지는 한 형태에서 여러 형태로 **전환**된다. 전기난로에서 전기 에너지는 열에너지로 전환되며, 수력 발전은 물의 위치 에너지를 이용하여 전기 에너지를 생산한다. 또한 광합성은 식물이 태양의 빛에너지를 이용하여 양분을 만드는 과정이므로 빛에너지가 화학 에너지로 전환된다.
- 불꽃놀이는 화학 에너지가 빛에너지로 전환되는 예이며, 마이크는 소리 에너지를 전기 에너지로 전환하여 스피커로 보낸다.

오개념 주의 스피커는 전기 에너지를 공급받아 소리 에너지로 전환한다. 반대로 마이크는 소리 에너지를 전기 에너지로 전환하여 스피커로 보낸다. 즉 마이크와 스피커에서 에너지 전환은 반대로 일어난다.

2-2

헤어드라이어에 공급된 전기 에너지는 운동 에너지, 열에너지, 소리 에너지 등으로 전환된다. 이에 대한 설명으로 옳은 것은?

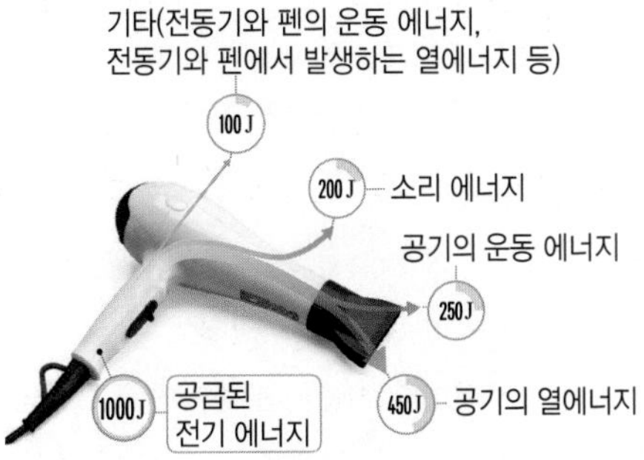

① 헤어드라이어에서는 전기 에너지가 주로 소리 에너지로 전환된다.

② 헤어드라이어가 소비한 전기 에너지의 양과 전환된 열에너지의 양은 같다.

③ 헤어드라이어에 공급한 전기 에너지의 양과 전환된 운동 에너지의 양은 같다.

④ 헤어드라이어에서는 전기 에너지가 운동 에너지와 열에너지만으로 전환된다.

⑤ 헤어드라이어에서 전환된 에너지를 모두 합하면 공급한 전기 에너지와 같다.

Hint 헤어드라이어는 머리를 주로 바람이나 열을 이용하여 말리는 기기이다. 따라서 헤어드라이어에서는 공급된 전기 에너지가 주로 운동 에너지와 열에너지로 전환된다.

2-3

에너지 전환과 보존에 대한 설명으로 옳지 않은 것은?

① 에너지는 다른 형태의 에너지로 전환될 수 있다.

② 에너지는 전환 과정에서 새롭게 생성되거나 사라지지 않는다.

③ 하나의 에너지가 동시에 여러 가지 에너지로 전환될 수 있다.

④ 사용하기 쉬운 에너지가 점점 감소하는 것은 에너지가 점점 사라지기 때문이다.

⑤ 한번 사용한 에너지는 다시 사용하기 어려운 형태의 에너지로 변하기 때문에 절약해야 한다.

3주 1일

전기 에너지의 발생

주제 1 전자기 유도

자석이나 코일을 움직이면 코일을 통과하는 자기장이 변하고 이때 코일에 전류가 흐르게 되는데, 이러한 현상을 전자기 유도라고 한다.

오홋! 코일 속으로 자석을 넣다 뺐다 계속 움직이니까 전기가 생기는군!
슉
찌지직
코일을 자석 속에서 계속 움직이면 전기가 발생하여 전구에 불이 켜져.
N
S
휙
휙
발광 다이오드
코일 철심
영구 자석
파란색
빨간색
바퀴 축
빨간색
흰색
투명한 플라스틱
전기 만들기 참 쉽네.

중요 개념

- ***전자기 유도** 코일 근처에서 자석을 움직이거나 자석 근처에서 코일을 움직이면 코일에 전류가 흐르는 현상
  - 코일 속에서 자석을 움직이면 자석의 ❶(ㅇㅎㅈ) 에너지가 ❷(ㅈㄱ) 에너지로 전환되어 전류가 발생
  - 자석을 움직이거나 코일을 움직일 때 코일을 통과하는 자기장이 변하여 코일에 전류가 발생
- **유도 전류** 전자기 유도 현상이 일어날 때 코일에 흐르는 전류
  - 코일 근처에서 자석이 움직일 때 발광 다이오드에 불이 켜지는 것을 통해 유도 전류가 발생했음을 알 수 있다.

Tip

자석을 코일에 가까이할 때와 멀리할 때 유도 전류의 방향

➡ 자석을 코일에 가까이할 때와 멀리할 때 코일에 흐르는 전류의 방향은 서로 반대이다.

답 ❶ 역학적 ❷ 전기

개념 원리 확인

○ 정답과 해설 19쪽

자석이나 코일을 움직여 코일을 통과하는 자기장이 변하면 코일에 전류가 흐르게 되는데, 이 현상을 전자기 유도라고 해.

1-1

그림과 같은 전기 에너지 발생 장치를 보고 세 사람이 대화하고 있다. 빈칸에 알맞은 말을 쓰시오.

자석
S
N
꼬마전구형 발광 다이오드
코일

자석이 움직이지 않을 때는 켜지지 않던 발광 다이오드가 자석이 움직일 때 켜져.
맞아. 자석을 움직이면 코일을 통과하는 자기장이 변하여 코일에 전류가 발생하기 때문인데 이러한 현상을 ㉠(　　　　)라고 해.
이때 코일에 흐르는 전류를 ㉡(　　　　) 라고 하지.
은영
준우
유미

자기장의 변화로 전류가 흘러. 자석을 코일에 가까이 하거나 멀리 할 때의 자기장의 변화는 서로 다르게 나타나.

1-2

다음은 자석을 코일에 가까이할 때와 멀리할 때 검류계 바늘의 움직임에 대한 설명이다. 빈칸에 알맞은 말을 쓰시오.

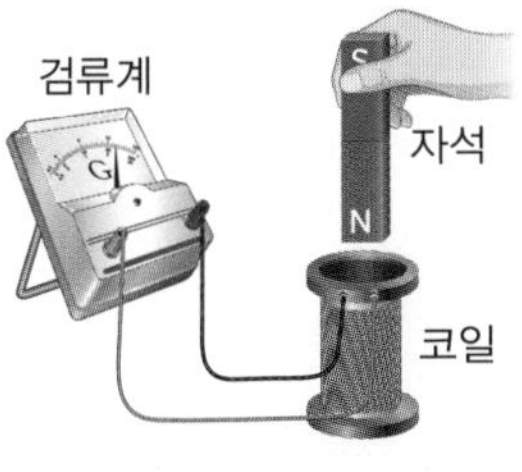

검류계
자석
S
N
코일

> 자석의 N극을 코일에 가까이하였더니 검류계 바늘이 가운데에서 오른쪽으로 움직였다. 자석의 N극을 코일에서 멀리하면 검류계 바늘은 (　　　)으로 움직인다.

1-3

코일과 자석을 이용하여 전기 에너지를 발생하는 실험에 대한 설명이다. (　) 안에 알맞은 말을 고르시오.

(1) 코일 근처에서 자석을 움직이면 코일에 전류가 (흐른다 / 흐르지 않는다).

(2) 자석 근처에서 코일을 움직이면 코일에 전류가 (흐른다 / 흐르지 않는다).

(3) 자석을 코일 속에 넣은 채 가만히 있으면 코일에 전류가 (흐른다 / 흐르지 않는다).

용어 풀이

* **전자기**(電 번개, 磁 자석, 氣 기운): 전기와 자기의 상호 작용에 의한 것을 나타내는 용어

3주 2일 전기 에너지의 발생

주제 2 발전기

역학적 에너지를 전기 에너지로 전환하는 장치를 발전기라고 하며, 발전기를 이용하여 전기 에너지를 만드는 과정을 발전이라고 한다.

자기장 안에서 코일을 회전시키기 위해 어떤 힘을 사용하였느냐에 따라 수력 발전, 화력 발전, 풍력 발전이라고 말해.
발전기는 역학적 에너지로 전기 에너지를 얻는 장치라고 할 수 있어.
우웅
우웅
그만 쉬어! 이제 걔들이 발전기를 돌릴거야.
수력 발전
화력 발전
풍력 발전

중요 개념

- **발전** 운동 에너지나 위치 에너지 등 다른 에너지를 전기 에너지로 전환하는 것
- **발전기** 전자기 *유도 현상을 이용하여 전기를 만드는 장치
  - 발전기의 구조: 자석과 코일로 이루어져 있다.
  - 발전기의 원리: 자석 사이에서 코일이 회전하면 전자기 유도 현상이 일어나 유도 전류가 발생하여 전기가 만들어진다.
  - 발전기에서의 에너지 전환: 발전기는 ❶(ㅇㅎㅈ) 에너지를 ❷(ㅈㄱ) 에너지로 전환하는 장치이다. 전자기 유도를 이용한 발전 방식: 수력, 풍력, 화력, 원자력 발전 등

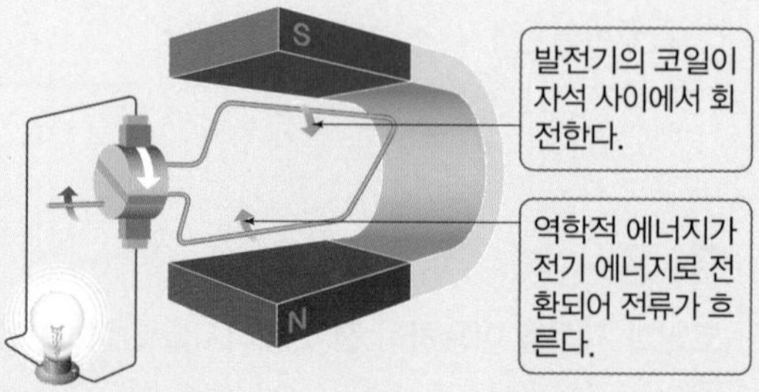

Tip

발전기 내에서 전기를 만드는 방법

➡ 균일한 자기장이 형성되어 있는 자석 사이에서 코일이 회전하면 코일을 통과하는 자기장의 세기가 변해 코일에 전류가 발생한다.

답 ❶ 역학적 ❷ 전기

개념 원리 확인

○ 정답과 해설 19쪽

수력 발전은 물의 위치 에너지를 이용하며, 풍력 발전은 바람의 운동 에너지를 이용하여 전기 에너지를 생산해.

2-1

다음은 전기 에너지의 발생과 그 장치에 대한 설명이다. 빈칸에 알맞은 말을 쓰시오.

> 위치 에너지와 운동 에너지 등의 역학적 에너지를 전기 에너지로 바꾸는 것을 ㉠(   )이라고 하고, 이때 사용하는 장치를 ㉡(   )라고 한다. 발전 원리는 코일이 ㉢(   ) 주위를 운동하면 자기장의 변화로 코일에 전류가 유도되는 것이다.

코일을 여러 번 감고 양 끝에 전구를 연결한 간이 발전기를 천천히 또는 빨리 흔들어 보면 발광 다이오드의 밝기가 변해.

2-2

그림과 같은 간이 발전기에 대한 설명이다. (   ) 안에 알맞은 말을 고르시오.

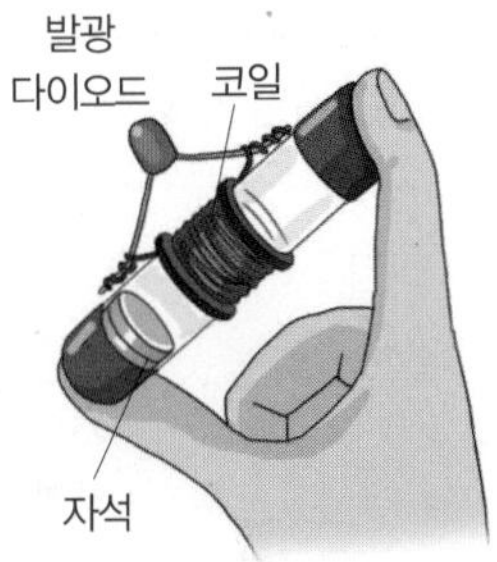

(1) 간이 발전기는 (코일 / 자석)의 운동에 의해 전류가 발생하는 현상을 확인할 수 있다.

(2) 간이 발전기에서는 자석의 (자기 에너지 / 운동 에너지)가 전기 에너지로 전환된다.

(3) 발광 다이오드의 밝기는 자석이 (천천히 / 빨리) 움직일수록 밝다.

2-3

그림은 발전기의 구조 및 원리를 나타낸 것이다. 빈칸에 알맞은 말을 쓰시오.

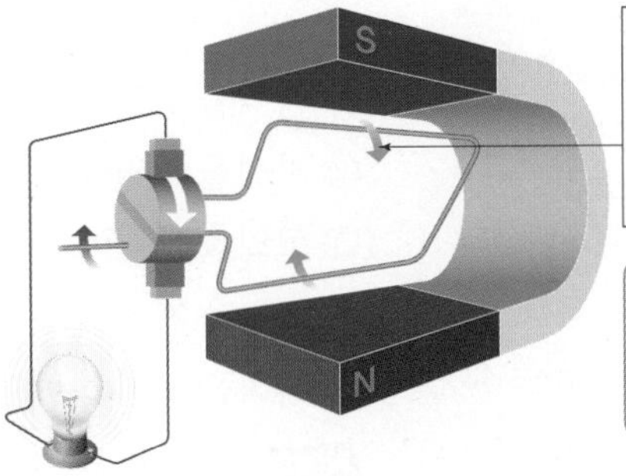

> 발전기는 자석과 코일로 이루어져 있으며, 코일이 자석 사이에서 회전하면 전류가 발생하여 전구에 불이 켜진다.

> 발전기는 ㉠(   )을 이용하여 ㉡(   )를 발생하는 장치이다.

용어 풀이

* **유도(誘 꾈, 導 이끌)**: 전기장·자기장 안에 있는 물체가 전기나 자기를 띠는 것

3주 2일 기초 집중 연습

대표 기출문제 주제 1 전자기 유도

1-1

그림은 코일 근처에 자석을 가까이 가져갈 때 코일에 연결된 발광 다이오드에 불이 들어오는 모습을 나타낸 것이다.

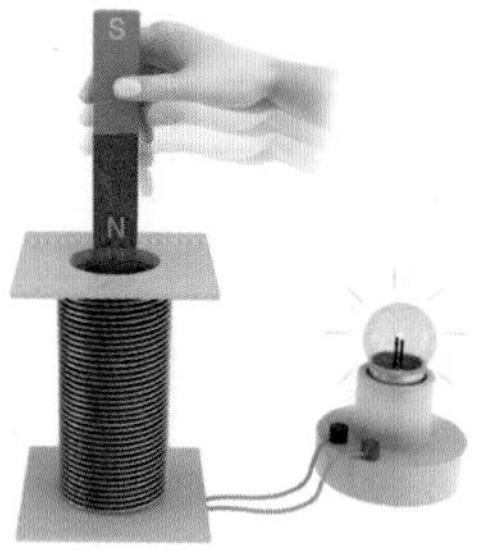

이에 대한 설명으로 옳은 것을 보기에서 모두 고른 것은?

보기
ㄱ. 코일에 유도 전류가 흐른다.
ㄴ. 전류가 발생하는 원리를 설명할 수 있다.
ㄷ. 전자기 유도 현상에 의해 전구에 불이 켜진다.

① ㄱ ② ㄴ ③ ㄱ, ㄷ
④ ㄴ, ㄷ ⑤ ㄱ, ㄴ, ㄷ

문제 해결 Point

가이드 | 코일 근처에서 자석을 움직이거나 자석 근처에서 코일을 움직이면 코일에 전류가 흐르는 현상을 전자기 유도라고 하며, **전자기 유도** 현상이 일어날 때 코일에 흐르는 전류를 **유도 전류**라고 한다.

해결 Point | 자석을 코일 근처에서 움직이면 전자기 유도 현상에 의해 코일에 유도 전류가 흐른다. 즉 자석을 코일에 가까이할 때 발광 다이오드에 불이 켜지는 것으로부터 전류가 발생하는 원리를 설명할 수 있다.

오개념 주의 | 아무리 강한 자석이라도 자석이나 코일이 움직이지 않으면 전자기 유도 현상이 일어나지 않아 유도 전류가 흐르지 않는다.

1-2

그림은 검류계와 연결된 코일 속에 자석을 넣었다 뺐다 하는 모습을 나타낸 것이다.

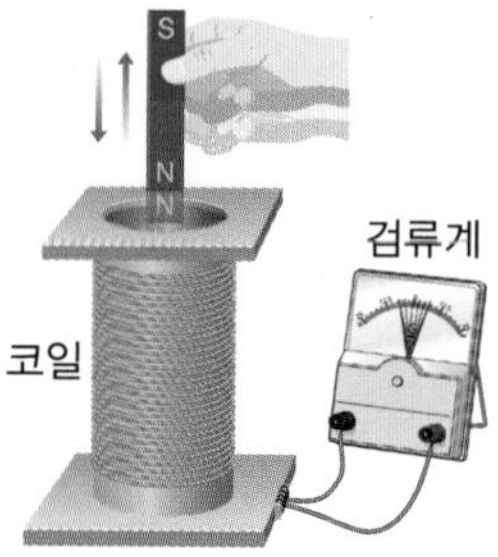

검류계의 바늘이 움직이는 정도를 크게 하는 방법으로 옳은 것을 보기에서 모두 고른 것은?

보기
ㄱ. 자석 대신 코일을 움직인다.
ㄴ. 자석의 극을 바꾸어 넣는다.
ㄷ. 자석을 코일 속에 더 빠르게 넣는다.

① ㄱ ② ㄴ ③ ㄷ
④ ㄱ, ㄴ ⑤ ㄴ, ㄷ

1-3

그림과 같이 코일에 검류계를 연결하고 자석을 이용해 전자기 유도 실험을 하였다. 이때 코일에 전류가 흐르지 않는 경우는?

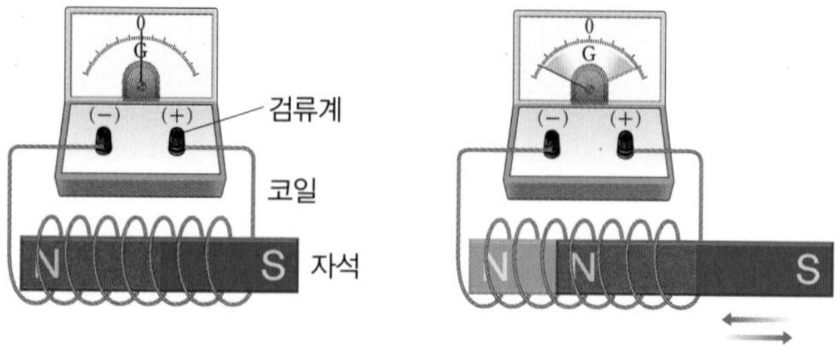

① 자석을 코일에 가까이할 때
② 자석을 코일에서 멀리할 때
③ 코일을 자석에 가까이할 때
④ 코일을 자석에서 멀리할 때
⑤ 자석을 코일 속에 넣고 가만히 있을 때

Hint 코일 주위의 자기장이 변할 때 코일에 유도 전류가 발생한다.

대표 기출문제 주제 2 발전기

2-1

자석과 코일을 이용하여 그림과 같이 간이 발전기를 만들었다.

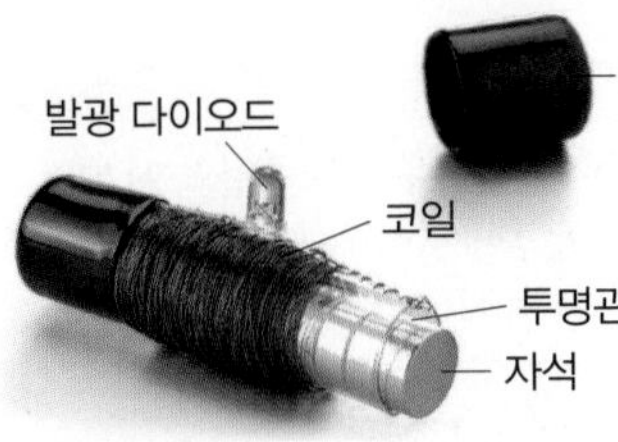

발광 다이오드에 불이 켜지는 경우를 보기 에서 모두 고른 것은?

보기
ㄱ. 코일에 감긴 투명관에서 자석이 나올 때
ㄴ. 코일에 감긴 투명관 안으로 자석이 들어갈 때
ㄷ. 코일에 감긴 투명관 속에 자석이 멈추어 있을 때

① ㄱ ② ㄷ ③ ㄱ, ㄴ
④ ㄴ, ㄷ ⑤ ㄱ, ㄴ, ㄷ

문제 해결 Point

가이드 **간이 발전기**를 흔들면 자석이 코일 사이를 움직이게 되고 이때 **전자기 유도**에 의해 코일에 유도 전류가 흐른다.

해결 Point **간이 발전기**를 흔들지 않으면 자석이 코일 사이를 통과하지 않으므로 발광 다이오드에 불이 켜지지 않는다. 하지만 간이 발전기를 흔들면 자석이 코일 사이를 움직이므로 발광 다이오드에 불이 켜진다. 이는 자석이 움직이면 코일을 통과하는 자기장이 변하여 코일에 전류가 발생하기 때문이다. 이와 같은 현상을 전자기 유도라 하고, 이때 코일에 흐르는 전류를 유도 전류라고 한다.
간이 발전기를 흔들 때 자석의 역학적 에너지가 전기 에너지로 전환된다.

오개념 주의 자석과 코일의 운동으로 전기 에너지가 생성될 때에는 자석만 움직이거나 코일만 움직여도 된다. 또한 자석과 코일이 모두 움직여도 전기가 만들어진다.

2-2

그림과 같은 간이 발전기를 흔들면 발광 다이오드에 불이 켜진다. 이때 일어나는 에너지 전환을 옳게 나타낸 것은?

① 전기 에너지 → 역학적 에너지 → 빛에너지
② 전기 에너지 → 화학 에너지 → 빛에너지
③ 화학 에너지 → 전기 에너지 → 빛에너지
④ 역학적 에너지 → 화학 에너지 → 열에너지
⑤ 역학적 에너지 → 전기 에너지 → 빛에너지

2-3

그림은 발전기의 구조를 나타낸 것이다.

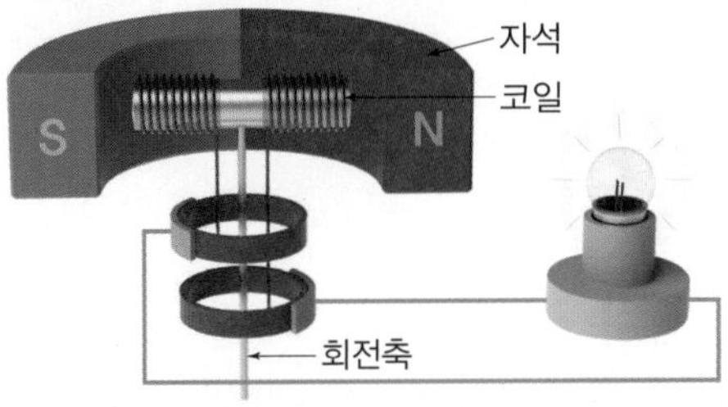

발전기에 대한 설명으로 옳은 것을 보기 에서 모두 고른 것은?

보기
ㄱ. 발전기는 자석과 코일로 이루어져 있다.
ㄴ. 발전기는 전자기 유도 현상을 이용한다.
ㄷ. 코일이 자석 사이에서 움직일 때 전류가 흐른다.

① ㄱ ② ㄴ ③ ㄱ, ㄷ
④ ㄴ, ㄷ ⑤ ㄱ, ㄴ, ㄷ

Hint 전자기 유도를 이용한 가장 대표적인 장치는 발전기이다.

3주 2일

3주 3일 전기 에너지의 전환

주제 1 역학적 에너지가 전기 에너지로 전환되는 예

자전거의 경우 대부분 바퀴가 굴러가면서 바퀴에 연결된 발전기를 돌려 전조등을 켠다. 이것은 역학적 에너지가 전기 에너지로 전환되는 것이다.

하이브리드 자동차는 속력이 줄거나 브레이크를 밟을 때 만들어진 전기를 배터리에 충전해.
전지 없어도 흔들면 코일과 자석의 운동으로 전구에 불이 켜져. 역학적 에너지로 전기 에너지를 만드는 거지.
흔들
흔들
전기 에너지 혜택을 받지 못하는 나라에서는 축구공에 전기를 만드는 장치가 있어서 공이 던져지고 굴러갈 때 만들어진 전기로 밤에 불을 켤 수 있어.
공을 더 열심히 굴려야 전기를 많이 만들 수 있다구.
사람들이 많이 다니는 곳 바닥에는 전기를 만드는 장치가 있어서 밟을 때마다 압력으로 전기가 만들어진대.
자전거 바퀴를 돌리면 바퀴에 연결된 발전기가 작동하여 전조등을 밝힐 수 있어.

중요 개념

- **발전에서 역학적 에너지가 전기 에너지로 전환되는 예**
  - 수력 발전: 높은 곳에 괴어 있는 물의 ❶(ㅇㅊ) 에너지를 이용하여 전기 에너지를 생산
    - 물의 위치 에너지 → 터빈의 운동 에너지 → 전기 에너지
  - 풍력 발전: 바람의 ❷(ㅇㄷ) 에너지를 이용하여 전기 에너지를 생산
    - 바람의 운동 에너지 → 터빈의 운동 에너지 → 전기 에너지
- **일상생활에서 역학적 에너지가 전기 에너지로 전환되는 예**
  - 자전거의 자가발전식 전조등: 바퀴가 굴러가면서 *발전기를 돌려 전조등을 켠다
  - 발광 인라인스케이트: 바퀴가 굴러가면 코일이 자석 주위를 돌아 바퀴에 불을 켠다.
  - 간이 발전기: 간이 발전기를 흔들 때 자석의 역학적 에너지가 전기 에너지로 전환된다.
  - 자가발전식 휴대용 손전등: 사람이 운동하는 역학적 에너지로 전기를 생산한다.

Tip

자석과 코일의 운동

➡ 자석과 코일의 운동으로 전기 에너지가 생성될 때 자석만 움직이거나 코일만 움직여도 된다. 또한 자석과 코일이 모두 움직여도 전기가 만들어진다.

답 ❶ 위치 ❷ 운동

개념 원리 확인

정답과 해설 20쪽

자석이나 코일을 움직여 코일을 통과하는 자기장이 변하면 코일에 전류가 흐르게 돼. 간이 발전기나 자가발전 손전등 모두 자석과 코일로 구성되어 있어.

1-1

그림과 같이 자가발전 손전등과 간이 발전기는 모두 자석과 코일로 이루어져 있으며, 자석이 코일 근처에서 움직이면 코일에 전류가 흐르게 되어 전구에 불이 켜진다.

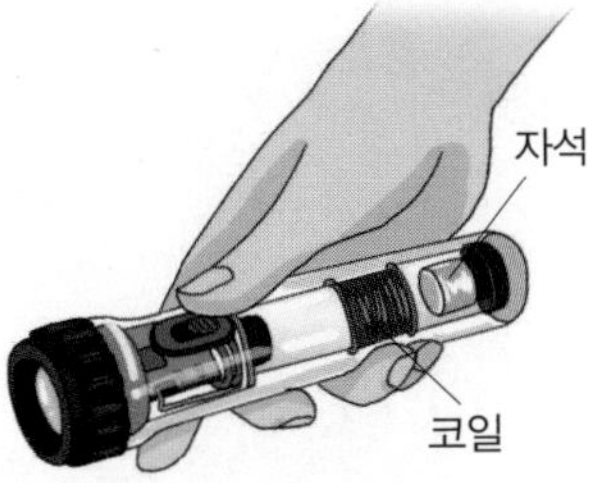
자석
코일

▲ 자가발전 손전등

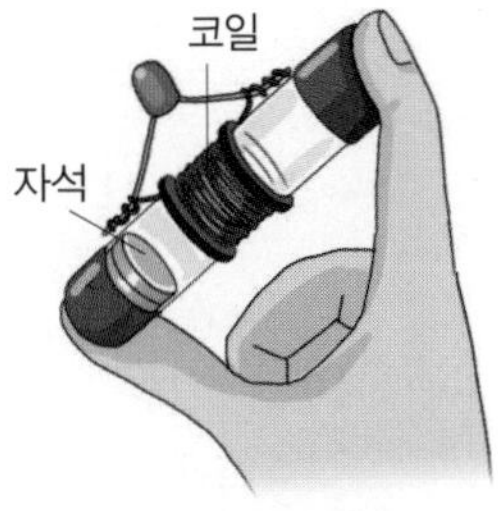
코일
자석

▲ 간이 발전기

이때 에너지 전환을 다음과 같이 나타내었다. 빈칸에 알맞은 말을 쓰시오.

(　　　　　　) → 전기 에너지→ 빛에너지

발전소에서는 바람, 물, 증기 등이 가진 역학적 에너지로 터빈을 돌려 일상생활에 필요한 전기 에너지를 만들어.

1-2

그림과 같은 수력 발전소에서 전기가 생산될 때까지의 에너지 전환 과정을 다음과 같이 나타내었다. 빈칸에 알맞은 말을 쓰시오.

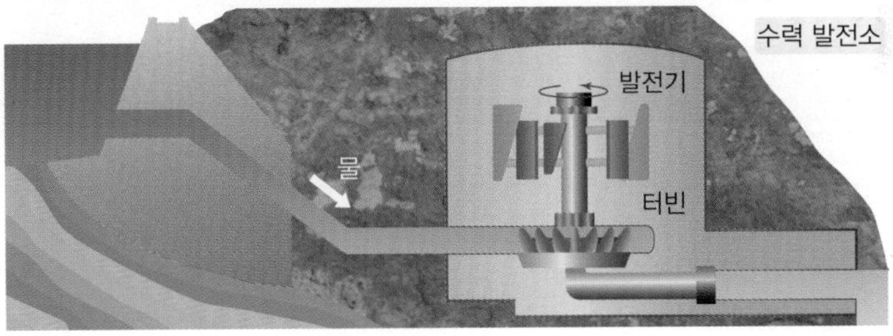
수력 발전소
발전기
물
터빈

물의 (　　　　) → 물의 (　　　　) → 터빈의 (　　　　) → 전기 에너지

1-3

다음은 전기가 발생할 때 이루어지는 에너지 전환에 대한 설명이다. 빈칸에 알맞은 말을 쓰시오.

(1) 자전거의 자가발전식 전조등은 바퀴가 굴러가는 (　　　　)를 이용하여 바퀴에 연결된 발전기를 돌려 불을 켠다.

(2) 발광 인라인스케이트는 바퀴가 굴러갈 때의 (　　　　)를 이용하여 바퀴에 연결된 코일을 돌려 바퀴에 연결된 LED에 불을 켠다.

용어 풀이

* **발전기**(發 쏠, 電 번개, 機 틀): 여러 가지 힘을 이용하여 자기장에서 코일을 움직이게 하거나 코일 안에서 자석을 움직이게 하여 전기를 발생시키는 장치

3주 3일 전기 에너지의 전환

주제 2 전기 에너지의 전환

일상생활에서 쉽게 사용하는 전기 에너지는 열, 빛, 소리, 운동, 화학 에너지 등 다양한 형태의 에너지로 전환된다.

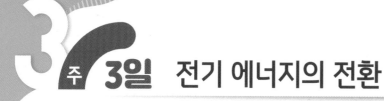

중요 개념

- 전기 에너지의 전환
  - 열에너지: 전기난로, 전기밥솥, 토스터, 전기주전자, 전기다리미 등
  - 빛에너지: 전구, 텔레비전, 컴퓨터 모니터, 휴대 전화의 화면 등
  - ❶(ㅇㄷ) 에너지: 선풍기, 세탁기, 진공청소기, 에어컨 등
  - ❷(ㅎㅎ) 에너지: 핸드폰 *충전기 등
    - 핸드폰 충전시: 전기 에너지 → 화학 에너지
    - 핸드폰 사용시: 화학 에너지 → 전기 에너지
- 전기 에너지의 장점
  - 전선을 이용하여 비교적 쉽게 먼 곳까지 전달할 수 있다.
  - 전지에 저장하여 휴대하고 다니며 필요할 때 사용할 수 있다.
  - 각종 전기 기구를 통해 다른 에너지로 쉽게 전환하여 이용할 수 있다.
    - 전등: 빛에너지, 텔레비전: 빛, 소리 에너지
    - 세탁기: 운동 에너지, 핸드폰: 빛, 소리, 운동 에너지 등

Tip

휴대 전화에서 전기 에너지의 전환

➡ 휴대 전화는 전지로부터 전기를 얻어 빛(화면), 소리, 진동 등을 발생한다. 이때 에너지 전환은 충전기의 화학 에너지 → 전기 에너지 → 빛에너지 + 소리 에너지 + 역학적 에너지이다.

답 ❶ 운동 ❷ 화학

개념 원리 확인

○ 정답과 해설 20쪽

스마트폰이나 노트북 등의 전지는 전기 에너지를 이용하여 충전하면 화학 에너지 형태로 저장돼.

2-1

다음은 스마트폰을 충전하는 모습을 보고 두 친구가 나눈 대화를 나타낸 것이다. 빈칸에 알맞은 말을 쓰시오.

▲ 스마트폰 충전

전기 에너지는 전기 기구를 통해 다른 형태의 에너지로 쉽게 전환해서 사용돼.
맞아. 스마트폰은 전기 에너지를 배터리에 (　　　　)의 형태로 충전하고 필요할 때 다른 에너지로 전환하여 사용해.
준수
지나

2-2

다음은 전기 에너지에 대한 설명이다. 빈칸에 알맞은 말을 쓰시오.

(1) 전기 에너지는 (　　　)을 이용해 비교적 쉽게 먼 곳까지 전달할 수 있다.

(2) 전기 에너지는 (　　　)에 저장해 휴대하고 다니며 필요할 때 사용할 수 있다.

(3) 전기 에너지는 각종 (　　　)를 통해 다른 에너지로 쉽게 전환하여 이용할 수 있다.

전기밥솥에서는 전기 에너지가 빛에너지, 소리 에너지, 열에너지로도 전환돼. 하지만 주로 이용하는 에너지는 열에너지야.

2-3

그림과 같은 전기 기구들은 전기 에너지를 각각 어떤 형태의 에너지로 전환하는지 옳게 연결하시오.

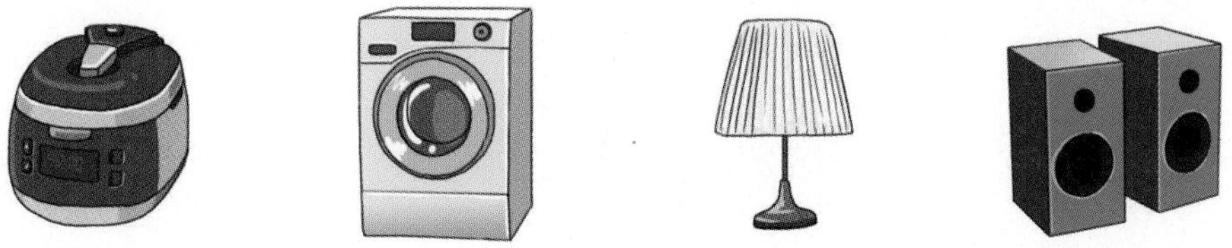

(1) 전기밥솥　　(2) 세탁기　　(3) 전구　　(4) 스피커

ㄱ 소리 에너지　　ㄴ 열에너지　　ㄷ 빛에너지　　ㄹ 운동 에너지

용어 풀이

* **충전**(充 찰, 電 번개): 전기 에너지를 축적하는 일

3주 3일 기초 집중 연습

대표 기출문제 주제 1 역학적 에너지가 전기 에너지로 전환되는 예

1-1

그림은 자가발전 충전기의 손잡이를 돌려 스마트폰을 충전하는 모습이다.

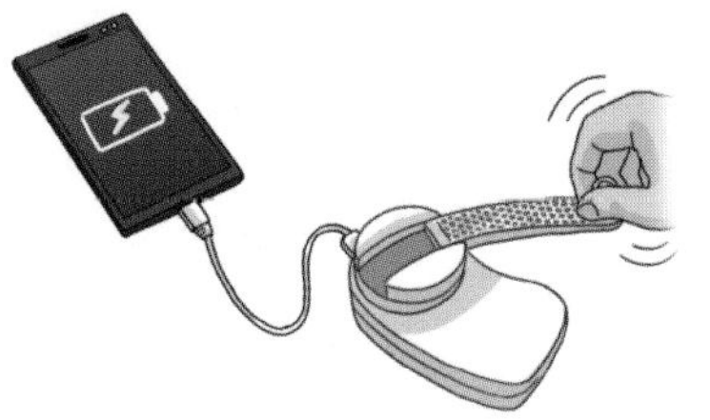

이때 일어나는 에너지 전환 과정을 옳게 나타낸 것은?

① 전기 에너지 → 화학 에너지 → 빛에너지
② 화학 에너지 → 전기 에너지 → 빛에너지
③ 운동 에너지 → 전기 에너지 → 빛에너지
④ 운동 에너지 → 전기 에너지 → 화학 에너지
⑤ 운동 에너지 → 화학 에너지 → 전기 에너지

문제 해결 Point

가이드 **발전기**의 손잡이를 돌려 스마트폰을 충전한다는 것은 역학적 에너지가 전기 에너지로 전환되고, 이 전기 에너지는 화학 에너지로 전환된다는 것이다.

해결 Point 발전기의 손잡이를 돌리면 영구 자석 사이에 있는 코일이 회전하여 전자기 유도에 의해 코일에 전류가 흘러 스마트폰이 **충전**된다. 이때 손잡이를 돌리는 역학적 에너지가 전기 에너지로 전환되고 전기 에너지는 배터리에 화학 에너지로 저장된다.

오개념 주의 배터리를 충전할 때는 전기 에너지가 화학 에너지로 전환되고, 배터리를 사용할 때는 화학 에너지가 전기 에너지로 전환된다.

1-2

다음은 화력 발전소에서 전기가 생산되는 과정을 개략적으로 나타낸 것이다. ㉠과 ㉡에 알맞은 에너지의 종류로 옳은 것은?

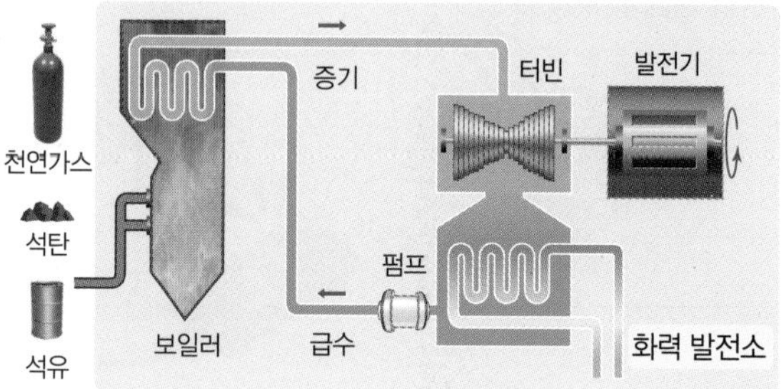

연료의 ㉠(　　　) → 수증기의 ㉡(　　　) → 발전기의 운동 에너지 → 전기 에너지

	㉠	㉡
①	빛에너지	열에너지
②	열에너지	화학 에너지
③	화학 에너지	열에너지
④	화학 에너지	운동 에너지
⑤	운동 에너지	화학 에너지

1-3

다음은 여러 가지 발전 장치에서의 에너지 전환 과정을 나타낸 것이다. 빈칸에 공통으로 들어갈 에너지의 종류로 옳은 것은?

- 수력 발전: (　　　) → 전기 에너지
- 풍력 발전: (　　　) → 전기 에너지
- 자전거의 자가발전기: (　　　) → 전기 에너지
- 발광 인라인스케이트: (　　　) → 전기 에너지

① 빛에너지　② 열에너지
③ 핵에너지　④ 화학 에너지
⑤ 역학적 에너지

Hint 자전거의 자가발전식 전조등은 바퀴가 굴러가면서 바퀴에 연결된 발전기를 돌려 불을 켜고, 발광 인라인스케이트는 바퀴가 굴러가면서 바퀴에 연결된 코일이 자석 주위를 돌며 바퀴에 불을 켠다.

대표 기출문제 주제 2 전기 에너지의 전환

2-1

그림과 같은 스마트폰에서 일어나는 전기 에너지의 전환에 대한 설명으로 옳은 것을 보기 에서 모두 고른 것은?

보기
ㄱ. 화면에서 전기 에너지는 빛에너지로 전환된다.
ㄴ. 충전은 전기 에너지를 열에너지로 전환하기 위해서이다.
ㄷ. 벨소리는 전기 에너지가 화학 에너지로 전환된 것이다.
ㄹ. 진동은 전기 에너지가 운동 에너지로 전환된 것이다.

① ㄱ, ㄴ ② ㄱ, ㄹ ③ ㄴ, ㄷ
④ ㄴ, ㄹ ⑤ ㄷ, ㄹ

문제 해결 Point

가이드 **스마트폰**에서는 전기 에너지가 다양한 형태의 **에너지로 전환**된다. 현재 위치 정보를 전달하여 내비게이션으로부터 화면과 소리를 통해 길 안내를 받는 것은 전기 에너지가 빛에너지, 소리 에너지로 전환되었기 때문이다.

해결 Point 스마트폰의 화면에 나타난 사진을 볼 때는 전기 에너지가 빛에너지로 전환되었기 때문이며, 전화가 온 것을 진동을 통해 알리는 것은 전기 에너지가 역학적 에너지로 전환되었기 때문이다. 또한 충전할 때는 전기 에너지가 배터리에 화학 에너지로 저장되는 것이다. 벨소리나 음악을 듣는 것은 전기 에너지가 소리 에너지로 전환되었기 때문이다.

오개념 주의 전기 에너지가 한 형태의 에너지로만 전환되는 것은 아니다. 경우에 따라 동시에 여러 가지 에너지로 전환되기도 한다.

2-2

여러 가지 가전제품 중에서 전기 에너지를 주로 운동 에너지로 전환하는 것은?

① 모니터

② 청소기
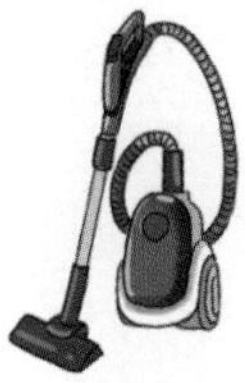
③ 전기난로
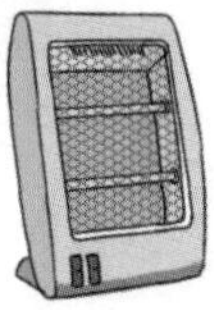
④ 전기스탠드

⑤ 오디오

2-3

다음 보기 의 가전제품들 중 전기 에너지를 사용하여 같은 종류의 에너지로 전환하는 것을 모두 고른 것은?

보기
ㄱ. 전기토스터　ㄴ. 전기밥솥
ㄷ. 선풍기　ㄹ. 전기면도기
ㅁ. 텔레비전　ㅂ. 세탁기

① ㄱ, ㄷ ② ㄹ, ㅂ ③ ㅁ, ㅂ
④ ㄱ, ㄴ, ㄹ ⑤ ㄷ, ㄹ, ㅂ

Hint 가전제품은 전기 에너지를 주로 열에너지와 운동 에너지로 전환하는 경우가 많다.

3주 4일 전기 에너지의 이용

주제 1 소비 전력

전기 기구마다 같은 시간 동안 사용하는 전기 에너지의 양이 다른데, 1초 동안 사용한 전기 에너지를 소비 전력이라고 한다.

어휴~전기를 너무 많이 썼네. 이번 달도 전기 요금이 너무 많이 나왔어.
우리집에서 전기를 가장 많이 소비하는 제품을 알아보고 대책을 세우자고.
나는 소비 전력이 40 W죠. 보여주고 싶은 재미있는 프로그램들이 많아요.
나는 억울해. 사용 시간이 길어서 그렇지 소비 전력은 20 W 밖에 안된다고.
내가 소리는 좀 요란하지만 소비 전력은 800 W로 생각보다 작아요.
소비 전력이 1150 W! 따뜻하고 맛있는 밥을 먹기 위해 전기를 쓸 수 밖에 없어요.
소비 전력이 2200 W지만 머리카락을 잘 말려주죠.
나는 소비 전력이 44 W죠. 하지만 연중 쉬지 않고 전기를 소비하죠~ 하하하
소비 전력이 클수록 전기를 많이 소비해요. 우리 집에서 시간당 전기를 가장 많이 소비하는 것은 헤어드라이어예요.

중요 개념

- **소비 전력** 전기 기구가 1 초당 사용하는 전기 에너지의 양
  - └ 전기 에너지: 전류가 흐를 때 전기 기구에 공급되는 에너지, 단위는 J(줄) 사용
  - 단위: W(와트), kW(킬로와트) 등
  - 1 W: 전기 기구가 1 초 동안 1 J의 전기 에너지를 소비하는 전력
  - └ 1 J: 1 V의 전압으로 1 A의 전류가 1초 동안 흐를 때의 전기 에너지
- **가전제품의 소비 전력**
  - 모든 전기 기구에는 *정격 ❶(ㅈㅇ)과 정격 ❷(ㅈㄹ)이 표시되어 있다.
  - 소비 전력을 구하는 식: 전기 에너지를 사용한 시간으로 나누어 구한다.

$$\text{소비 전력(W)} = \frac{\text{전기 에너지(J)}}{\text{시간(초)}} = \text{전압(V)} \times \text{전류(A)}$$

  - 전기난로, 헤어드라이어와 같이 전기 에너지를 주로 열에너지로 전환하여 사용하는 가전제품의 소비 전력이 대체로 크다.

Tip

전기 기구의 소비 전력
➡ 220 V−25 W로 표시되어 있는 LED 전구는 220 V의 전원에 연결할 때 1 초 동안에 25 J의 전기 에너지를 사용한다는 뜻이다.

답 ❶ 전압 ❷ 전력

개념 원리 확인

정답과 해설 21쪽

1-1

그림과 같이 전기 제품에는 소비 전력을 표시해 둔 것을 볼 수 있다. 소비 전력에 대한 설명에서 (　　) 안에 알맞은 말을 고르시오.

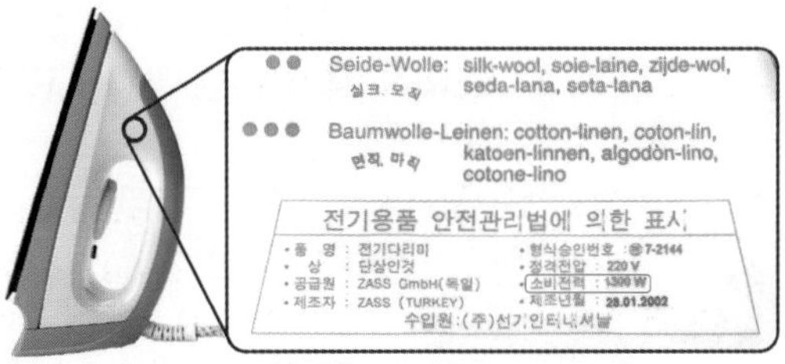

(1) 소비 전력의 단위로는 (J(줄)/ W(와트))를 사용한다.

(2) 1 (J / W)는 1초 동안 1 (J / W)의 전기 에너지를 소비할 때의 전력이다.

(3) 소비 전력은 (전기 에너지 / 전류)와 (시간 / 전압)의 곱으로 구할 수 있다.

1-2

그림은 (가), (나) 두 전구에서 일어나는 전기 에너지의 전환과 1초 동안 전구에서 전환되는 에너지의 양을 나타낸 것이다. (가), (나) 중 소비 전력이 더 큰 전구를 쓰시오. (　　　　　　　)

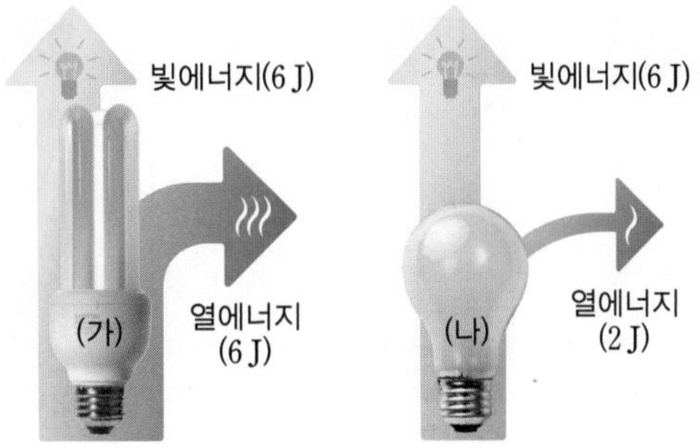

용어 풀이

* **정격**(定 정할, 格 바로잡을): 전기 기기에 대하여 제조자가 규정한 사용 한계

1-3

그림은 전기 기구에 적혀 있는 안내문의 일부를 나타낸 것이다. 빈칸에 알맞은 말을 쓰시오.

전기용품 안전 관리법에 의한 표시	
제품명	전기난로
㉠(　　　)	220 V
㉡(　　　)	1200 W

주제 2 전력량

전기 기구가 일정 시간 동안 소비하는 전기 에너지의 양을 전력량이라 하며, 단위는 Wh(와트시)나 kWh(킬로와트시)를 사용한다.

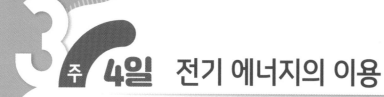

중요 개념

- **전력량** 전기 기구가 일정 시간 동안 소모한 전기 에너지의 양
  - 전력량 계산: 전기 기구의 ❶(ㅅㅂ ㅈㄹ)과 사용한 ❷(ㅅㄱ)을 곱하여 구한다.

  전력량(Wh)=소비 전력(W)×시간(h)

  - 단위: Wh(와트시), kWh(킬로와트시) 등
  - 1 Wh: 1 W의 전력을 1 시간 동안 사용하였을 때의 전력량
- **에너지 소비 *효율 등급 표시제** 가전제품의 에너지 효율 정도를 1~5등급으로 구분하여 표시
  - 1등급으로 갈수록 전기 에너지를 효율적으로 이용하는 가전제품이다.
  - 대기 전력: 가전제품을 실제로 사용하지 않는 대기 상태에서 소비되는 전력

Tip

소비 전력과 에너지 효율
➡ 같은 목적으로 사용하더라도 낭비되는 열에너지가 많을수록 소비 전력이 크다. 즉 소비 전력은 전기 에너지를 얼마나 효율적으로 사용하는지의 기준이 되기도 한다.

답 ❶ 소비 전력 ❷ 시간

개념 원리 확인

정답과 해설 21쪽

1 kWh는 1000 Wh야. 100 W인 전기 기구를 2시간 사용하면 전력량은 100 W×2 h=200 Wh=0.2 kWh가 돼.

2-1

다음은 전력량에 대한 설명이다. 빈칸에 알맞은 말을 쓰시오.

(1) 전력량은 ( )과 시간의 곱으로 구한다.

(2) 전력량의 단위는 Wh(와트시)나 ( )를 사용한다.

(3) 1 Wh는 소비 전력이 1 W인 전기 기구를 ( ) 동안 사용했을 때 소모하는 전기 에너지의 양이다.

2-2

다음은 전기 에너지 요금을 어떻게 계산하는지에 대해 두 사람이 나눈 대화를 나타낸 것이다. 빈칸에 알맞은 말을 쓰시오.

전기 회사는 가정에서 소비한 전력량을 어떻게 알고 한 달 동안 사용한 전기 에너지의 요금을 고지하는 것일까?
응! 현관 밖에 ㉠( )가 설치되어 있어서 검침원은 한 달 동안 사용한 ㉡( )을 보고 가정에서 소비한 전기 에너지를 계산해.
준수
지나

에너지 효율이 뛰어나거나, 대기 전력이 작은 가전제품에 별도의 인증 표시를 사용하기도 해.

2-3

다음은 에너지 소비 효율 등급 표시제에 대한 설명이다. 빈칸에 알맞은 말을 쓰시오.

> 우리나라에서는 가전제품이 에너지를 효율적으로 이용하는 정도를 1등급에서 5등급으로 구분하여 이를 표시하는 에너지 소비 효율 등급 표시제를 시행하고 있다. ( )으로 갈수록 전기 에너지를 효율적으로 이용하는 가전제품이다.

용어 풀이

* **효율**(效 본받을, 率 비율): 기계가 일한 양과 공급된 에너지와의 비, 에너지 효율이 클수록 공급된 에너지가 일로 사용된 양이 크다.

3주 4일 기초 집중 연습

대표 기출문제 주제 1 소비 전력

1-1

그림과 같은 전구를 1분 동안 사용하였더니 전구에서 일어난 전기 에너지 전환이 다음과 같았다.

- 빛에너지로의 전환: 360 J
- 열에너지로의 전환: 480 J

이에 대한 설명으로 옳은 것을 보기에서 모두 고른 것은?

보기
ㄱ. 전구의 소비 전력은 14 W이다.
ㄴ. 전구에서 1초 동안 소비하는 전기 에너지는 14 J이다.
ㄷ. 전구에서는 전기 에너지가 빛에너지로 다시 열에너지로 전환된다.

① ㄱ ② ㄷ ③ ㄱ, ㄴ
④ ㄴ, ㄷ ⑤ ㄱ, ㄴ, ㄷ

문제 해결 Point

가이드 1초 동안 전기 기구가 소모하는 전기 에너지의 양을 **소비 전력**이라고 한다. 1 W는 1초 동안 1 J의 전기 에너지를 소모한다는 의미이다.

해결 Point 전구에서 1 분 동안 전기 에너지가 빛에너지로 360 J, 열에너지로 480 J로 전환된다면, 1분 동안 전구가 소비한 전기 에너지는 360 J+480 J=840 J이다. 따라서 1 초 동안 소비하는 전기 에너지는 $\frac{840\ J}{60\ s}$ =14 W이므로 전구의 소비 전력은 14 W이다. 전구에서는 전기 에너지가 빛에너지와 열에너지로 동시에 전환된다.

오개념 주의 전기 에너지는 동시에 여러 가지 형태의 에너지로 전환될 수 있다. 예를 들면 텔레비전에서 전기 에너지는 빛에너지, 소리 에너지, 열에너지 등으로 동시에 전환된다.

1-2

그림은 어떤 전구를 5 분 동안 사용했을 때 전구에서 방출되는 빛에너지와 열에너지를 나타낸 것이다. 이 전구의 소비 전력은 얼마인가?

① 8 W
② 16 W
③ 24 W
④ 32 W
⑤ 40 W

Hint 소비 전력은 전기 기구가 1 초 동안 소비하는 전기 에너지이다. 5분은 300 초이므로 1 초 동안 소비하는 전기 에너지를 구해야 한다.

1-3

소비 전력이 25 W인 선풍기와 1000 W인 에어컨을 사용할 때에 대한 설명으로 옳은 것을 보기에서 모두 고른 것은?

소비 전력
25 W

소비 전력
1000 W

보기
ㄱ. 에어컨의 소비 전력은 선풍기의 4배이다.
ㄴ. 에어컨 1대를 켜는 전기 에너지로 선풍기 40대를 켤 수 있다.
ㄷ. 1 시간 동안 선풍기와 에어컨이 소비하는 전기 에너지는 같다.
ㄹ. 같은 시간 동안 사용하면 에어컨이 선풍기보다 40배 많은 전기 에너지를 소비한다.

① ㄱ ② ㄷ ③ ㄱ, ㄷ
④ ㄴ, ㄹ ⑤ ㄴ, ㄷ, ㄹ

대표 기출문제 주제 2 전력량

2-1

다음은 가전제품의 소비 전력과 하루 동안 사용 시간을 나타낸 표이다.

가전제품	소비 전력	사용 시간
텔레비전	80 W	6 시간
헤어드라이어	2100 W	0.5 시간
형광등	35 W	10 시간
전기밥솥	1090 W	1 시간

이에 대한 설명으로 옳은 것을 보기에서 모두 고른 것은?

보기
ㄱ. 헤어드라이어의 소비 전력이 가장 크다.
ㄴ. 하루 동안 전력량이 가장 큰 것은 형광등이다.
ㄷ. 전력량은 소비 전력과 사용 시간의 곱으로 구한다.

① ㄱ ② ㄴ ③ ㄱ, ㄷ
④ ㄴ, ㄷ ⑤ ㄱ, ㄴ, ㄷ

문제 해결 Point

가이드 **소비 전력**은 전기 기구가 1 초 동안 소비하는 전기 에너지의 양이며, **전력량**은 전기 기구가 일정 시간 동안 사용한 전기 에너지의 양으로 소비 전력과 사용 시간의 곱으로 구한다.

해결 Point 표에서 소비 전력이 가장 큰 것은 헤어드라이어로 2100 W이다. **전력량**은 전기 기구의 소비 전력과 사용 시간의 곱으로 구한다. 따라서 각 전기 기구의 전력량은 다음과 같다.
- 텔레비전: 80 W × 6 h = 480 Wh
- 헤어드라이어: 2100 W × 0.5 h = 1050 Wh
- 형광등: 35 W × 10 h = 350 Wh
- 전기밥솥: 1090 W × 1 h = 1090 Wh

따라서 전력량이 가장 큰 것은 전기밥솥이다.

오개념 주의 소비 전력이 클수록 소모하는 전기 에너지는 많다. 하지만 전력량은 소비 전력에 사용 시간의 곱이므로 소비 전력이 작아도 사용 시간이 길면 소모하는 전력량도 많아진다.

2-2

그림과 같은 전기주전자를 정격 전압에 연결하여 1 시간 30 분 동안 사용하였다면 이때 사용한 전력량은 얼마인가?

① 900 Wh ② 1800 Wh
③ 2700 Wh ④ 3600 Wh
⑤ 9000 Wh

Hint 전력량은 일정한 시간 동안 전기 기구가 소모하는 전기 에너지의 양으로 소비 전력과 사용한 시간을 곱하여 구한다.

2-3

전기 에너지의 절약에 대한 설명으로 옳지 않은 것은?

① 우리나라는 에너지 소비 효율 등급 표시제를 시행하고 있다.
② 5등급으로 갈수록 전기 에너지를 효율적으로 이용하는 가전제품이다.
③ 전기 에너지를 효율적으로 소비하는 가전제품에는 별도의 인증 표시를 붙이기도 한다.
④ 가전제품의 전원이 꺼져 있더라도 플러그가 콘센트에 연결되어 있으면 대기 전력을 소비한다.
⑤ 우리나라에서는 가전제품이 에너지를 효율적으로 이용하는 정도를 1등급에서 5등급으로 구분한다.

3주 4일

3주 5일 별까지의 거리

주제 1 별의 연주 시차와 거리

별까지의 거리는 6개월 간격으로 지구에서 측정한 별의 시차의 $\frac{1}{2}$인 연주 시차를 이용하여 구할 수 있다.

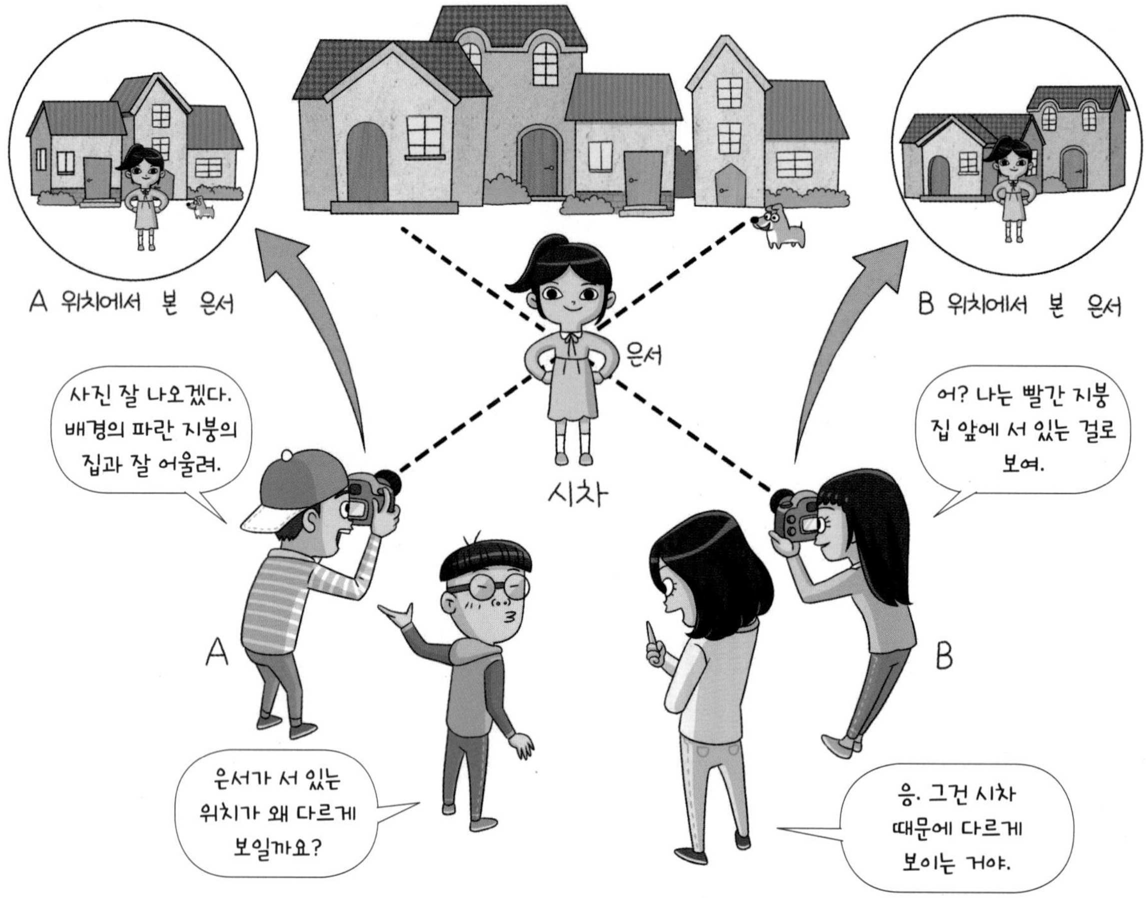

A 위치에서 본 은서
B 위치에서 본 은서
은서
사진 잘 나오겠다. 배경의 파란 지붕의 집과 잘 어울려.
어? 나는 빨간 지붕 집 앞에 서 있는 걸로 보여.
시차
A
B
은서가 서 있는 위치가 왜 다르게 보일까요?
응. 그건 시차 때문에 다르게 보이는 거야.

중요 개념

- **시차** 멀리 있는 배경에 대해 한 물체를 서로 다른 위치에서 관측했을 때 나타나는 겉보기 위치의 차이
  - 시차의 크기는 두 관측 지점과 물체 사이의 각도로 나타냄
  - 관측 지점과 물체 사이의 거리가 멀수록 시차가 작아짐
- ***연주 시차** 지구에서 별을 6개월 간격으로 관측할 때 나타나는 시차의 ❶(   )
  - 연주 시차의 단위: 초(″)
  - 별까지의 거리는 연주 시차에 ❷(ㅂㅂㄹ)함

$$별까지의\ 거리(pc)=\frac{1}{연주\ 시차(″)}$$

➡ 연주 시차가 1″인 별까지의 거리=1 pc(파섹)

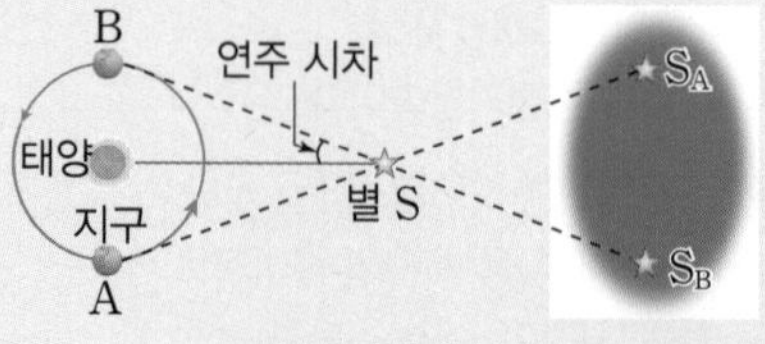

▲ 별의 연주 시차

Tip

연주 시차가 생기는 까닭
➡ 지구가 태양 주위를 공전하므로 지구의 위치에 따라 관측되는 별의 겉보기 위치가 달라지기 때문이다.

답 ❶ $\frac{1}{2}$ ❷ 반비례

개념 원리 확인

정답과 해설 22쪽

1-1

다음은 밤하늘의 별을 보고 두 친구가 나눈 대화이다. 빈칸에 알맞은 말을 쓰시오.

1-2

다음은 연주 시차에 대한 설명이다. (　) 안에서 알맞은 말을 고르시오.

(1) 연주 시차는 (1개월 / 6개월) 간격으로 별을 관측하여 측정한다.

(2) 별까지의 거리가 멀수록 연주 시차가 (작다 / 크다).

(3) 연주 시차는 별까지의 거리에 (비례 / 반비례)한다.

1-3

그림은 별 S의 연주 시차를 측정한 것이다. 이 별 S까지의 거리는 몇 pc인지 쓰시오.

(　　　　　　　　)

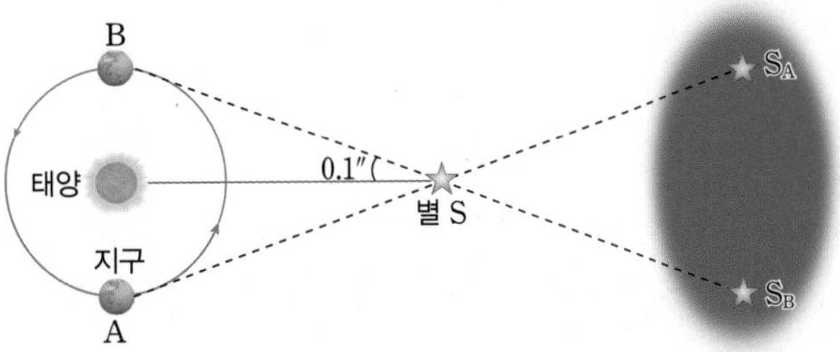

용어 풀이

* **연주 시차**(年 년, 周 주기, 視 보다, 差 어긋나다): 지구의 공전이 원인이 되어 나타나는 시차

주제 2 별의 밝기와 거리

별까지의 거리가 멀어질수록 별은 어둡게 보인다. 이것은 별빛의 밝기가 별까지의 거리의 제곱에 반비례하기 때문이다.

중요 개념

- **별까지의 거리와 밝기** 별의 밝기는 별까지의 거리의 제곱에 ❶(ㅂㅂㄹ)함
  - 별까지의 거리가 2배, 3배로 멀어지면 별의 밝기는 $\frac{1}{4}$배, ❷(   )배로 줄어든다.

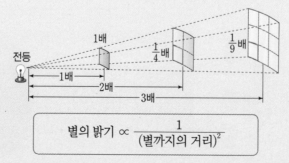

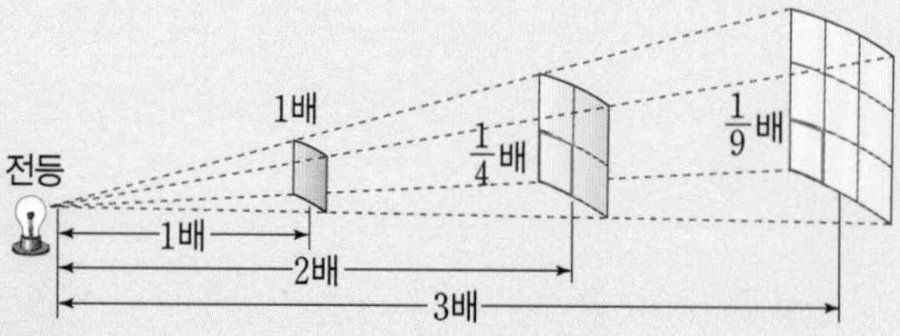

$$별의\ 밝기 \propto \frac{1}{(별까지의\ 거리)^2}$$

Tip

별까지의 거리가 멀어질수록 어둡게 보이는 까닭
➡ 별까지의 거리가 멀어질수록 같은 넓이에서 받는 빛의 양이 적어지기 때문이다.

답 ❶ 반비례 ❷ $\frac{1}{9}$

개념 원리 확인

○ 정답과 해설 22쪽

벽과 손전등까지의
거리가 멀어질수록
밝기는 어둡게 보여.

2-1

그림은 방출하는 빛의 양이 같은 손전등 두 개를 벽에 비추었을 때 하나는 가까이에서 비추고 다른 하나는 멀리에서 비춘 모습을 나타낸 것이다. 이에 대해 두 학생이 나눈 대화 내용에서 빈칸에 알맞은 말을 쓰시오.

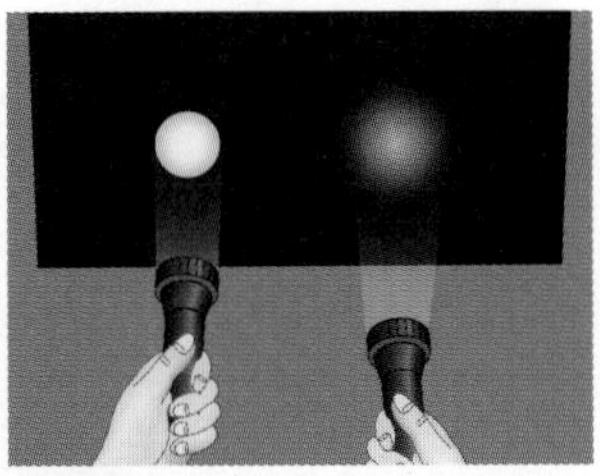

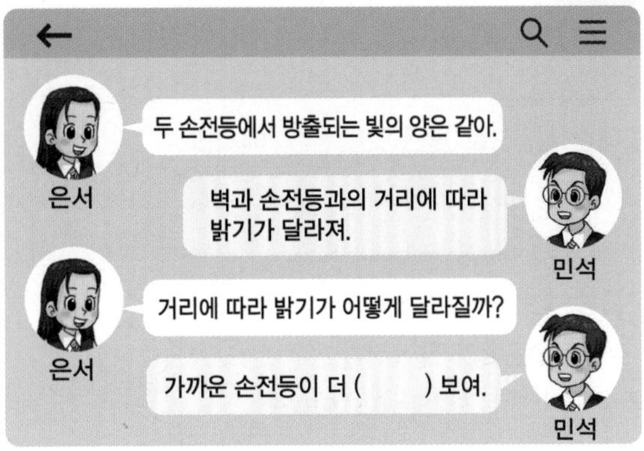
은서
두 손전등에서 방출되는 빛의 양은 같아.
민석
벽과 손전등과의 거리에 따라 밝기가 달라져.
은서
거리에 따라 밝기가 어떻게 달라질까?
민석
가까운 손전등이 더 (   ) 보여.

별의 밝기는 별까지의
거리의 제곱에 반비례해.

2-2

다음은 별까지의 거리와 밝기에 대한 설명이다. (   ) 안에서 알맞은 말을 고르시오.

(1) 별까지의 거리가 2배가 되면 별의 밝기는 ($\frac{1}{2}$배 / $\frac{1}{4}$배)로 줄어든다.

(2) 별까지의 거리가 멀어지면 별의 밝기는 더 (밝게 / 어둡게) 보인다.

(3) 별에서 방출되는 빛의 양이 같을 때는 거리가 더 가까운 별이 멀리 있는 별보다 더 (밝게 / 어둡게) 보인다.

용어 풀이

* **반비례**(反 되돌리다, 比 견주다, 例 법식): 어떤 양이 커질 때 다른 쪽 양이 그와 같은 비율로 작아지는 관계

2-3

어떤 별까지의 거리가 관측자로부터 4배로 멀어진다면, 그 별의 밝기는 몇 배로 줄어드는지 쓰시오.

(   )

3주 5일 기초 집중 연습

대표 기출문제 주제 1 별의 연주 시차와 거리

1-1

그림은 지구에서 6개월 간격으로 별 S를 관측한 결과이다.

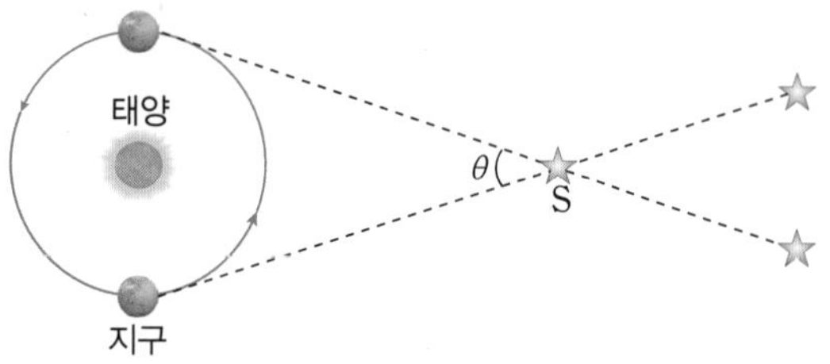

태양
θ
S
지구

별 S의 연주 시차에 대한 설명으로 옳은 것을 보기에서 모두 고른 것은?

보기

ㄱ. 별 S의 연주 시차는 θ이다.
ㄴ. 별 S보다 멀리 있는 별은 θ가 작아진다.
ㄷ. θ가 $0.2''$일 때 별 S의 연주 시차는 $0.1''$이다.
ㄹ. 연주 시차가 나타나는 것은 지구가 자전하기 때문이다.

① ㄱ, ㄹ　② ㄴ, ㄷ　③ ㄷ, ㄹ
④ ㄱ, ㄷ, ㄹ　⑤ ㄴ, ㄷ, ㄹ

문제 해결 Point

가이드 | 지구가 공전하므로 별의 연주 시차가 나타나고, 연주 시차는 별의 시차의 $\frac{1}{2}$임을 알아야 한다. 또한, 연주 시차는 별까지의 거리에 반비례함을 알고 있어야 한다.

해결 Point | **연주 시차**는 별까지의 거리에 반비례하므로 멀리 있는 별일수록 연주 시차는 작아지고, 가까운 별일수록 연주 시차는 커진다. 연주 시차가 나타나는 이유는 지구가 태양 주위를 공전하므로 지구의 위치에 따라 별의 겉보기 위치도 달라지기 때문이다.

오개념 주의 | 별의 시차의 $\frac{1}{2}$이 연주 시차이다.

1-2

다음은 연주 시차에 대해 두 학생이 나눈 대화이다. 옳게 말한 학생을 쓰시오.

연주 시차는 지구가 태양 주위를 공전하기 때문에 나타나는거야.
연주 시차를 이용하면 별의 밝기를 알 수 있어.
은서
태영

1-3

그림은 지구 공전 궤도의 양끝 A, A′에서 본 별 S를 나타낸 것이다.

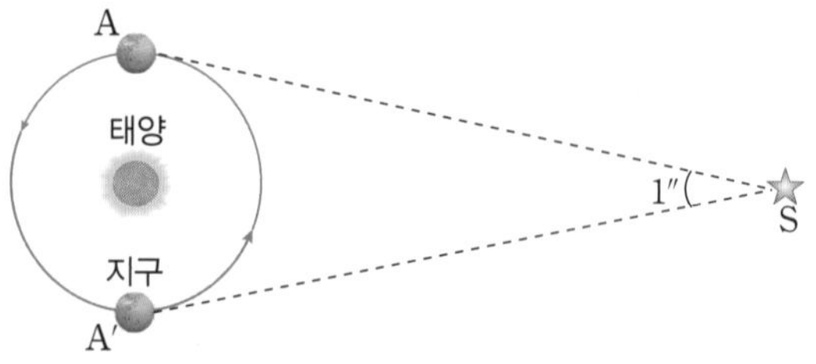

A
태양
지구
A′
1″
S

∠ASA′가 $1''$일 때, 별 S까지의 거리는 몇 pc인가?

① 1 pc　② 2 pc　③ 5 pc
④ 10 pc　⑤ 20 pc

Hint 연주 시차는 별의 시차의 $\frac{1}{2}$이다.

대표 기출문제 주제 2 별의 밝기와 거리

2-1

그림은 방출하는 빛의 양이 같은 손전등 두 개를 벽에 비추는 실험을 나타낸 것이다.

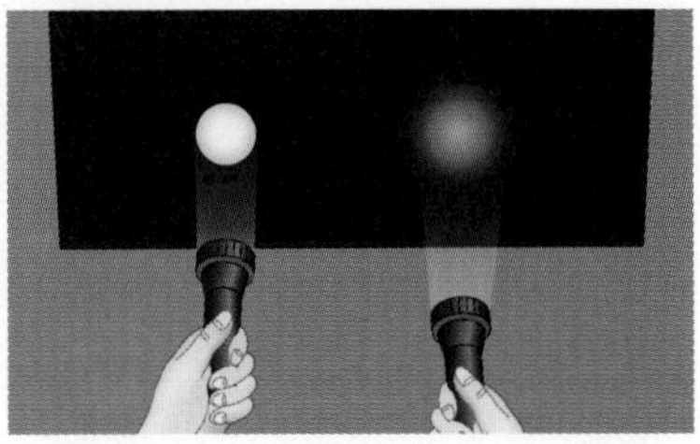

벽에 비친 손전등의 밝기에 대한 설명으로 옳은 것을 보기에서 모두 고른 것은?

보기
ㄱ. 손전등의 밝기는 거리에 비례한다.
ㄴ. 벽에서 가까이에 있는 손전등의 빛이 더 밝게 보인다.
ㄷ. 손전등이 벽에서 멀어질수록 빛의 밝기는 더 밝아진다.
ㄹ. 손전등의 거리가 3배로 멀어지면 빛의 밝기는 $\frac{1}{9}$배로 줄어든다.

① ㄱ, ㄷ ② ㄴ, ㄹ ③ ㄷ, ㄹ
④ ㄱ, ㄷ, ㄹ ⑤ ㄴ, ㄷ, ㄹ

문제 해결 Point

가이드 손전등이나 별의 밝기는 빛을 내는 물체까지의 거리의 제곱에 반비례함을 알아야 한다.

해결 Point 손전등에서 벽까지의 거리가 가까울수록 벽에 비친 밝기는 더 밝게 보인다. 손전등의 밝기는 손전등까지의 거리의 제곱에 반비례하므로, 손전등의 거리가 3배로 멀어지면 밝기는 $\frac{1}{9}$배로 줄어든다.

오개념 주의 손전등의 밝기는 거리에 반비례하는 것이 아니라 거리의 제곱에 반비례한다.

2-2

그림은 별의 거리와 밝기에 대한 두 학생의 대화이다. 빈칸에 들어갈 알맞은 말을 쓰시오.

별까지의 거리가 멀수록 별의 밝기는 어둡게 보여.
맞아, 그래서 별의 거리가 2배로 멀어지면 별의 밝기는 (   ) 배로 줄어들어.
태성
수연

2-3

그림은 별의 밝기와 거리의 관계를 나타낸 것이다.

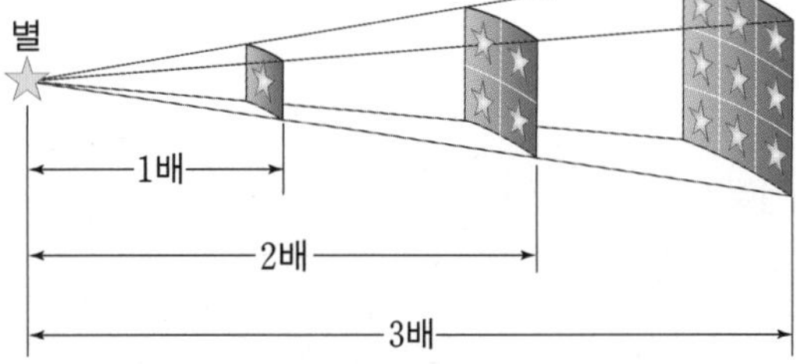
별
1배
2배
3배

별까지의 거리가 10배로 멀어진다면, 별의 밝기는 몇 배로 줄어드는가?

① $\frac{1}{2}$배 ② $\frac{1}{4}$배 ③ $\frac{1}{9}$배
④ $\frac{1}{16}$배 ⑤ $\frac{1}{100}$배

Hint 별의 밝기는 별까지의 거리의 제곱에 반비례한다.

3주 5일

누구나 100점 테스트

에너지의 종류 ▶ p. 96

01 소리 에너지에 대한 설명으로 옳은 것은?

① 다른 에너지로 쉽게 전환할 수 있다.
② 발전소에서 전자기 유도에 의해 생산된다.
③ 물체의 진동으로 발생하는 에너지이다.
④ 우리가 사물을 볼 수 있도록 해 주는 에너지이다.
⑤ 사람의 체온을 유지하고 활동에 필요한 에너지이다.

에너지 전환 ▶ p. 98

02 (가)~(다)에서의 에너지 전환을 다음과 같이 나타낼 때 빈칸에 알맞은 에너지를 쓰시오.

(가)	(나)	(다)

햇빛 아래에서 곡식이 익는다.	전기다리미로 옷을 다린다.	사람이 큰 소리를 낸다.

• (가): 빛에너지 → (　　　　)
• (나): 전기 에너지 → (　　　　)
• (다): (　　　　) → 소리 에너지

전력량 ▶ p. 116

03 전력량에 대한 설명으로 옳지 않은 것은?

① 전력량의 단위로 Wh(와트시)를 사용한다.
② 전력량은 소비 전력을 사용한 시간과 곱한 값이다.
③ 각 가정에서 사용한 전기 에너지의 양은 전력량계로 측정한다.
④ 1 Wh는 1 W의 전력을 하루 동안 사용하였을 때의 전력량이다.
⑤ 가정에서 사용한 전력량은 전기 요금 청구서를 통해 확인할 수 있다.

역학적 에너지가 전기 에너지로 전환되는 예 ▶ p. 108

04 그림은 풍력 발전소에서 전기가 만들어지는 원리를 개략적으로 나타낸 것이다. 빈칸에 알맞은 에너지를 쓰시오.

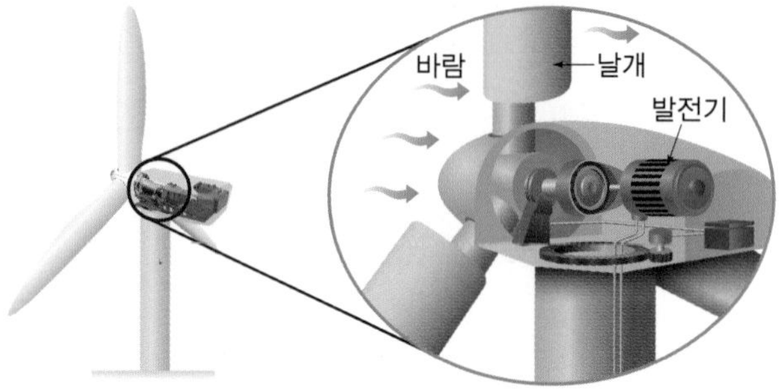

바람의 (　　　　) → 발전기의 운동 에너지 → 전기 에너지

발전기 ▶ p. 102, 104

05 그림과 같이 간이 발전기에 발광 다이오드를 연결한 후 흔들었더니 발광 다이오드에 불이 켜졌다. 이에 대한 설명으로 옳은 것을 보기에서 모두 고른 것은?

보기
ㄱ. 자석이 코일 속에서 움직이면 코일에 전류가 흐른다.
ㄴ. 발광 다이오드에서는 역학적 에너지가 전기 에너지로 전환된다.
ㄷ. 간이 발전기를 흔들면 전기 에너지가 역학적 에너지로 전환된다.
ㄹ. 간이 발전기를 빠르게 흔들면 발광 다이오드 밝기는 더 밝아진다.

① ㄱ, ㄴ　② ㄱ, ㄷ　③ ㄱ, ㄹ　④ ㄴ, ㄷ　⑤ ㄴ, ㄹ

전자기 유도 ▶ p. 102

06 (가)는 코일 근처에서 자석이 움직이지 않는 실험을, (나)는 코일 근처에서 자석이 움직이는 실험을 나타낸 것이다.

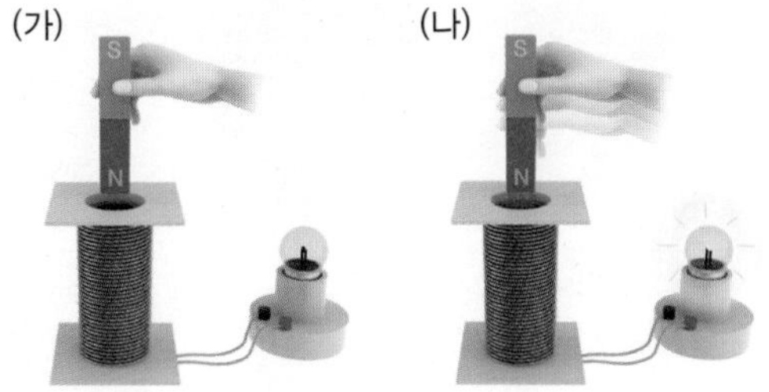
(가)
(나)
S
N
S
N

이 실험을 보고 옳게 말한 사람을 쓰시오.

유도 전류는 (가)와 (나)에서 모두 발생해.
(나)에서는 역학적 에너지가 전기 에너지로 전환된 거야.
준수
지나

전기 에너지의 전환 ▶ p. 110

07 스마트폰의 (가), (나), (다)에서 일어나는 전기 에너지의 전환을 옳게 짝 지은 것은?

(가) 스마트폰을 사용할 수록 뜨거워진다.
(나) 스피커에서 소리가 발생한다.
(다) 화면에서 빛이 발생한다.

	(가)	(나)	(다)
①	열에너지	소리 에너지	빛에너지
②	빛에너지	운동 에너지	열에너지
③	소리 에너지	빛에너지	열에너지
④	운동 에너지	열에너지	빛에너지
⑤	소리 에너지	운동 에너지	빛에너지

소비 전력 ▶ p. 114

08 여러 전기 기구 중 소비 전력이 가장 큰 기구를 1 분 동안 작동시킬 수 있는 전기 에너지로 소비 전력이 가장 작은 기구를 몇 분 동안 작동시킬 수 있는가?

- 전구: 220 V－40 W
- 전기다리미: 220 V－600 W
- 전자레인지: 220 V－1200 W
- 헤어드라이어: 220 V－1000 W

① 1 분　② 3 분　③ 10 분
④ 20 분　⑤ 30 분

별의 연주 시차와 거리 ▶ p. 120

09 연주 시차에 대한 설명으로 옳은 것을 보기에서 모두 고른 것은?

보기
ㄱ. 연주 시차는 별의 시차의 2배이다.
ㄴ. 연주 시차는 별까지의 거리에 비례한다.
ㄷ. 연주 시차가 1″인 별까지의 거리는 1 pc이다.

① ㄱ　② ㄴ　③ ㄷ
④ ㄱ, ㄴ　⑤ ㄴ, ㄷ

별의 밝기와 거리 ▶ p. 122

10 수연이와 태성이는 별의 밝기와 거리를 그래프로 나타내어 설명하고 있다.

밝기
0
거리²
별의 밝기는 별까지의 거리의 제곱에 반비례해.
밝기
0
거리
별의 밝기와 별까지의 거리는 비례해.
수연
태성

옳게 설명한 학생을 쓰시오.

특강 | 창의·융합·코딩

3주에 배운 개념을 그림으로 저장

에너지 전환과 보존(2)

여러 가지 에너지 전환과 보존

• 에너지 전환:

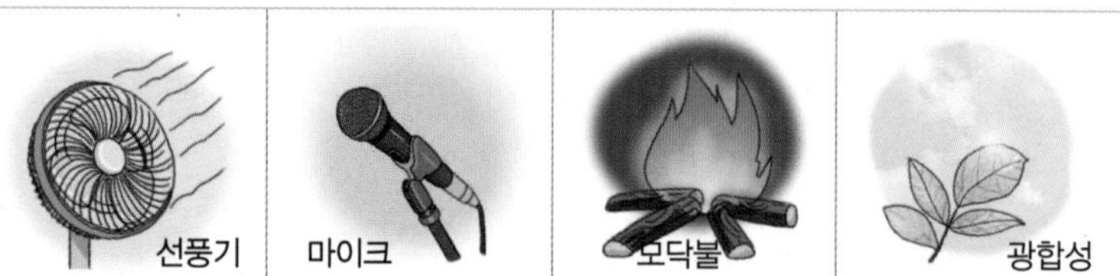

선풍기	마이크	모닥불	광합성
전기 에너지 → ❶	소리 에너지 → 전기 에너지	화학 에너지 → 빛, 열에너지	빛에너지 → ❷

• 에너지 ❸ 법칙: 에너지가 전환될 때 에너지가 새로 생기거나 사라지지 않고 그 양은 항상 일정하게 보존된다.

전기 에너지의 발생

• 전자기 유도: 코일 근처에서 자석이 움직이면 전자기 유도에 의해 코일에 유도 ❹ 가 흐른다.

• 발전기: ❺ 를 전기 에너지로 전환하는 장치

전기 에너지의 전환과 이용

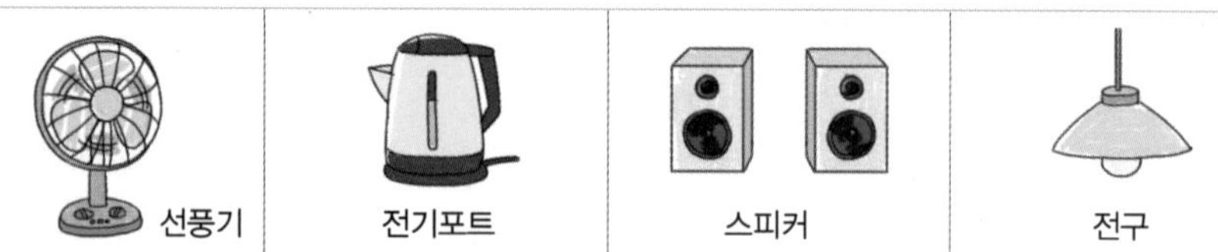

선풍기	전기포트	스피커	전구
전기 에너지 → 운동 에너지	전기 에너지 → ❻	전기 에너지 → 소리 에너지	전기 에너지 → 빛에너지

• 소비 전력: 전기 기구가 1 초 동안 소비 하는 전기 에너지, 단위는 ❼ 사용, 소비 전력(W)$=\frac{\text{전기 에너지(J)}}{\text{시간(s)}}$

• 전력량: 전기 기구가 일정 시간 동안 소모하는 전기 에너지의 양으로 단위는 Wh(와트시) 사용, 전력량(Wh)=소비 전력(W)×시간(h)

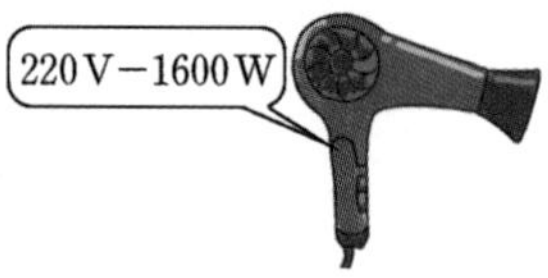

별과 우주(1)

별까지의 거리

• 별까지의 거리는 ❽ 에 반비례한다.

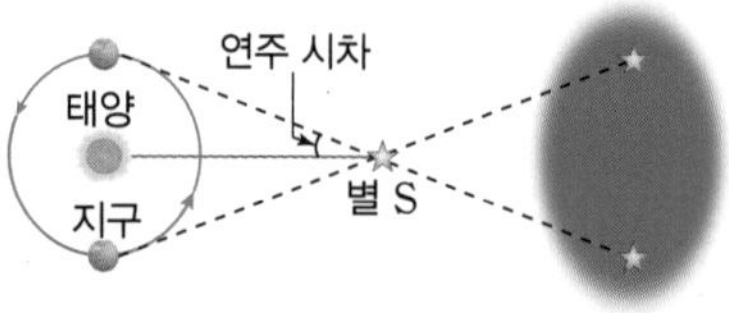

• 별의 밝기는 ❾ 의 제곱에 반비례한다.

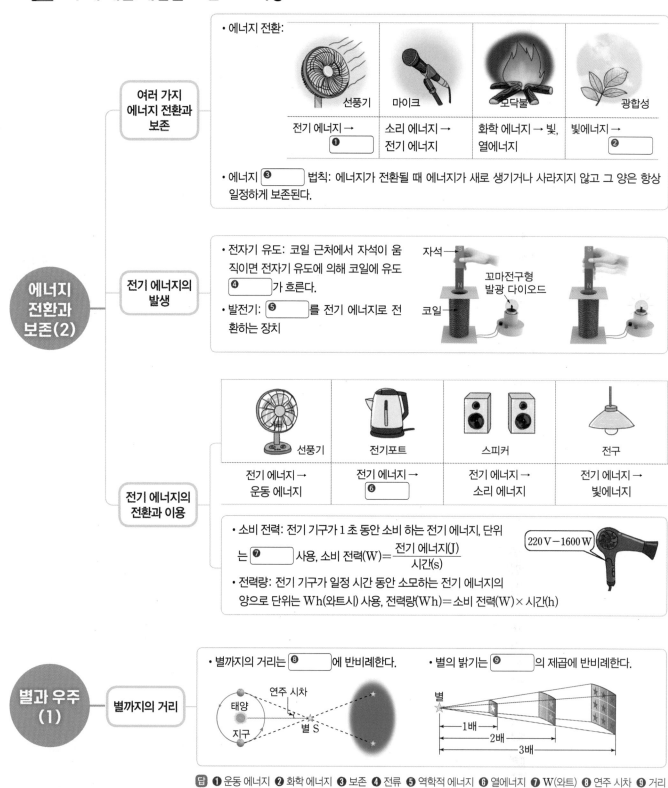

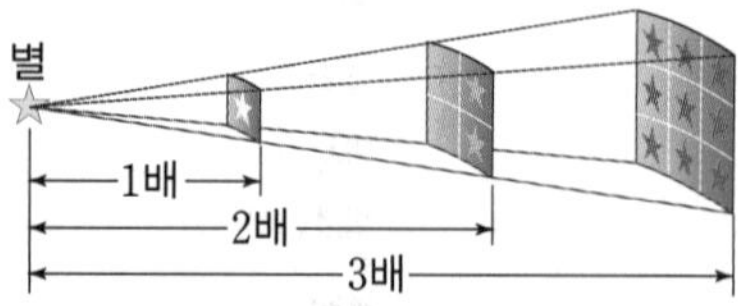

답 ❶ 운동 에너지 ❷ 화학 에너지 ❸ 보존 ❹ 전류 ❺ 역학적 에너지 ❻ 열에너지 ❼ W(와트) ❽ 연주 시차 ❾ 거리

재미있는 개념 완성 퀴즈

다음 ○× 문제를 풀면서 물고기를 많이 잡아 만선의 꿈을 이루어 보자.

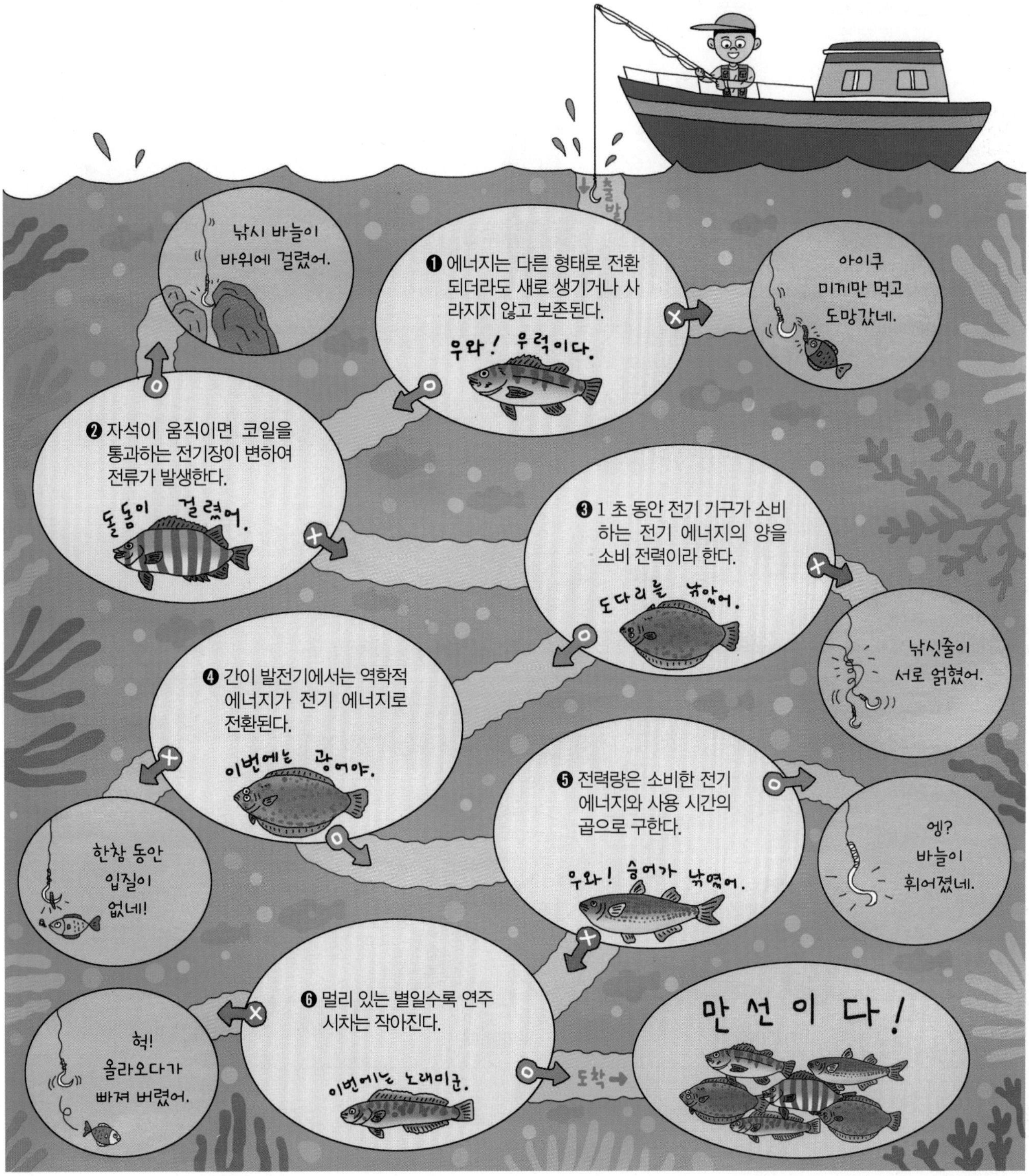

답 ❶ ○ ❷ × ❸ ○ ❹ ○ ❺ × ❻ ○

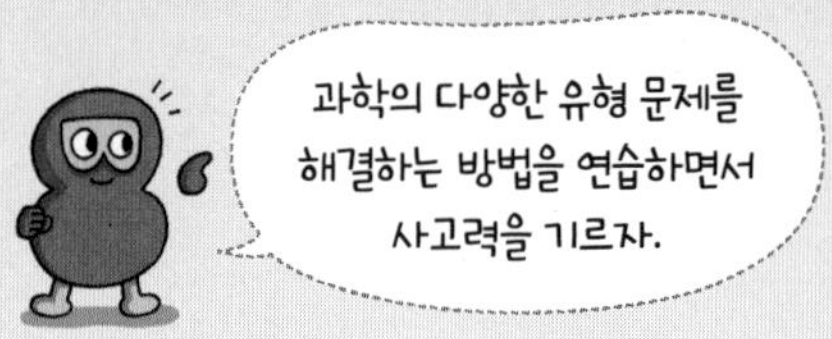

특강 | 창의·융합·코딩

1 **다음은 에너지 전환과 보존에 대한 친구들의 대화이다.**

에너지는 다른 형태로 전환될 때 새로 생겨나거나 소멸돼.
모든 에너지는 그 형태는 항상 일정하며, 총량도 일정하게 보존돼.
물체의 역학적 에너지는 어떤 경우에도 일정하게 보존돼.
수진
은수
유진
진호
에너지는 다른 형태로 전환될 뿐 그 총량은 항상 일정하게 보존돼.

옳게 말한 사람을 고르고, 그의 주장과 관련된 법칙을 쓰시오.

문제 해결 Tip
에너지는 한 형태에서 다른 형태로 전환돼. 경우에 따라서는 한 형태의 에너지가 동시에 여러 형태의 에너지로 전환되기도 해.

2 **다음은 코일과 자석으로 전류를 만드는 과정을 나타낸 것이다.**

- 검류계는 회로에 전류가 흐르는지를 측정하는 장치이다.
- 코일에 검류계를 연결하고 자석을 코일에 가까이하였더니 검류계 바늘이 움직였다.
- 이번에는 자석을 코일에서 멀리하였더니 검류계 바늘이 움직였다.

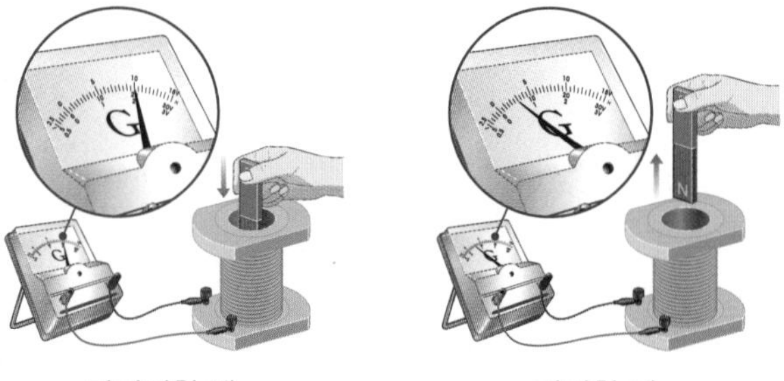

가까이할 때　　멀리할 때

(1) 위와 같은 현상을 무엇이라고 하는지 쓰시오.

(2) 자석을 움직이는 방법 이외에 코일에 전류를 발생시킬 수 있는 방법을 설명하시오.

문제 해결 Tip
자석을 움직이면 코일 내의 자기장의 변화로 전류가 발생해. 역학적 에너지가 전기 에너지로 전환되는 경우이므로 실험 장치에서 자석 외에 움직일 수 있는 것을 생각해 봐.

3 그림은 자석과 코일 등으로 이루어진 발전기의 구조를 나타낸 것이다. 발전기의 구조와 발전에 대한 세 친구의 대화에서 잘못 설명한 사람을 고르고, 잘못된 부분을 옳게 고쳐 쓰시오.

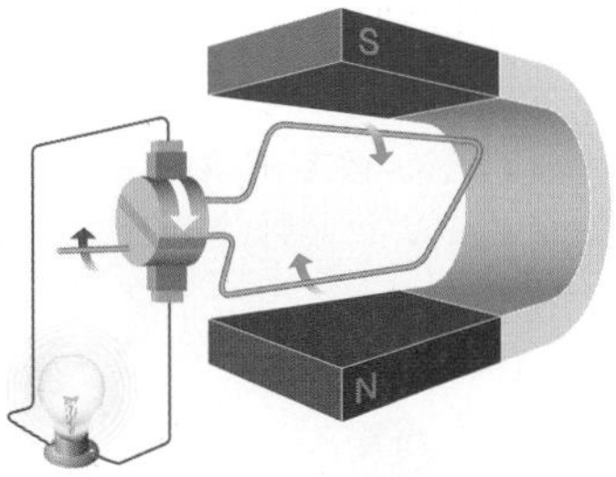
S
N

코일이 자석 사이에서 회전하면 전류가 발생해.
발전기에서는 역학적 에너지가 전기 에너지로의 전환이 일어나.
코일 대신 자석이 회전하면 전류가 발생하지 않아.
유미
동영
은혜

문제 해결 Tip
발전기에서 자석과 코일이 상대적으로 운동할 때 역학적 에너지가 전기 에너지로 전환돼.

4 그림은 손잡이를 계속 눌렀다 뗐다를 반복하면 불을 켤 수 있는 자가발전 손전등이다. 자가발전 손전등에서 전등에 불이 켜지는 원리를 다음 단어를 모두 포함하여 서술하시오.

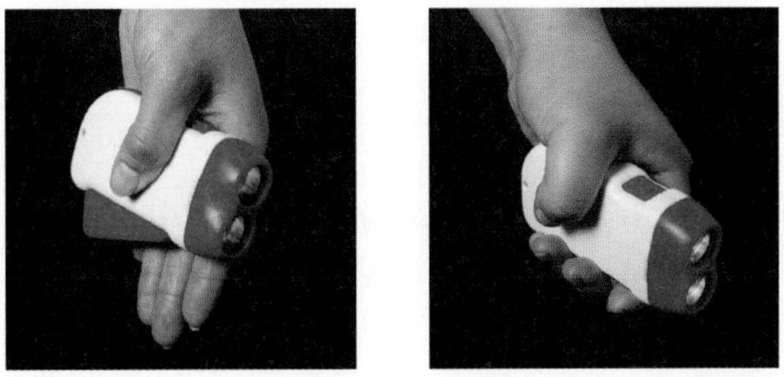

자석	코일	전류	운동 에너지	전기 에너지	빛에너지

문제 해결 Tip
자가발전 손전등의 손잡이를 누르면 자석이 움직이면서 자석 아래에 있는 코일에 전류가 발생해.

5 그림은 전기 에너지 사용에 대해 세 사람이 나눈 대화를 나타낸 것이다.

스마트 기기 배터리를 충전해야 해.
실내가 추워서 전기난로를 켰어.
더러워진 옷을 세탁기에 넣어서 빨았어.

▲ 스마트 기기 충전 ▲ 전기난로 ▲ 세탁기

위 각 경우에서 전기 에너지는 어떤 에너지로 전환되는지 빈칸에 알맞은 에너지를 쓰시오.

(1) 스마트 기기 충전: 전기 에너지 → (　　　　　　　　)

(2) 전기난로: 전기 에너지 → (　　　　　　　　)

(3) 세탁기: 전기 에너지 → (　　　　　　　　)

문제 해결 Tip

전기 에너지는 전기 기구에서 다양한 에너지로 전환돼. 특히 전지의 경우 전기 에너지를 화학 에너지로 저장했다가 필요할 때 다시 전기 에너지로 전환하여 사용해.

6 다음은 220 V-22 W로 표시된 전구에 대해 세 친구가 나눈 대화 내용이다. 빈칸에 알맞은 말을 쓰시오.

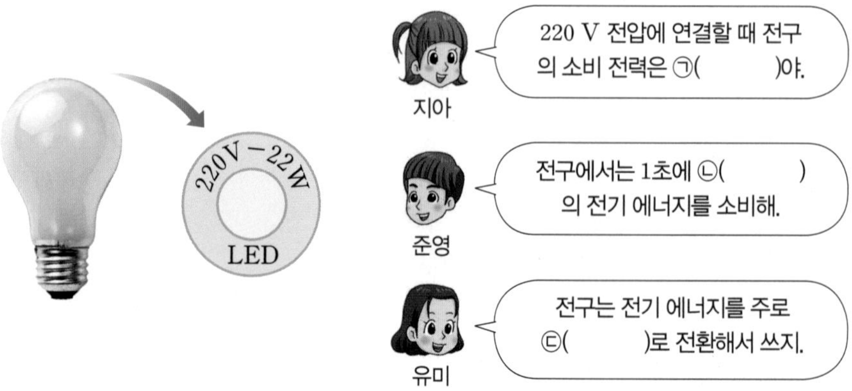

문제 해결 Tip

모든 전기 기구에는 정격 전압과 정격 소비 전력을 표시해야 해. 220 V-22 W는 정격 전압이 220 V이고 정격 소비 전력이 22 W란 의미야.

7 **표는 여러 가지 전기 기구의 소비 전력과 하룻동안 사용한 시간을 나타낸 것이다. 빈칸 ㉠~㉣에 알맞은 것을 쓰시오.**

전기 기구	선풍기	전구	헤어드라이어
소비 전력	200 W	50 W	1500 W
사용 시간	4 시간	6 시간	30 분

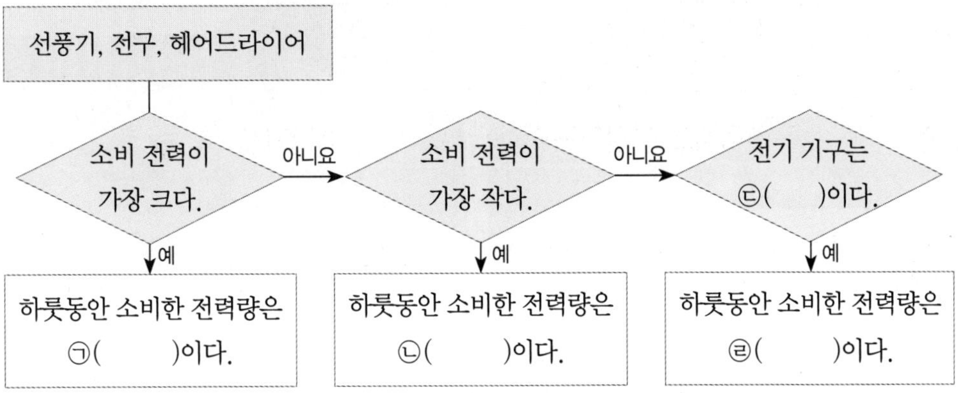
선풍기, 전구, 헤어드라이어
소비 전력이 가장 크다.
아니요
소비 전력이 가장 작다.
아니요
전기 기구는 ㉢(　　)이다.
예
예
예
하룻동안 소비한 전력량은 ㉠(　　　)이다.
하룻동안 소비한 전력량은 ㉡(　　　)이다.
하룻동안 소비한 전력량은 ㉣(　　　)이다.

문제 해결 Tip
소비 전력이 20 W인 전기 기구를 1시간 동안 사용한다면, 이때 사용한 전력량은 20 Wh야. 그리고 1000 W는 1 kW야.

8 **다음은 물체의 거리와 시차의 관계를 알아보는 실험과 이 실험에 대해 두 학생이 나눈 대화이다.**

[실험 과정]
칠판에 일정한 간격으로 별 스티커를 붙이고, 연필을 눈에 가까이 들었을 때와 눈에서 멀리 들었을 때 각각 왼쪽과 오른쪽 눈으로 번갈아 가면서 연필 끝의 위치를 확인한다.

1 2 3 4 5 6

[실험 결과]
연필을 관측자의 눈에 가까이 들었을 때보다 멀리 들었을 때 시차가 작아진다.

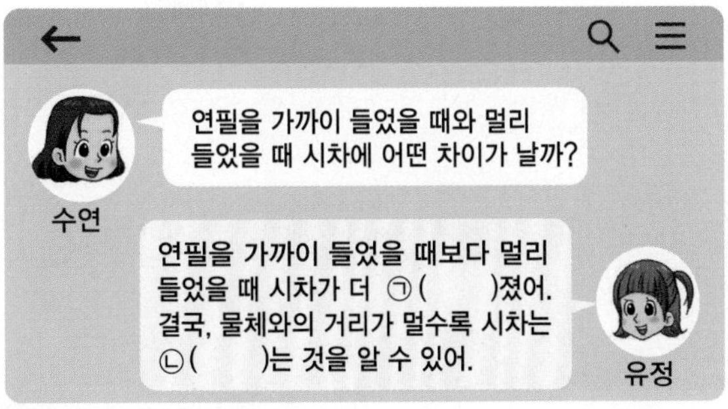
연필을 가까이 들었을 때와 멀리 들었을 때 시차에 어떤 차이가 날까?
수연
연필을 가까이 들었을 때보다 멀리 들었을 때 시차가 더 ㉠(　　)졌어. 결국, 물체와의 거리가 멀수록 시차는 ㉡(　　)는 것을 알 수 있어.
유정

문제 해결 Tip
가까이에 있는 물체의 시차는 크고, 멀리 있는 물체의 시차는 작아.

유정이가 말한 내용에서 ㉠과 ㉡에 각각 들어갈 말을 쓰시오.

3주

4주에는 무엇을 공부할까? ❶

VII. 별과 우주(2) ~ VIII. 과학 기술과 인류 문명

배울 내용

1일	별의 밝기와 색	4일	우주 탐사
2일	우리은하의 구성 천체	5일	과학 기술과 인류 문명
3일	우주의 팽창		

4주에는 무엇을 공부할까? ❷

태양계의 구성원

Quiz 1
태양은 태양계에서 유일하게 스스로 (   )을 내는 천체이다.

Quiz 2
수성, 금성, 지구, 화성은 표면에 (   )이 있고, 목성, 토성, 천왕성, 해왕성은 표면이 (   )로 되어 있다.

태양의 활동

와~ 멋지다. 빛의 마술 같아.
오로라는 태양에서 방출된 전기를 띤 입자가 지구의 대기와 충돌하면서 빛을 내는 현상이야.

Quiz 3
태양의 (흑점 / 쌀알무늬)은(는) 주변보다 온도가 낮아 검게 보이는 점으로, 태양 활동이 활발해지면 그 수가 늘어난다.

Quiz 4
태양 활동이 활발해지면 (   )이 강해지면서 지구에 오로라가 더 넓은 지역에서 발생한다.

답 1. 빛 2. 땅, 기체 3. 흑점 4. 태양풍

별과 별자리

Quiz 5
작은곰자리 꼬리 끝 부분에 있는 별은 (북극성 / 북두칠성)이다.

Quiz 6
작은곰자리는 (북쪽 / 남쪽) 밤하늘에서 볼 수 있다.

저 별자리는 작은곰자리!
맞아. 별자리는 별을 연결해 사람이나 동물의 모습을 떠올리고 이름을 붙인 거야.

동물의 특징을 모방한 과학 기술의 예

이 구조물을 옮겨야 사람들을 구조할 수 있겠어.
붕괴 위험이 있어 로봇을 현장에 투입시켜야겠어.

Quiz 8
먹이를 잘 잡고 놓치지 않는 수리 발의 특징을 활용하여 (　　　)를 만들었다.

Quiz 7
좁은 지역을 자유롭게 다닐 수 있는 거미의 특징을 활용하여 (　　　)을 만들었다.

답 5. 북극성 6. 북쪽 7. 재단 구조 로봇 8. 집게 차

4주 1일 별의 밝기와 색

주제 1 별의 밝기와 등급

겉보기 등급은 관측자에게 보이는 별의 밝기를 상대적으로 비교하여 나타낸 것이고, 절대 등급은 그 별의 실제 밝기를 비교하여 나타낸 것이다.

중요 개념

- **별의 밝기와 등급** 등급이 ❶(ㅈㅇ)수록 밝은 별이다.
  - 1 등성: 맨눈으로 관측했을 때 가장 밝게 보이는 별
  - 6 등성: 맨눈으로 관측했을 때 가장 어둡게 보이는 별

  ➡ 1 등성은 6 등성보다 ❷( )배 밝고, 1 등급 간의 밝기 차는 약 2.5배임
- **겉보기 등급** 맨눈으로 관측한 별의 밝기에 따라 정한 등급
- **절대 등급** 모든 별이 10 pc의 거리에 있다고 가정했을 때의 별의 밝기에 따라 정한 등급

  ➡ 별의 실제 밝기를 비교할 수 있음
  - 별까지의 거리가 10 pc보다 가까운 별: 겉보기 등급 < 절대 등급
  - 별까지의 거리가 10 pc보다 먼 별: 겉보기 등급 > 절대 등급
  - 별까지의 거리가 10 pc인 별: 겉보기 등급 = 절대 등급

Tip

두 별의 등급이 1 등급 차이일 때의 밝기 차이
➡ 2.5배의 밝기 차이가 난다.

답 ❶ 작을 ❷ 100

개념 원리 확인

○ 정답과 해설 25쪽

별의 밝기를 비교해서 등급을 정하는데, 밝은 별일수록 별의 등급은 작아져.

1-1

다음은 밤하늘에서 관측되는 별의 밝기에 대해 두 학생이 나눈 대화이다. 옳게 말한 학생을 쓰시오.

맨눈으로 볼 때 가장 밝게 보이는 별은 6 등성이야.
별이 밝을수록 별의 등급이 작아져.
지나
세원

(　　　　　　　　)

별의 등급에는 겉보기 등급과 절대 등급이 있어.

1-2

다음은 별까지의 거리와 별의 등급에 대한 설명이다. (　) 안에서 알맞은 말을 고르시오.

(1) 맨눈으로 관측한 별들의 밝기에 따라 정한 등급은 (겉보기 등급 / 절대 등급)이다.

(2) 등급이 커질수록 더 (밝은 / 어두운) 별이다.

(3) 1 등성은 6 등성보다 (10배 / 100배) 더 밝다.

용어 풀이

* **등급**(等 구분하다, 級 순서): 높고 낮음이나 크고 작음을 여러 층으로 구분한 단계
* **pc**(파섹): 연주 시차가 1″인 별까지의 거리

1-3

표는 별 A, B, C의 겉보기 등급을 나타낸 것이다. 맨눈으로 볼 때 가장 밝은 별의 기호를 쓰시오.

(　　　　　　　　)

별	A	B	C
겉보기 등급	3	1	2.5

4주 1일

4주 1일 별의 밝기와 색

주제 2 별의 색과 표면 온도

별의 색은 표면 온도에 따라 달라진다. 별의 표면 온도가 낮을수록 적색을 띠고, 별의 표면 온도가 높을수록 청색을 띤다.

중요 개념

● **별의 색과 표면 온도**

별의 색을 관측하면 별의 *표면 온도를 알 수 있다.

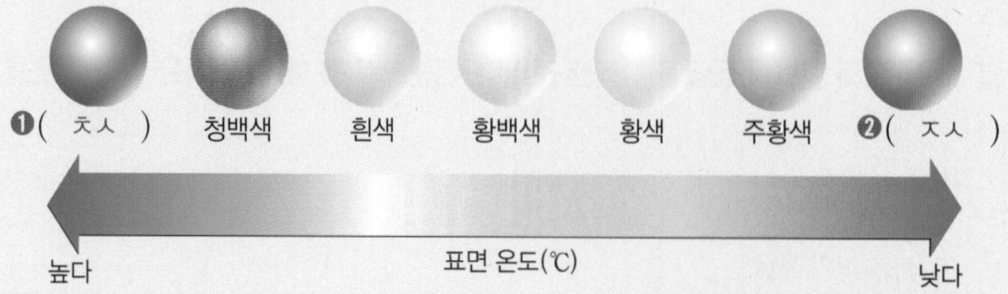

Tip

별의 표면 온도에 따라 별의 색이 다른 까닭

➡ 표면 온도가 낮은 별은 적색 빛을 주로 방출하고 표면 온도가 높은 별은 청색 빛을 주로 방출한다.

답 ❶ 청색 ❷ 적색

개념 원리 확인

○ 정답과 해설 25쪽

별의 색은 표면 온도에 따라서 달라져. 청색 별의 표면 온도가 적색 별보다 높지.

2-1

다음은 별의 색과 표면 온도에 대해 두 학생이 나눈 대화이다. 빈칸에 알맞은 말을 쓰시오.

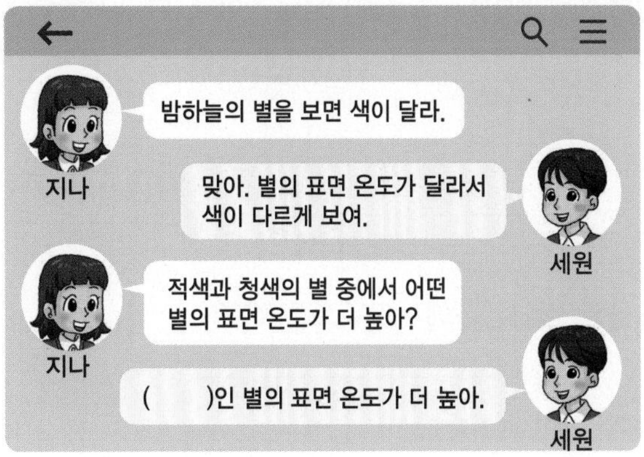
밤하늘의 별을 보면 색이 달라.
지나
맞아. 별의 표면 온도가 달라서 색이 다르게 보여.
세원
적색과 청색의 별 중에서 어떤 별의 표면 온도가 더 높아?
지나
(　　)인 별의 표면 온도가 더 높아.
세원

별의 색은 표면 온도가 낮을수록 적색, 높을수록 청색을 나타내지.

2-2

다음은 별의 색과 표면 온도에 대한 설명이다. (　) 안에서 알맞은 말을 고르시오.

(1) 별의 색이 다른 이유는 별의 (질량 / 표면 온도)이(가) 다르기 때문이다.

(2) 별의 표면 온도가 높을수록 (적색 / 청색)을 띤다.

(3) 황색 별인 태양은 (청색 / 적색) 별보다 표면 온도가 높다.

2-3

그림은 흰색을 띠는 시리우스와 붉은색을 띠는 베텔게우스이다.

시리우스　　　　베텔게우스

이처럼 색이 다른 까닭은 두 별의 무엇이 다르기 때문인지 쓰시오.

(　　　　　　　　)

용어 풀이

* **표면 온도**(表 겉, 面 낯, 溫 따뜻하다, 度 기량): 물체의 겉(표면)의 따뜻하고 차가운 정도

4주 1일

4주 1일 기초 집중 연습

대표 기출문제 주제 1 별의 밝기와 등급

1-1

표는 별 A~C의 절대 등급과 겉보기 등급을 나타낸 것이다.

별	절대 등급	겉보기 등급
A	−3	1
B	1.5	−4
C	−1	6

이에 대한 설명으로 옳은 것을 보기 에서 모두 고른 것은?

보기
ㄱ. 실제로 가장 밝은 별은 A이다.
ㄴ. 맨눈으로 볼 때 가장 밝은 별은 B다.
ㄷ. 별 A는 별 C보다 실제로 더 어두운 별이다.
ㄹ. 별 B는 별 C보다 맨눈으로 볼 때 더 밝게 보인다.

① ㄱ, ㄹ ② ㄴ, ㄷ ③ ㄷ, ㄹ
④ ㄱ, ㄴ, ㄹ ⑤ ㄴ, ㄷ, ㄹ

문제 해결 Point

가이드 | 별의 실제 밝기는 절대 등급으로 비교하고, 맨눈으로 보이는 밝기는 겉보기 등급으로 비교한다.

해결 Point | **별의 밝기가 밝을수록** 별의 등급은 작다. 겉보기 등급이 작을수록 맨눈으로 볼 때 더 밝게 보이는 별이고, 절대 등급이 작을수록 실제로 더 밝은 별이다.

오개념 주의 | 절대 등급이 작을수록 밝은 별이므로 별의 등급이 음수인 경우 −1, −2, −3으로 작아질수록 더 밝은 별이다.

1-2

다음은 별의 밝기와 등급에 대해 두 학생이 나눈 대화이다. 빈칸에 알맞은 말을 쓰시오.

멀리 있는 별은 가까이 있는 별보다 실제로 밝아도 겉보기 등급은 클 수 있겠네.
응. 그래서 별의 실제 밝기를 비교하기 위한 절대 등급은 모든 별을 같은 거리인 ( )에 두고 별의 밝기를 비교해.

1-3

표는 별 A의 절대 등급과 겉보기 등급을 나타낸 것이다.

별	절대 등급	겉보기 등급
A	−1.5	−1.5

별 A까지의 거리는 몇 pc인가?

① 1 pc ② 2 pc ③ 3 pc
④ 5 pc ⑤ 10 pc

Hint 10 pc의 거리에 있는 별은 겉보기 등급과 절대 등급이 같다.

대표 기출문제 주제 2 별의 색과 표면 온도

2-1

그림은 오리온자리를 이루는 적색의 베텔게우스와 청백색의 리겔을 나타낸 것이다.

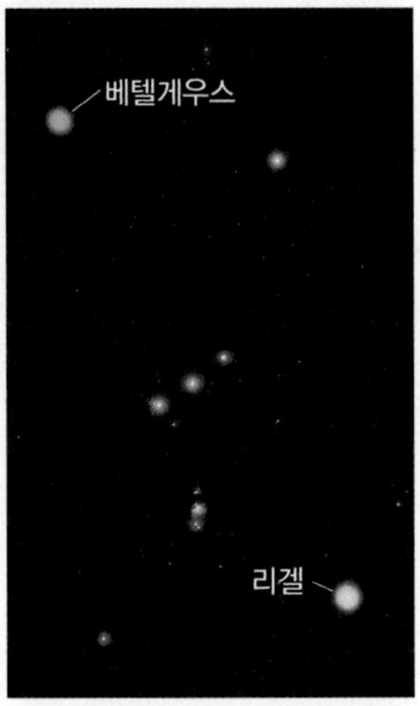

두 별에 대한 설명으로 옳은 것을 보기 에서 모두 고른 것은?

보기
ㄱ. 두 별의 표면 온도는 다르다.
ㄴ. 리겔의 표면 온도가 베텔게우스보다 더 높다.
ㄷ. 두 별의 색이 다른 까닭은 두 별의 질량이 다르기 때문이다.

① ㄱ ② ㄴ ③ ㄷ
④ ㄱ, ㄴ ⑤ ㄴ, ㄷ

문제 해결 Point

가이드 별의 색이 다른 까닭은 별의 표면 온도가 다르기 때문이며, 청색 별의 표면 온도가 적색 별보다 높다.

해결 Point 별의 색은 별의 표면 온도에 따라 다르다. 별의 색은 표면 온도가 낮을수록 적색을 띠고, 표면 온도가 높아짐에 따라 주황색 ⇨ 황색 ⇨ 황백색 ⇨ 백색 ⇨ 청백색 ⇨ 청색을 띤다.

오개념 주의 청색을 띠는 별이 적색을 띠는 별보다 표면 온도가 더 높다.

2-2

다음은 색이 다른 세 별의 사진이다.

(가) (나) (다)

이와 같이 별의 색이 다른 까닭으로 옳은 것은?

① 각 별의 질량이 다르기 때문이다.
② 각 별의 밀도가 다르기 때문이다.
③ 각 별의 크기가 다르기 때문이다.
④ 각 별까지의 거리가 다르기 때문이다.
⑤ 각 별의 표면 온도가 다르기 때문이다.

2-3

그림은 별 A~E의 색을 나타낸 것이다.

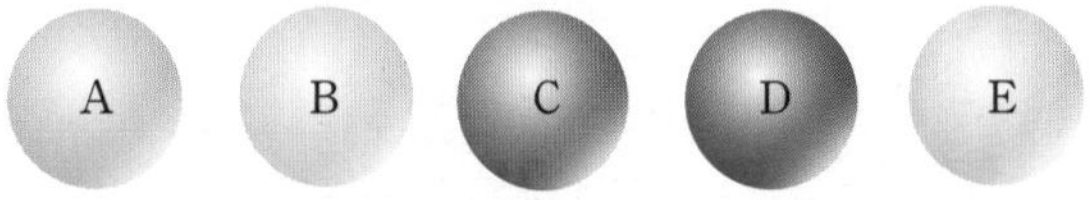

흰색 황색 적색 청색 황백색

표면 온도가 가장 높은 별은?

① A ② B ③ C
④ D ⑤ E

Hint 청색 별일수록 별의 표면 온도가 높고, 적색 별일수록 별의 표면 온도가 낮다.

4주 2일 우리은하의 구성 천체

주제 1 우리은하

우주에는 수많은 별들로 이루어진 거대한 천체 집단인 은하가 있고, 수많은 은하 중에서 태양계가 속해 있는 은하를 우리은하라고 한다.

중요 개념

- **은하** 수많은 별과 성단, 성운 등이 모여 있는 거대한 집단
- **우리은하** 태양계가 속해 있는 은하
  - 옆에서 본 모습: 중심부가 약간 볼록한 ❶(ㅇㅂ) 모양
  - 위에서 본 모습: 중심부는 막대 모양, 주변에는 ❷(ㄴㅅㅍ)이 있음
    ➡ 지름은 약 30 kpc(약 10만 광년)
  - 태양계의 위치
    ➡ 우리은하 중심에서 약 8.5 kpc 떨어진 나선팔에 있음

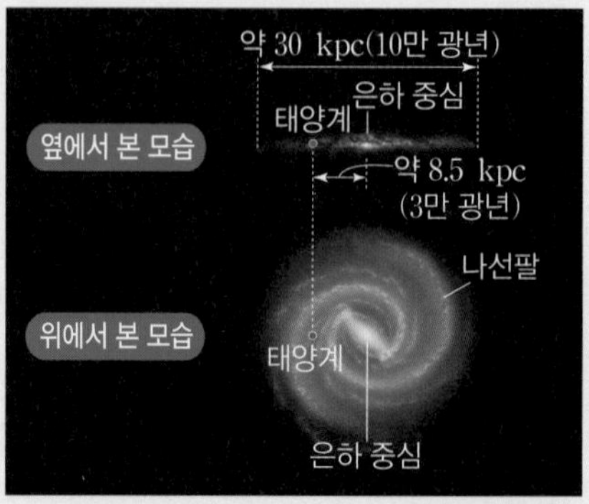

Tip

밤하늘을 가로지르는 희미한 빛의 띠인*은하수 ➡ 우리은하의 일부를 지구에서 바라본 모습이다.

답 ❶ 원반 ❷ 나선팔

개념 원리 확인

○ 정답과 해설 26쪽

은하는 무수히 많은 별들이 모여서 이루어진 거대한 천체야.

1-1

다음은 우리은하를 위에서 본 모습을 보고 두 학생이 나눈 대화이다. 빈칸에 알맞은 말을 쓰시오.

우리 은하의 중심부는 별들이 밀집해 있는 막대 모양이다.
맞아. 그리고 주변에는 별들이 나선 모양으로 분포하는 (　　　　)이 있어.
은하핵 (막대 구조)
나선팔
태양계
태성
지나

우리은하는 옆에서 보면 가운데가 볼록한 원반 모양을 하고, 위에서 보면 가운데 막대 모양과 주변의 나선팔로 이루어져 있어.

1-2

다음은 우리은하에 대한 설명이다. (　) 안에서 알맞은 말을 고르시오.

(1) 우리은하를 옆에서 보면 중심부가 약간 볼록한 (물병 / 원반) 모양이다.

(2) 우리은하의 지름은 약 (10 / 30) kpc이다.

(3) 태양계는 우리은하의 중심에서 약 (3 / 8.5) kpc 떨어진 곳에 위치하고 있다.

(4) 우리은하의 주변부는 많은 별들이 밀집해 있는 (막대 모양 / 나선팔) 구조를 이루고 있다.

1-3

그림은 옆에서 본 우리은하의 모습이다. A~E 중에서 태양계의 위치는 어디인지 그 기호를 쓰시오.

(　　　　　　　　)

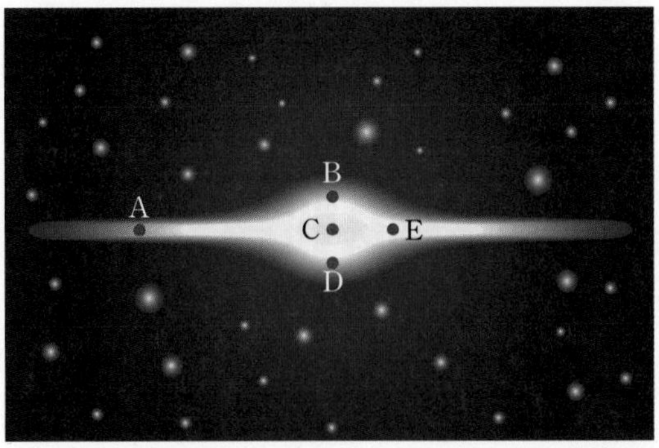

A
B
C
D
E

용어 풀이

* **은하수**(銀 은, 河 강, 水 물) 은하를 강에 비유한 말로, 우리은하에 속하는 수많은 별들의 별빛이 합쳐져서 뿌옇게 보이는 띠

4주 2일 우리은하의 구성 천체

주제 2 성단과 성운

태양계가 속해 있는 우리은하는 약 2000억 개의 별을 포함하며 성단, 성운 등의 천체로 이루어져 있다.

중요 개념

- **성단** 많은 수의 별들이 집단을 이루며 모여 있는 천체
  ➡ 별들이 모여 있는 모양에 따라 ❶(ㅅㄱ) 성단, 구상 성단으로 구분함
  - *산개 성단: 수십~수만 개의 청색 별들이 일정한 모양 없이 모여 있는 성단
  - 구상 성단: 수만~ 수십만 개의 적색 별들이 공 모양으로 빽빽이 모여 있는 성단
- **성운** 성간 물질이 모여 구름처럼 보이는 천체
  - 방출 성운: 주변 별로부터 에너지를 받아 온도가 높아져서 스스로 빛을 내는 성운 ➡ 붉은색
  - 반사 성운: 주변의 별빛을 반사하여 밝게 보이는 성운 ➡ 파란색
  - ❷(ㅇㅎ) 성운: 뒤에서 오는 별빛을 차단하여 어둡게 보이는 성운 ➡ 검은색

Tip

암흑 성운이 검게 보이는 까닭
➡ 성간 물질이 뒤쪽에서 오는 별빛을 차단하기 때문에 검게 보인다. 은하수의 가운데 부분이 검게 보이는 것도 암흑 성운 때문이다.

답 ❶ 산개 ❷ 암흑

개념 원리 확인

○ 정답과 해설 26쪽

반사 성운은 성간 물질이 주위의 별빛을 반사하여 파란색으로 보이는 성운이야.

2-1

다음은 반사 성운 사진을 보고 두 학생이 나눈 대화이다. 빈칸에 알맞은 말을 쓰시오.

와~ 밤하늘에서 밝은 구름처럼 보이는 저 천체는 뭘까?
지나

성간 물질이 별빛을 반사해서 밝게 보이는 (   )이야.
준수

별들이 모여 있는 집단은 성단이고, 성간 물질이 구름처럼 모여 있는 천체는 성운이야.

2-2

다음은 성단과 성운에 대한 설명이다. (   ) 안에서 알맞은 말을 고르시오.

(1) 많은 수의 별들이 집단을 이루며 모여 있는 천체는 (성단 / 성운)이다.

(2) 성간 물질이 모여 구름처럼 보이는 천체는 (성단 / 성운)이다.

(3) 별들이 공 모양으로 빽빽하게 모여 있는 성단은 (구상 성단 / 산개 성단)이다.

2-3

다음에서 설명하고 있는 천체는 무엇인지 그 이름을 쓰시오. (   )

짙은 성간 물질이 뒤에서 오는 별빛을 가리기 때문에 검게 보인다.

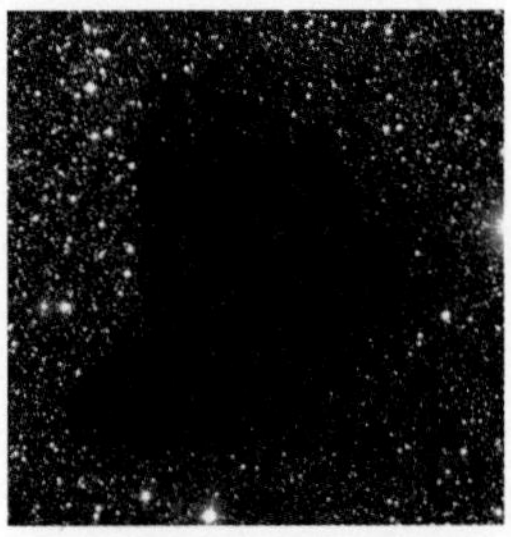

용어 풀이

* **산개 성단**(散 흩다, 開 열다, 星 별, 團 모이다): 별들이 흩어져서 엉성하게 모여 있는 집단

4주 2일 기초 집중 연습

대표 기출문제 주제 1 우리은하

1-1

우리은하와 은하수에 대한 설명으로 옳은 것을 보기 에서 모두 고른 것은?

보기
ㄱ. 우리은하는 수많은 별들로 이루어져 있다.
ㄴ. 태양계는 우리은하의 중심에 있다.
ㄷ. 우리은하의 지름은 약 30 kpc이다.
ㄹ. 우리은하의 중심부는 별들이 막대 모양으로 밀집해 있고 주변부는 나선 모양으로 분포해 있다.

① ㄱ, ㄹ ② ㄴ, ㄷ ③ ㄷ, ㄹ
④ ㄱ, ㄷ, ㄹ ⑤ ㄴ, ㄷ, ㄹ

문제 해결 Point

가이드 우리은하가 무엇으로 이루어져 있는지, 우리은하를 위에서 본 모양과 옆에서 본 모양의 특징은 어떠한지 알고 있어야 한다. 그리고 우리은하의 지름과 태양계의 위치를 수치로 알고 있어야 한다.

해결 Point **우리은하**는 수많은 별 등으로 이루어진 천체로, 태양계가 속한 은하이다. 위에서 바라본 모습은 가운데가 막대 모양이고, 주변은 나선팔로 휘감겨 있다. 옆에서 본 모습은 가운데가 볼록한 원반 모양이다. 우리은하는 지름이 약 30 kpc이며, 태양계는 우리은하 중심으로부터 약 8.5 kpc 떨어진 곳에 위치해 있다.

오개념 주의 우리은하는 중심부부터 나선팔이 있는 것이 아니라, 중심부는 막대 구조이고, 그 주변에 나선팔이 있다.

1-2

다음은 우리은하의 모양에 대해 두 학생이 나눈 대화이다. 옳게 말한 학생을 쓰시오.

우리은하는 중심부에 별들이 밀집되어 있는 막대 구조가 있고, 막대 끝에서부터 나팔선이 분포하고 있어.
우리은하는 가운데부터 별들이 모여서 나선팔로 휘감겨 있어.
민희
철수

1-3

그림은 여름철 밤하늘을 가로지르는 은하수의 모습이다.

이에 대한 설명으로 옳은 것을 보기 에서 모두 고른 것은?

보기
ㄱ. 은하수는 밤하늘에 떠 있는 구름이다.
ㄴ. 은하수는 우리은하의 일부를 지구에서 본 모습이다.
ㄷ. 태양계를 둘러싼 우리은하 전체가 한꺼번에 관측되는 모습이 은하수이다.

① ㄱ ② ㄴ ③ ㄷ
④ ㄱ, ㄴ ⑤ ㄴ, ㄷ

Hint 은하수는 지구에서 바라본 우리은하의 일부 모습이다.

대표 기출문제 주제 2 성단과 성운

2-1

그림 (가)와 (나)는 다른 종류의 성단을 나타낸 것이다.

(가) (나)

이에 대한 설명으로 옳지 않은 것은?

① (가)는 산개 성단이다.
② (나)는 구상 성단이다.
③ (가)는 주로 파란색 별로 구성되어 있다.
④ (나)는 주로 붉은색 별로 구성되어 있다.
⑤ (가)와 (나)는 모두 성간 물질이 구름처럼 보이는 것이다.

문제 해결 Point

가이드 성단과 성운의 차이점을 알고 있어야 하고, 성단은 그 특성에 따라 다시 산개 성단과 구상 성단으로 구분됨을 알고 있어야 한다.

해결 Point 성단은 별이 모여 있는 모양에 따라 산개 성단과 구상 성단으로 구분된다. **산개 성단**은 수십~수만 개의 별들이 엉성하게 모여 있는 성단이고, **구상 성단**은 수만~수십만 개의 별들이 공 모양으로 빽빽하게 모여 있는 성단이다. 산개 성단은 주로 파란색 별들이 모여 있고, 구상 성단은 주로 붉은색 별들이 모여 있다. 별이 모여 있는 성단과 달리 성운은 성간 물질이 모여 구름처럼 보이는 천체이다.

오개념 주의 성단은 별이 모여 있는 모양에 따라 구상 성단과 산개 성단으로 구분한다.

2-2

그림 (가)~(다)는 다른 종류의 성운을 나타낸 것이다.

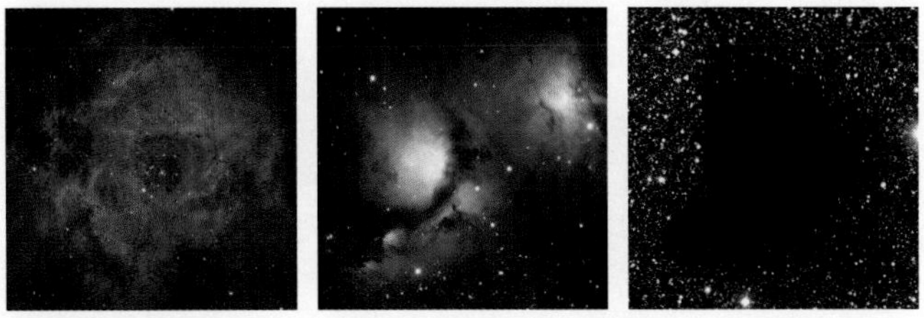

(가) (나) (다)

천체 (가), (나), (다)의 이름을 옳게 짝 지은 것은?

	(가)	(나)	(다)
①	암흑 성운	방출 성운	반사 성운
②	반사 성운	암흑 성운	방출 성운
③	반사 성운	방출 성운	암흑 성운
④	방출 성운	반사 성운	암흑 성운
⑤	방출 성운	암흑 성운	반사 성운

2-3

다음은 우리은하에 있는 여러 천체의 특징을 설명한 것이다.

보기
ㄱ. 별들이 공 모양으로 빽빽하게 모여 있다.
ㄴ. 성간 물질이 주변 별빛을 반사하여 밝게 보인다.
ㄷ. 근처에 있는 별로부터 성간 물질이 에너지를 받아 온도가 높아져서 붉은색 빛을 낸다.

보기에서 설명하고 있는 천체의 이름을 옳게 짝 지은 것은?

① ㄱ - 산개 성단
② ㄴ - 방출 성운
③ ㄴ - 반사 성운
④ ㄷ - 암흑 성운
⑤ ㄷ - 구상 성단

Hint 별들이 모여 있는 것은 성단이고, 성간 물질이 모여 구름처럼 보이는 것은 성운이다.

4주 3일 우주의 팽창

주제 1 외부 은하

우주에는 우리은하와 비슷한 은하들이 수없이 많이 존재하는데, 이를 외부 은하라고 한다.

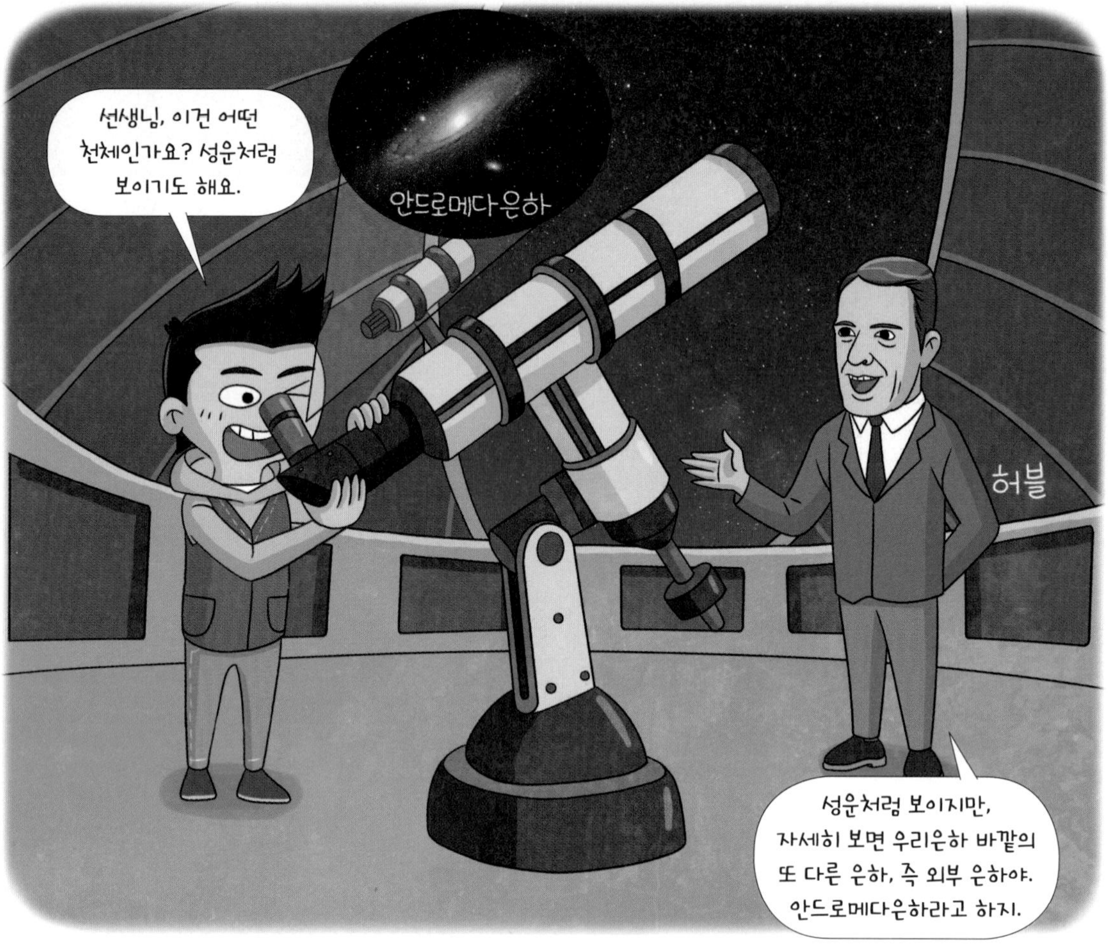

선생님, 이건 어떤 천체인가요? 성운처럼 보이기도 해요.
안드로메다은하
허블
성운처럼 보이지만, 자세히 보면 우리은하 바깥의 또 다른 은하, 즉 외부 은하야. 안드로메다은하라고 하지.

중요 개념

- **외부 은하*** 우리은하 밖에 존재하는 거대한 천체 집단. 허블은 모양에 따라 ❶(ㅌㅇ) 은하, 정상 나선 은하, ❷(ㅁㄷ) 나선 은하, 불규칙 은하로 분류함
  - 타원 은하: 나선팔이 없는 타원 모양의 은하
  - 정상 나선 은하: 은하 중심에서 나선팔이 휘어져 나온 은하
  - 막대 나선 은하: 막대 모양의 중심부 양끝에서 나선팔이 뻗어나간 은하
  - 불규칙 은하: 규칙적인 모양이 없는 은하
- **우리은하** 막대 나선 은하에 해당

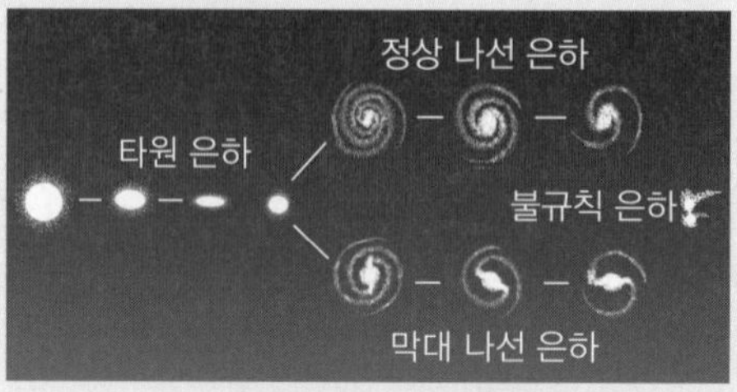

정상 나선 은하
타원 은하
불규칙 은하
막대 나선 은하

▲ 허블의 외부 은하 분류

Tip

외부 은하의 최초 발견
➡ 허블은 당시 성운으로 알려져 있던 안드로메다 은하가 외부 은하임을 최초로 발견하였다.

답 ❶ 타원 ❷ 막대

개념 원리 확인

○ 정답과 해설 28쪽

허블은 외부 은하를 형태에 따라 타원 은하, 막대 나선 은하, 정상 나선 은하, 불규칙 은하로 분류했어.

1-1

다음은 허블이 분류한 외부 은하를 보고 두 학생이 나눈 대화이다. 빈칸에 알맞은 말을 쓰시오.

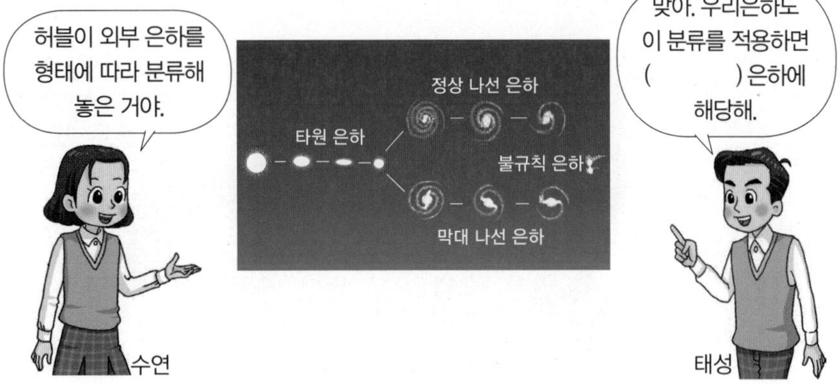

허블이 외부 은하를 형태에 따라 분류해 놓은 거야.
정상 나선 은하
타원 은하
불규칙 은하
막대 나선 은하
맞아. 우리은하도 이 분류를 적용하면 (   ) 은하에 해당해.
수연
태성

타원 모양은 타원 은하, 나선팔을 가지면 나선 은하야. 또, 중심부에 막대 구조가 있으면 막대 나선 은하, 없으면 정상 나선 은하야.

1-2

그림 (가)~(다)는 모양에 따른 외부 은하의 종류를 나타낸 것이다.

(가) (나) (나)

(가)~(다)는 어떤 은하에 해당하는지 그 명칭을 각각 쓰시오.

(   )

1-3

그림과 같이 특정한 모양이 없는 외부 은하를 무엇이라고 하는지 쓰시오.

(   )

용어 풀이

* 은하(銀 은, 河 강): 우주 공간에 수많은 별들로 이루어진 거대한 천체 집단

주제 2 대폭발 우주론

과거의 우주는 지금보다 크기가 작고 온도가 높았지만, 대폭발이 일어나면서 점점 팽창하여 현재의 우주가 되었다.

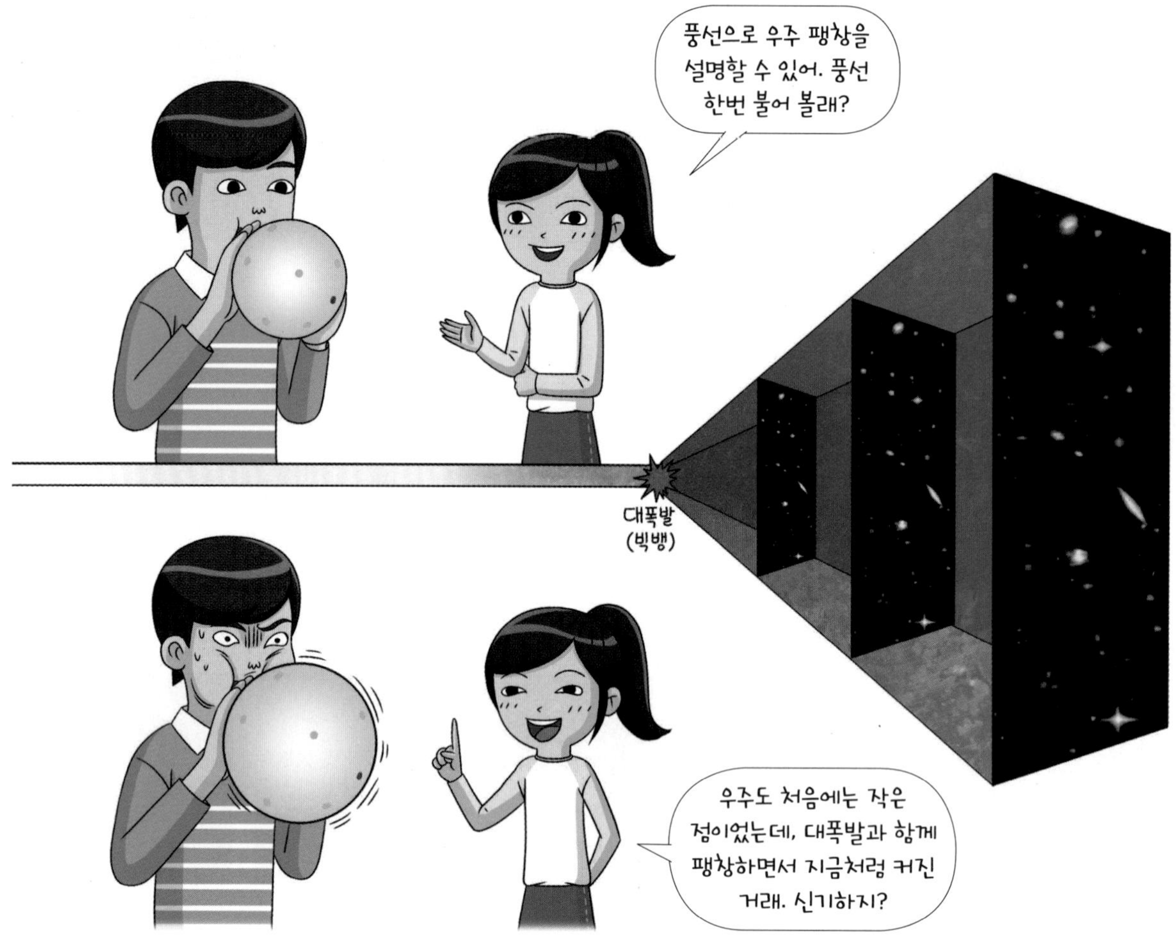

중요 개념

- **팽창하는 우주**
  - 허블은 외부 은하가 서로 멀어지고 있음을 발견함 ➡ 우주가 ❶(ㅍㅊ)한다는 근거가 됨
- **대폭발 우주론**
  - 먼 과거에 모든 물질과 에너지가 모인 한 점에서 ❷(ㄷㅍㅂ)로 시작된 우주가 점점 팽창하여 현재의 우주가 되었다는 이론
  - 대폭발은 약 138억 년 전에 일어남
  - 과거의 우주는 지금보다 크기가 작고 온도가 높았음

▲ 우주의 팽창

Tip

대폭발 우주론이 나온 배경
➡ 현재 우주가 팽창하고 있으므로 이는 과거로 갈수록 우주가 작았음을 의미한다. 따라서 우주의 처음 상태는 한 점에 모여 있었으며, 대폭발로 우주가 만들어졌다고 생각하게 되었다.

답 ❶ 팽창 ❷ 대폭발

개념 원리 확인

○ 정답과 해설 28쪽

우주가 팽창하고 있기 때문에 외부 은하들은 서로 점점 멀어지고 있는 거지.

2-1

허블은 외부 은하가 점점 멀어지는 것을 발견하였다. 이에 관해 두 학생이 나눈 대화에서 빈칸에 알맞은 말을 쓰시오.

외부 은하가 멀어지고 있다는 것은 은하 사이의 거리가 멀어지고 있다는 거네.
맞아. 그래서 수많은 은하들로 이루어진 우주도 점점 (　　　　)하고 있다는 것을 알 수 있어.
나영
민수

과거 한 점에 모여 있던 물질과 에너지가 대폭발하면서 지금의 우주가 되었어.

2-2

다음은 대폭발 우주론에 대한 설명이다. (　) 안에서 알맞은 말을 고르시오.

(1) 허블은 외부 은하들이 서로 (멀어 / 가까워)지고 있음을 발견하였다.

(2) 서로 멀어지고 있는 외부 은하들을 관측하여 우주가 (축소됨 / 팽창함)을 알 수 있었다.

(3) 과거에 우주는 모든 물질과 에너지가 한 점에 모여 있다가 (대폭발 / 대분열)로 인해 점점 팽창하여 현재의 우주가 되었다.

2-3

다음은 우주의 생성에 대해 두 학생이 나눈 대화이다. 빈칸에 알맞은 말을 쓰시오.

상원
현재 수많은 은하들이 분포하고 있는 우주는 어떻게 생성되었을까?
은영
원래 우주는 모든 물질이 한 점에 모여 있었어.
상원
정말? 그럼 어떻게 이렇게 넓은 공간을 차지하는 우주가 된걸까?
은영
그건 한 점에서 (　　　　)이 일어나면서 우주가 만들어지고, 계속 팽창하면서 현재 모습이 된 거야.

용어 풀이

* **우주**(宇 집, 宙 집): 우리은하뿐만 아니라 수많은 은하들이 있는 거대한 공간

4주 3일

4주 3일 기초 집중 연습

대표 기출문제 주제 1 외부 은하

1-1

그림은 허블의 외부 은하 분류를 나타낸 것이다.

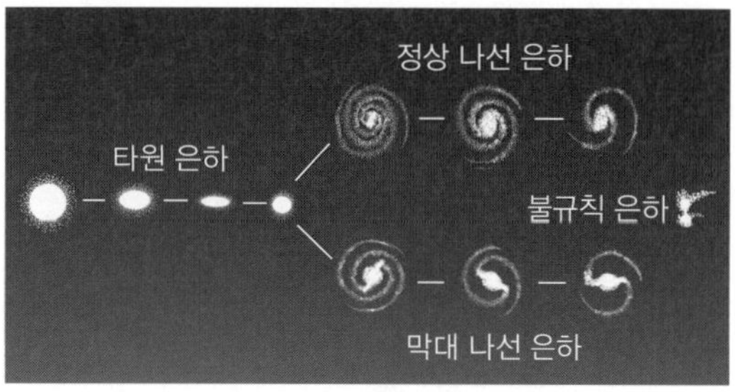

이에 대한 설명으로 옳은 것을 보기에서 모두 고른 것은?

보기
ㄱ. 타원 은하에는 나선팔이 없다.
ㄴ. 우리은하는 정상 나선 은하에 해당한다.
ㄷ. 허블이 외부 은하를 형태에 따라 분류한 것이다.
ㄹ. 일정한 모양이 없는 은하는 막대 나선 은하이다.

① ㄱ, ㄷ ② ㄴ, ㄷ ③ ㄷ, ㄹ
④ ㄱ, ㄷ, ㄹ ⑤ ㄴ, ㄷ, ㄹ

문제 해결 Point

가이드 | 허블이 외부 은하를 분류한 기준과 그 특징을 알고 있어야 한다. 우리은하는 허블의 외부 은하 분류 중에서 막대 나선 은하에 해당한다.

해결 Point | 허블은 외부 은하를 그 형태에 따라 타원 은하, 정상 나선 은하, 막대 나선 은하, 불규칙 은하로 분류하였다. 가운데 막대 구조와 주변부에 나선팔을 가진 우리은하는 막대 나선 은하에 해당한다.

오개념 주의 | 허블은 외부 은하를 모양에 따라 분류했으며, 특정한 형태가 없는 은하는 불규칙 은하로 분류하였다.

1-2

다음은 허블이 외부 은하를 분류한 기준에 대해 두 학생이 나눈 대화이다. 옳게 말한 학생을 쓰시오.

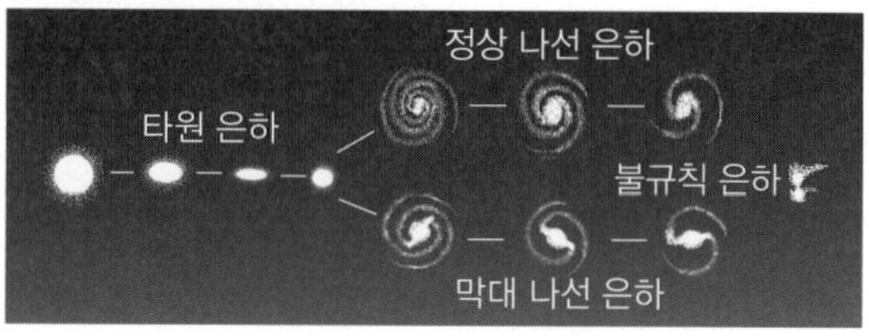

▲ 허블의 외부 은하 분류

허블은 무수히 많은 외부 은하를 관측하여 은하의 색에 따라 분류했어.
허블은 무수히 많은 외부 은하의 형태를 보고 그림처럼 분류한 거야.
상원
은영

1-3

그림은 어떤 외부 은하의 모습을 나타낸 것이다.

이 외부 은하에 대한 설명으로 옳은 것을 보기에서 모두 고른 것은?

보기
ㄱ. 정상 나선 은하이다.
ㄴ. 나선팔을 가지고 있다.
ㄷ. 우리은하와 형태가 같다.

① ㄱ ② ㄴ ③ ㄷ
④ ㄱ, ㄴ ⑤ ㄴ, ㄷ

Hint 우리은하는 막대 나선 은하이다.

대표 기출문제 주제 2 대폭발 우주론

2-1

그림은 대폭발 우주론을 나타낸 것이다.

이에 대한 설명으로 옳은 것을 보기 에서 모두 고른 것은?

보기

ㄱ. 우주는 계속 수축하고 있다.
ㄴ. 은하들끼리는 서로 멀어지고 있다.
ㄷ. 우주의 모든 물질은 한 점에서 시작하였다.
ㄹ. 대폭발이 일어나면서 점차 팽창하여 현재와 같은 모습의 우주가 되었다.

① ㄱ, ㄹ ② ㄴ, ㄷ ③ ㄷ, ㄹ
④ ㄱ, ㄷ, ㄹ ⑤ ㄴ, ㄷ, ㄹ

문제 해결 Point

가이드 우주의 모든 물질은 한 점에서 시작되었고, 대폭발에 의해서 점차 팽창하고 있으며, 현재도 우주는 팽창하고 있다는 대폭발 우주론(빅뱅 우주론)을 잘 알고 있어야 한다.

해결 Point 과거에 모든 물질과 에너지가 모인 한 점에서 대폭발로 인해 우주가 점점 팽창하여 현재의 모습이 되었다는 이론을 **대폭발 우주론(빅뱅 우주론)**이라고 한다. 대폭발 우주론에 따르면, 과거의 우주는 온도가 매우 뜨겁고 크기도 작았지만, 점차 온도가 내려가면서 팽창하고 있다.

오개념 주의 대폭발로 인해 생겨난 우주는 현재도 계속해서 팽창하고 있다.

2-2

다음은 대폭발 우주론에 관한 설명이다.

> 우주는 먼 과거에 모든 물질과 에너지가 모인 한 점에서 ㉠(　　)(으)로 생겨났다. 이후 계속해서 ㉡(　　) 하여 현재의 우주가 되었다.

㉠과 ㉡에 알맞은 말을 옳게 짝 지은 것은?

	㉠	㉡
①	대지진	팽창
②	대지진	수축
③	대폭발	수축
④	대폭발	팽창
⑤	화산 활동	팽창

2-3

그림과 같이 풍선의 표면에 별 모양 스티커를 붙인 다음, 풍선을 크게 불었더니, 별 모양 스티커 사이의 거리가 멀어지는 것을 볼 수 있었다.

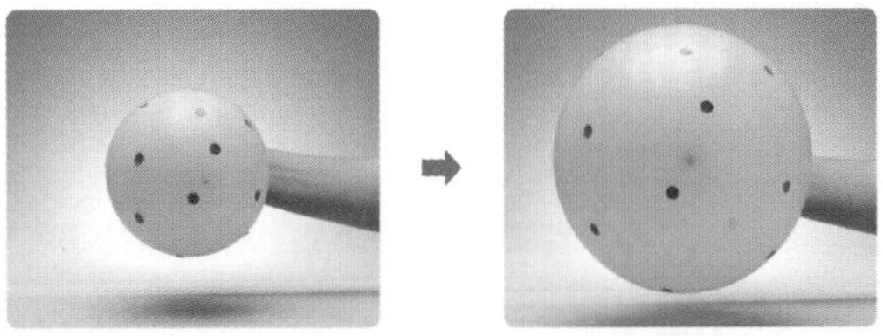

이 실험에서 스티커와 풍선 표면은 무엇에 비유할 수 있는지 옳게 짝 지은 것은?

	스티커	풍선 표면
①	성단	성운
②	성운	성단
③	은하	성단
④	은하	우주
⑤	우주	은하

Hint 풍선 표면이 커지는 것은 우주가 팽창한다는 것에 비유할 수 있다.

4주 4일 우주 탐사

주제 1 우주 탐사의 목적과 의의

우주 탐사를 통해 습득한 지식과 정보로부터 우주에 대한 이해의 폭을 넓히고 지구 환경과 생명에 대해 보다 깊이 이해하며, 이 과정에서 얻은 첨단 과학 기술을 다양한 산업 분야와 실생활에 이용한다.

중요 개념

- 우주* 탐사의 목적과 의의
  - 우주에 대한 이해의 폭을 넓히고, 지적 ❶(ㅎㄱㅅ)을 충족시킨다.
  - 우주 탐사를 통해 얻은 지식과 정보로 지구 환경과 생명에 대해 보다 깊이 이해한다.
  - 우주 탐사 준비 과정에서 얻은 새로운 첨단 과학 기술을 산업 분야와 실생활에 이용한다.
- 우주 탐사 기술이 실생활에 이용된 예

인공 위성 안테나 제작 기술❷(ㅎㅅ ㄱㅇ ㅎㄱ)	안경테, 인공 관절
우주선 제작 소재(티타늄)	골프채, 의족
우주 탐사에 활용한 사진 촬영 기술	MRI(자기 공명 영상), CT(컴퓨터 단층 촬영)
우주복 제작에 사용된 기술(기능성 옷감)	등산복, 운동복
우주인의 생활 편의를 위해 개발된 기술	정수기, 전자레인지

Tip

우주 탐사로 얻을 수 있는 이익

➡ 우주 탐사 과정에서 개발된 첨단 과학 기술과 첨단 신소재 개발이다.

답 ❶ 호기심 ❷ 형상 기억 합금

개념 원리 확인

○ 정답과 해설 29쪽

우주 탐사 과정에서 얻은 새로운 첨단 과학 기술을 다양한 분야에 이용할 수 있어.

1-1

다음은 우주 탐사의 목적과 의의에 대해 두 학생이 나눈 대화이다. 빈칸에 알맞은 말을 쓰시오.

우주 탐사는 우주에 대한 이해의 폭도 넓히고, 인간의 지적 호기심도 충족시킬 수 있어.
그리고 우주 탐사 준비 과정에서 얻은 새로운 (　　　　　)은 다양한 산업 분야와 실생활에 이용돼.
준수
지나

1-2

우주 탐사를 위해 개발된 기술과 그 기술이 우리 주변의 물건에 적용된 사례를 옳게 연결하시오.

(1) 우주인의 생활 편의를 위해 개발한 기술 •　　　　• ㉠ 안경테, 인공 관절

(2) 인공위성 안테나 제작 기술 •　　　　• ㉡ 골프채, 의족

(3) 우주선 제작 소재 •　　　　• ㉢ 정수기, 전자레인지

1-3

그림은 자기 공명 영상(MRI) 장치이다. 이것은 우주 탐사에 활용된 어떤 기술을 우리 생활에 이용한 것인지 쓰시오.

(　　　　　　　　　　)

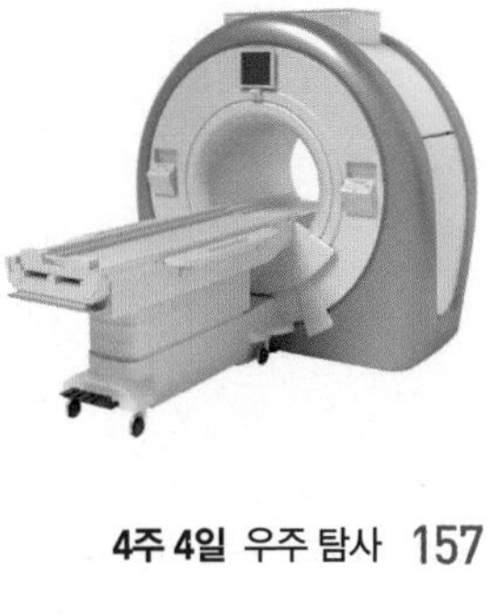

용어 풀이

* **탐사**(探 찾다, 査 조사하다) : 샅샅이 더듬어 조사하고 찾다.

4주 4일 우주 탐사

주제 2 우주 탐사의 역사와 성과

1957년 인류는 최초로 인공위성 스푸트니크 1호의 발사 성공으로 우주 탐사가 시작되었으며, 현재 탐사 로봇을 이용한 화성 탐사, 탐사선을 이용한 토성 탐사 등 지구 밖 탐사에 대해 끊임없이 노력하고 있다.

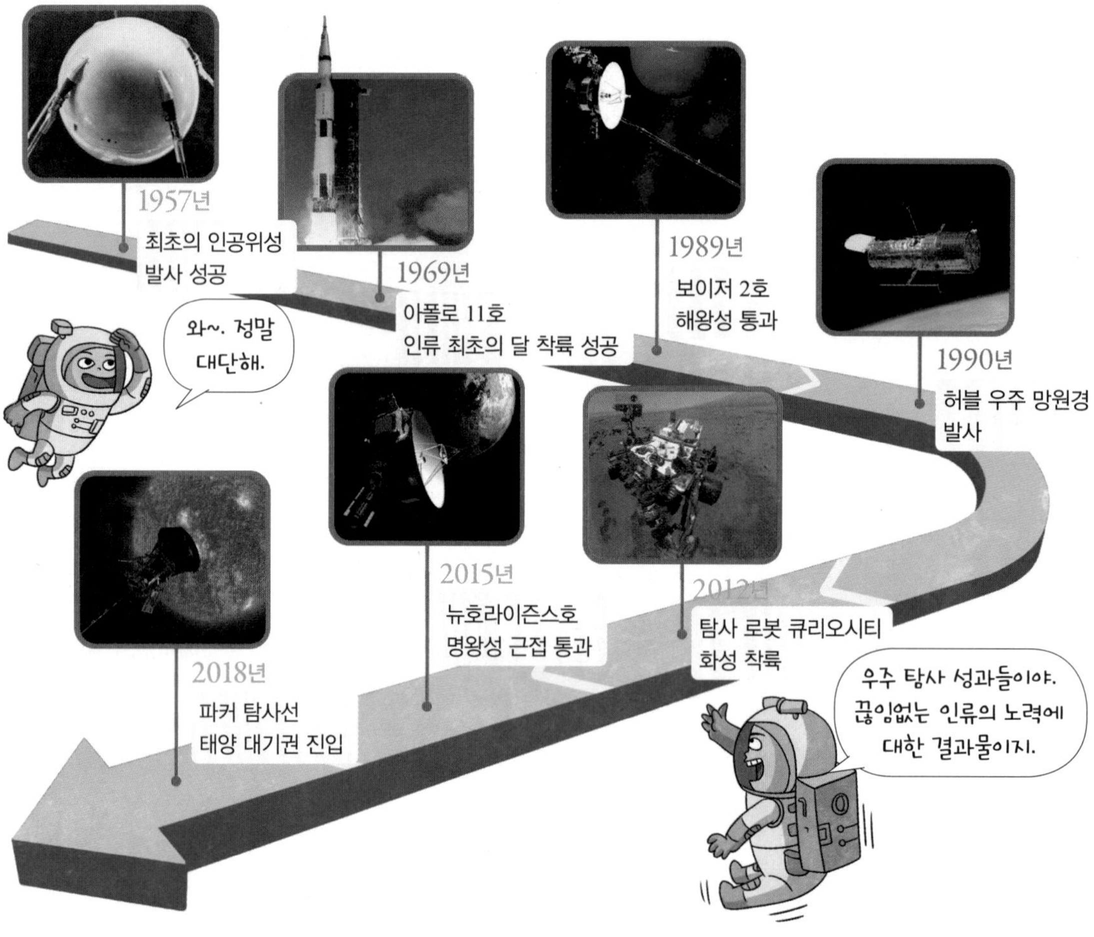

1957년
최초의 인공위성 발사 성공
1969년
아폴로 11호 인류 최초의 달 착륙 성공
1989년
보이저 2호 해왕성 통과
1990년
허블 우주 망원경 발사
와~. 정말 대단해.
2015년
뉴호라이즌스호 명왕성 근접 통과
2012년
탐사 로봇 큐리오시티 화성 착륙
2018년
파커 탐사선 태양 대기권 진입
우주 탐사 성과들이야. 끊임없는 인류의 노력에 대한 결과물이지.

중요 개념

- **우주 탐사의 시작** 1957년 최초의 ❶(ㅇㄱㅇㅅ)인 *스푸트니크 1호 발사 성공
- **우주 탐사의 성과**
  - 1960년대: 달 탐사가 주로 이루어짐
    ➡ 1969년 유인 탐사선인 아폴로 11호의 인류 최초 ❷(ㄷ) 착륙 성공
  - 1970년대: 탐사선에 의한 행성 탐사가 활발하게 진행됨
  - 1990년대 이후: 행성과 위성, 소행성이나 혜성 등 다양한 천체 탐사가 이루어짐
    ➡ 1990년 허블 우주 망원경 발사
    ➡ 2012년 화성 탐사 로봇 큐리오시티의 화성 착륙

Tip

우주 망원경의 장점
➡ 지상 망원경은 천체를 관측할 때 지구 대기의 영향을 받지만, 지구 대기권 바깥에서 천체를 관측하는 우주 망원경은 지구 대기의 영향을 받지 않으므로 더욱 선명한 영상을 제공한다.

답 ❶ 인공위성 ❷ 달

개념 원리 확인

○ 정답과 해설 29쪽

허블 우주 망원경의
발사는 1990년에
이루어졌어.

2-1

다음은 우주 탐사의 역사에 대해 두 학생이 나눈 대화이다. 옳게 말한 학생을 쓰시오.

(　　　　　　　　　)

우주 탐사가 시작된
계기는 최초로 허블 우주
망원경의 발사에 성공
했기 때문이야.
1969년에 유인 탐사선인
아폴로 11호가 최초로
달 착륙에 성공했어.
영희
민수

1960년에는 달 탐사가,
1970년대는 행성 탐사가
주로 이루어졌지.

2-2

다음은 우주 탐사의 역사와 성과에 대해 두 친구가 나눈 대화이다. 빈칸에 알맞은 말을 쓰시오.

1957년에 최초로 인공위성
발사에 성공했어.
은영
그리고 1969년에 달 착륙에
성공했지.
민수
1960년대는 달 탐사가 주로
이루어졌어.
은영
달 탐사 이후, 1970년대에 와서는
(　　　) 탐사가 주로 이루어졌어.
민수

2-3

그림은 탐사 로봇 큐리오시티가 행성을 탐사하는 모습이다. 큐리오시티가 탐사 중인 행성을 쓰시오.

(　　　　　　　　　)

용어 풀이

* **스푸트니크**: 1957년에 발사된 최초의 인공위성으로, 전파 송출 기능만 있는 단순한 위성이다.

대표 기출문제 주제 1 우주 탐사의 목적과 의의

1-1

그림은 형상 기억 합금 소재로 만든 안경테이다.

우주 탐사의 과정에서 개발된 형상 기억 합금 소재가 우리 실생활에 적용된 과정에 대한 설명으로 옳은 것을 보기 에서 모두 고른 것은?

보기
ㄱ. 우주선을 가볍게 만들기 위해 개발된 소재를 이용한 것이다.
ㄴ. 우주인이 우주선에서 생활할 때의 편의를 위해서 개발한 것이다.
ㄷ. 인공위성 안테나를 만들 때 안테나의 부피를 줄이기 위한 기술을 이용한 것이다.

① ㄱ ② ㄴ ③ ㄷ
④ ㄱ, ㄷ ⑤ ㄴ, ㄷ

문제 해결 Point

가이드 우주 탐사 준비 과정에서 개발된 새로운 첨단 과학 기술이 어떻게 실생활에 적용되는지 그 사례를 알아 두어야 한다.

해결 Point 우주 탐사를 위해 개발된 기술에서 우주선을 가볍게 만드는 티타늄 소재는 골프채와 의족에 이용하고, 인공위성 안테나를 만들 때 사용한 형상 기억 합금 소재는 안경테나 인공 관절에 이용한다. 우주 탐사에서 활용했던 사진 촬영 기술은 자기 공명 장치(MRI)나 컴퓨터 단층 촬영(CT)에 응용하였으며, 전자레인지나 정수기는 우주인의 생활 편의를 위해서 개발한 것이다.

오개념 주의 우주 탐사 준비 과정에서 개발된 첨단 과학 기술을 실생활뿐만 아니라 다양한 산업 분야에서도 이용한다.

1-2

우주 탐사의 목적과 의의에 대한 설명으로 옳은 것을 보기 에서 모두 고른 것은?

보기
ㄱ. 우주 탐사는 우주에 대한 인류의 호기심을 해결하기 위해 시작되었다.
ㄴ. 우주 탐사를 통해 습득한 지식과 정보는 우주에 대해서만 깊이 이해할 수 있게 한다.
ㄷ. 우주 탐사의 과정에서 개발한 첨단 기술은 실생활에 응용되어 삶의 질을 향상하는 데 기여하고 있다.

① ㄱ ② ㄴ ③ ㄷ
④ ㄱ, ㄴ ⑤ ㄱ, ㄷ

1-3

우주 탐사 기술이 실생활에 사용되는 사례와 관련된 설명으로 옳은 것을 보기 에서 모두 고른 것은?

보기
ㄱ. 정수기는 우주인의 생활 편의를 돕기 위해 개발되었다.
ㄴ. 전자레인지는 우주선 제작에 이용된 티타늄 소재를 이용한 것이다.
ㄷ. 컴퓨터 단층 촬영(CT)은 우주 탐사에서 활용했던 사진 촬영 기술을 응용한 것이다.
ㄹ. 자기 공명 장치(MRI)는 인공위성의 안테나를 만들 때 사용한 형상 기억 합금 소재를 이용한 것이다.

① ㄱ, ㄷ ② ㄴ, ㄷ ③ ㄷ, ㄹ
④ ㄱ, ㄷ, ㄹ ⑤ ㄴ, ㄷ, ㄹ

Hint 우주 탐사 기술은 무중력, 진공, 극저온, 극고온 등 혹독한 환경에서 우주 탐사를 할 수 있도록 해준다.

대표 기출문제 **주제 2** 우주 탐사의 역사와 성과

2-1

그림은 우주 탐사의 역사를 순서 없이 나열한 것이다.

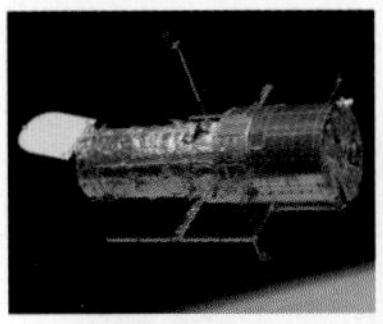
(가) 허블 우주 망원경 발사

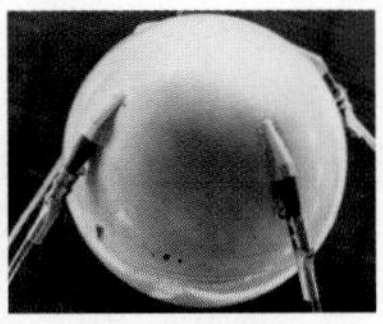
(나) 최초의 인공 위성 발사 성공

(다) 인류 최초로 달 착륙 성공

(가) ~ (다)를 과거부터 시간 순서대로 옳게 나열한 것은?

① (가) → (나) → (다)　② (나) → (가) → (다)
③ (나) → (다) → (가)　④ (다) → (가) → (나)
⑤ (다) → (나) → (가)

문제 해결 Point

가이드 우주 탐사의 역사와 성과에 대해서 시대별 대표적인 사례를 알고 있어야 한다.

해결 Point 우주 탐사의 시작은 1957년 최초의 인공위성인 스푸트니크 1호 발사에 성공하면서부터이고, 그 후 1969년에는 유인 탐사선인 아폴로 11호가 달 착륙에 성공하였다. 달 탐사가 주로 이루어졌던 1960년대와는 달리 1970년대에는 행성 탐사가 주로 이루어졌다.
1990년에는 허블 우주 망원경을 발사하면서 더욱 선명한 우주 사진이나 정보를 얻을 수 있었고, 2012년에는 탐사 로봇인 큐리오시티가 화성에 착륙하여 화성 표면을 탐사하고 있다.

오개념 주의 우주 탐사의 시작은 최초의 인공위성 발사 성공에 있지만, 인류가 최초로 지구 바깥 천체에 도착한 곳은 달이었다.

2-2

우주 탐사의 역사와 성과에 대한 설명으로 옳은 것을 보기 에서 모두 고른 것은?

보기
ㄱ. 1957년에 최초로 인공위성 발사가 성공하면서 우주 탐사가 시작되었다.
ㄴ. 1990년대는 달 탐사가 주로 이루어졌다.
ㄷ. 2000년에 인류는 최초로 달 착륙에 성공하였다.
ㄹ. 2012년에 탐사 로봇이 화성에 착륙하였다.

① ㄱ, ㄴ　② ㄱ, ㄹ　③ ㄴ, ㄷ
④ ㄱ, ㄷ, ㄹ　⑤ ㄴ, ㄷ, ㄹ

2-3

다음은 우주 탐사의 역사를 나타낸 것이다.

1969년 아폴로 11호가 ㉠(　　)에 착륙했다.	2012년 탐사 로봇 큐리오시티가 ㉡(　　)에 착륙했다.	2015년 탐사선 뉴호라이즌스호가 ㉢(　　)에 근접 통과하였다.

㉠, ㉡, ㉢에 들어갈 천체의 이름을 쓰시오.

Hint 우주 탐사의 대상은 달 → 행성 → 소행성, 혜성 등의 다양한 천체로 확대되었다.

과학 기술과 인류 문명

주제 1 과학 기술과 인류 문명의 관계

인류가 발견한 과학 원리는 인류가 합리적이고 실험적인 방법을 중요하게 생각하도록 하여 인류 문명이 발달하는 데 큰 역할을 하였다.

중요 개념

● 인류 문명* 발달에 영향을 미친 과학 원리
- 불의 이용, 태양 중심설, 세포의 발견, 만유인력 법칙, 전자기 유도 법칙 등

● 인류 문명 발달에 영향을 미친 과학 기술
- 금속 활자: 인쇄술 전파로 책의 대량 생산 ➡ 인류는 다양한 지식 획득 가능해짐
- ❶(ㅈㄱ ㄱㄱ)의 발명: 제품의 대량 생산 가능 ➡ 인류의 삶이 편리해짐
- 항해술: 먼 대륙 간의 교역 가능 ➡ 인류의 생활 수준이 향상됨
- ❷(ㅂㅅ)의 개발 ➡ 질병의 예방, 인류의 수명 연장
- 암모니아 합성법으로 질소 비료 개발 ➡ 식량 생산 증대
- 첨단 과학 기술 ➡ 사물 인터넷(IoT), 인공 지능(AI)의 발달

Tip

금속 활자로 인해 가장 크게 변한 것
➡ 대량 생산된 책을 통해 보급된 다양한 지식으로 인하여 신 중심의 사회에서 인간 중심의 사회로 변하게 되었다.

답 ❶ 증기 기관 ❷ 백신

개념 원리 확인

정답과 해설 30쪽

백신과 항생제는
질병을 예방하고
치료하는 역할을 해.

1-1

다음은 인류 문명에 영향을 미친 과학 기술 중 의료 분야에 대해 두 학생이 나눈 대화이다. 빈칸에 알맞은 말을 쓰시오.

인류의 수명을 늘리는 과학 기술에는 어떤 것이 있을까?
(   )이 개발되면서 질병을 예방할 수 있게 되었고, 항생제의 개발로 질병을 치료할 수 있게 되었어.
지나
태영

인류 문명의 발달에
영향을 미친 과학 기술은
농업, 교통, 인쇄, 의료,
정보 통신 분야에 모두
있어.

1-2

인류 문명의 발달에 영향을 미친 과학 기술 분야와 그 예를 옳게 연결하시오.

(1) 교통 분야 •　　　　　　• ㉠ 암모니아 합성법, 질소 비료

(2) 농업 분야 •　　　　　　• ㉡ 금속 활자, 인쇄술

(3) 인쇄 분야 •　　　　　　• ㉢ 증기 기관, 항해술

1-3

다음 설명의 빈칸에 공통으로 들어갈 말을 쓰시오.

> 1665년 로버트 훅은 자신이 직접 만든 현미경으로 (   )를 발견하였으며, 이를 통해 생물체를 작은 (   )가 모여 이루어진 존재로 인식하게 되면서 생물에 대한 인식에 변화가 생기게 되었다.

용어 풀이

* **문명**(文 글월, 明 밝다): 사회의 여러 가지 기술적, 물질적인 측면의 발전에 의해 인간 생활이 발전된 상태

주제 2 우리 생활과 과학

과학 기술을 활용한 공학적 설계로 미래 사회를 살아가는 데 있어서 우리 생활을 편리하게 만들 수 있다.

중요 개념

- **미래 사회에 활용할 수 있는 기술** 나노 기술, 생명 공학 기술, 정보 통신 기술 등
  - ❶(ㄴㄴ ㄱㅅ): 나노미터 크기의 작은 물질을 이용하는 기술 ➡ 제품의 소형화, *경량화가 가능해짐
  - 생명 공학 기술: 생물체를 인위적으로 조작하여 이용하는 기술 ➡ 식량 문제 해결, 의약품 개발, 질병 치료 등
  - 생체 모방 기술: 생체 모방에 첨단 과학 기술을 결합하여 새 제품을 생산하는 기술
  - 정보 통신 기술: 다양한 전자 기기 개발, 사물을 인터넷으로 연결하는 ❷(ㅅㅁ) 인터넷
- **인류 생활을 편리하게 하는 제품**
  ➡ 스마트폰, 노트북 컴퓨터, 디지털 카메라, 자율 주행 자동차, 3D 프린터 등
- **공학적 설계** 새로운 제품이나 시스템을 개발하거나 기존 제품을 개선하는 창의적인 설계 과정

Tip

공학적 설계의 의의
➡ 과학 원리나 기술을 바탕으로 기존의 제품을 개선하거나 새로운 제품이나 시스템을 개발하여 평가를 통해 설계 과정을 반복하면서 가장 적합한 결과물을 만들어 낸다.

답 ❶ 나노 기술 ❷ 사물

개념 원리 확인

생체 모방 기술도 생명 과학 기술의 하나야.

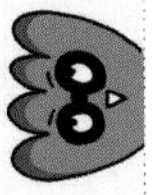

2-1

다음은 어떤 첨단 과학 기술에 대한 설명인지 쓰시오.

> 생물체의 특성과 기능을 모방하여 여러 가지 유용한 물건을 만드는 기술로, 최근에는 첨단 과학 기술을 결합하여 새로운 제품을 만들고 있다. 예를 들어 홍합을 모방한 의료용 접착제, 상어 비늘을 모방한 수영복이 이 기술을 활용하여 만든 것이다.

( )

나노 기술, 생명 공학 기술, 정보 통신 기술은 현재 많은 발전이 이루어지면서 미래 사회에 활용할 수 있는 기술이야.

2-2

다음은 미래 사회에 더욱 활용할 수 있는 기술에 대한 설명이다. ( ) 안에서 알맞은 말을 고르시오.

(1) 나노미터 크기의 작은 물질을 활용하는 기술은 (메가 기술 / 나노 기술)이다.

(2) (생명 공학 기술 / 정보 통신 기술)로 식량 문제 해결, 의약품 생산, 질병 치료가 가능하다.

(3) 다양한 전자 기기와 사물 인터넷은 (정보 통신 기술 / 생체 모방 기술)로 개발된 것이다.

4주 5일

2-3

다음은 공학적 설계에 대해 두 학생이 나눈 대화이다. 옳게 말한 학생을 쓰시오.

( )

과학 원리나 과학 기술을 활용해서 새로운 제품을 만들거나 기존 제품을 개선하는 창의적 설계 과정이야.
과학적 설계도가 적용되어 결과물은 한 번에 완성돼.
수연
철수

용어 풀이

* **경량화**(輕 가볍다, 量 헤아리다, 化 되다): 가볍게 되는 과정

4주 5일 기초 집중 연습

대표 기출문제 주제 1 과학 기술과 인류 문명의 관계

1-1

그림은 증기 기관이 증기 기관차에서 이용되는 모습을 나타낸 것이다.

증기 기관에 대한 설명으로 옳은 것을 보기 에서 모두 고른 것은?

보기
ㄱ. 제품의 생산량을 획기적으로 늘렸다.
ㄴ. 농업 사회를 산업 사회로 변화시키는 원동력이 되었다.
ㄷ. 산업 혁명 이전부터 여러 분야에서 이용되고 있었다.
ㄹ. 증기 기관은 사람이나 동물의 힘에 의한 생산을 획기적으로 늘렸다.

① ㄱ, ㄴ ② ㄴ, ㄹ ③ ㄷ, ㄹ
④ ㄱ, ㄷ, ㄹ ⑤ ㄴ, ㄷ, ㄹ

문제 해결 Point

가이드 | 증기 기관이 만들어진 계기와 이용되는 방법, 그 의미를 알고 있어야 한다.

해결 Point | 증기 기관은 증기가 가진 열에너지를 운동 에너지로 변환하는 장치이다. 산업 혁명을 통해 증기 기관을 이용한 기계를 사용하게 되면서 제품을 대량 생산하게 되어, 인류의 삶이 편리해졌다. 특히, 농업 중심 사회에서 공업과 제조업이 발달되는 사회로 변하게 되었다.

오개념 주의 | 증기 기관은 산업 혁명 이후부터 사용되었다.

1-2

다음은 인류 문명 발달에 영향을 미친 과학 원리에 대해 두 학생이 나눈 대화이다. 옳게 말한 학생을 쓰시오.

지구 중심설은 태양이 우주 중심이라고 생각했던 중세의 우주관을 바뀌게 했어.
현미경을 이용한 세포의 발견으로 인해서 생물체를 인식하는 관점이 바뀌었어.
민수
지나

1-3

그림은 금속 활자의 모습이다.

이에 대한 설명으로 옳은 것을 보기 에서 모두 고른 것은?

보기
ㄱ. 책의 대량 생산이 가능해졌다.
ㄴ. 지식과 정보의 유통이 활발해졌다.
ㄷ. 생물체를 인식하는 관점에 변화가 생겼다.

① ㄱ ② ㄴ ③ ㄷ
④ ㄱ, ㄴ ⑤ ㄴ, ㄷ

Hint 금속 활자를 이용하여 활판 인쇄술이 전파되었다.

대표 기출문제 주제 2 우리 생활과 과학

2-1

다음 (가)~(다)는 우리 생활에 영향을 주는 첨단 과학 기술을 설명한 것이다.

(가) 생물체를 인위적으로 조작하여 이용하는 기술
(나) 나노미터 크기의 작은 물질을 이용하여 다양한 소재나 제품을 만드는 기술
(다) 다양한 전자 기기가 개발되고 사물이 통신망으로 연결되게 하는 기술

(가), (나), (다) 기술의 이름을 옳게 짝 지은 것은?

	(가)	(나)	(다)
①	나노 기술	정보 통신 기술	생명 공학 기술
②	정보 통신 기술	나노 기술	생명 공학 기술
③	정보 통신 기술	생명 공학 기술	나노 기술
④	생명 공학 기술	나노 기술	정보 통신 기술
⑤	생명 공학 기술	정보 통신 기술	나노 기술

문제 해결 Point

가이드 나노기술, 생명 공학 기술, 정보 통신 기술의 특징과 정의를 잘 알고 있어야 한다.

해결 Point 미래 사회와 우리 생활에 영향을 주는 과학 기술에는 나노 기술, 생명 공학 기술, 정보 통신 기술 등이 있다. **나노 기술**은 주로 새로운 소재를 개발하거나 제품을 만들 때 활용되고, **생명 공학 기술**은 식량 문제 해결, 유용한 의약품 개발, 질병의 치료 방법을 개발하는 데 이용한다. **정보 통신 기술**은 사물 인터넷(IoT) 등 다양한 분야에서 이용한다.

오개념 주의 생체 모방 기술도 생명 공학 기술에 포함된다.

2-2

다음에서 설명하고 있는 것은 미래 사회에서 편리한 생활을 하기 위한 창의적인 과정이다.

과학 원리나 기술을 바탕으로 기존의 제품을 개선하거나 새로운 제품을 개발하는 창의적인 과정이다. 한 번의 과정으로 완성되지 않고, 평가를 통해 설계를 반복하면서 가장 적합한 제품을 만들어 낸다.

이를 무엇이라고 하는지 쓰시오.

2-3

그림은 물질을 나노 수준으로 다룰 수 있게 되면서 개발된 그래핀이라는 새로운 물질이다. 그래핀은 투명하면서도 전기가 통하는 성질이 있고 플라스틱처럼 유연성도 가지고 있다.

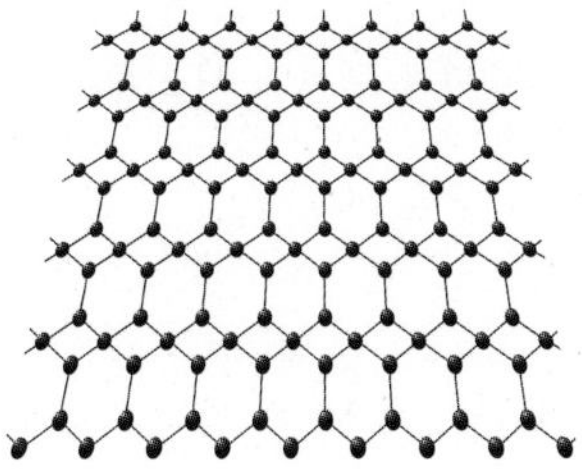

이 물질을 개발하는 데 사용된 첨단 과학 기술은 무엇인지 쓰시오.

Hint 나노미터 크기의 작은 단위의 물질이 이용된다.

누구나 100점 테스트

별의 밝기와 등급 ▶ p. 138

01 겉보기 등급과 절대 등급에 대한 설명으로 옳은 것을 보기 에서 모두 고른 것은?

보기
ㄱ. 별의 실제 밝기는 절대 등급으로 비교할 수 있다.
ㄴ. 10 pc의 거리에 있는 별은 겉보기 등급과 절대 등급이 같다.
ㄷ. 우리 눈에 보이는 별의 밝기를 기준으로 정한 별의 등급은 절대 등급이다.
ㄹ. 절대 등급은 모든 별이 5 pc의 거리에 있다고 가정했을 때의 별의 등급이다.

① ㄱ, ㄴ ② ㄴ, ㄷ ③ ㄷ, ㄹ
④ ㄱ, ㄴ, ㄹ ⑤ ㄴ, ㄷ, ㄹ

별의 색과 표면 온도 ▶ p. 140

02 그림은 별의 색이 다른 스피카, 시리우스, 아크투루스를 나타낸 것이다.

▲ 스피카(청색)

▲ 시리우스(백색)

▲ 아크투루스(주황색)

세 별의 표면 온도를 옳게 비교한 것은?

① 시리우스>스피카>아크투루스
② 시리우스>아크투루스>스피카
③ 아크투루스>스피카>시리우스
④ 스피카>시리우스>아크투루스
⑤ 스피카>아크투루스>시리우스

별의 색과 표면 온도 ▶ p. 140

03 밤하늘에 보이는 별의 색이 서로 다른 까닭을 서술하시오.

우리 은하 ▶ p. 144

04 다음은 우리은하에 대한 설명이다.

우리은하를 위에서 보면 중심부가 ㉠(   ) 모양이고, 그 주변에는 ㉡(   )이 있다. 태양계는 우리은하의 중심에서 약 ㉢(   ) kpc 떨어진 곳에 위치하고 있다.

㉠, ㉡, ㉢에 들어갈 알맞은 내용을 옳게 짝 지은 것은?

	㉠	㉡	㉢
①	나선팔	원반	3
②	원반	막대	3
③	나선팔	막대	8.5
④	막대	나선팔	8.5
⑤	막대	원반	10

성단과 성운 ▶ p. 146

05 보기 는 우리은하에 있는 여러 천체를 나타낸 것이다.

보기
ㄱ.

ㄴ.

ㄷ.

ㄹ.

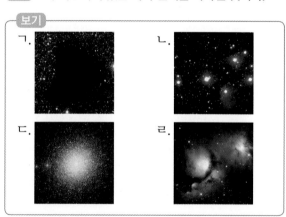

ㄱ~ㄹ 중에서 성간 물질이 모여 구름처럼 보이는 천체를 모두 고른 것은?

① ㄱ, ㄴ ② ㄱ, ㄹ ③ ㄴ, ㄷ
④ ㄴ, ㄹ ⑤ ㄷ, ㄹ

외부 은하의 분류 ▶ p. 150

06 그림은 허블의 외부 은하 분류를 나타낸 것이다.

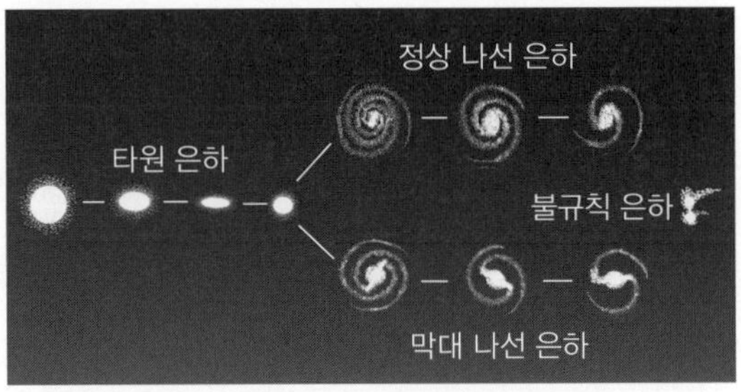

이 분류에 따르면 우리은하는 어떤 은하인가?

① 타원 은하
② 정상 나선 은하
③ 막대 나선 은하
④ 불규칙 은하
⑤ 해당되는 은하가 없다.

대폭발 우주론 ▶ p. 152

07 다음은 풍선을 이용한 실험을 나타낸 것이다.

고무 풍선의 표면에 별 모양 스티커를 붙인 다음, 고무 풍선을 크게 불었더니 별 모양 스티커 사이의 거리가 멀어졌다.

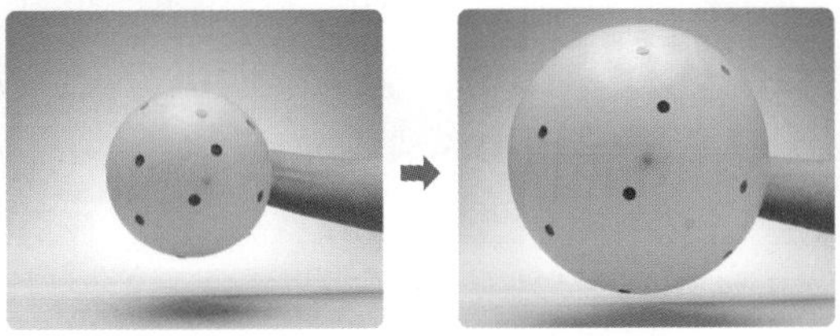

이 실험은 무엇을 알아보기 위한 것인가?

① 대폭발 우주론
② 우주 팽창 확인
③ 화산 활동의 원리
④ 지진이 일어나는 원인
⑤ 성단이 만들어지는 원리

우주 탐사 ▶ p. 156

08 우주 탐사의 목적을 2가지 서술하시오.

우주 탐사 기술의 이용 ▶ p. 156

09 우주 탐사 기술이 실생활에 사용되는 사례에 해당하지 않는 것은?

①
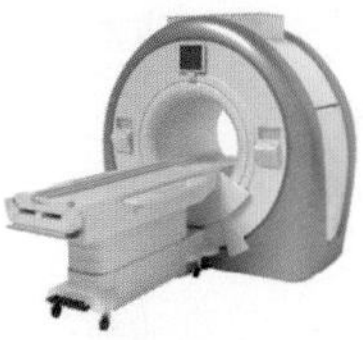

②
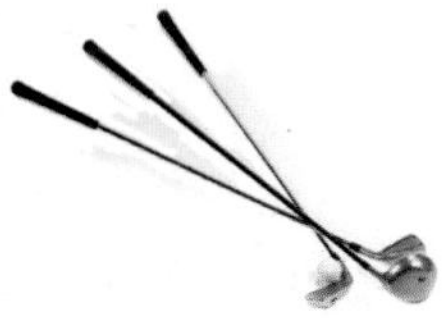

③

④

⑤

우주 탐사의 역사 ▶ p. 158

10 다음은 우주 탐사의 역사를 순서없이 나열한 것이다.

(가)
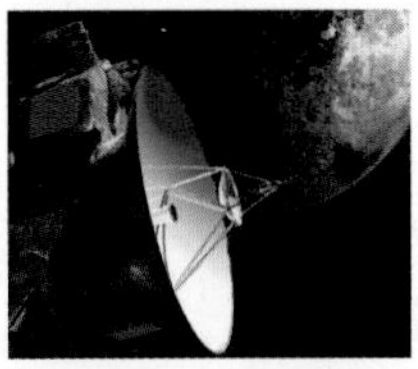
▲ 뉴호라이즌스호 명왕성 근접 통과

(나)
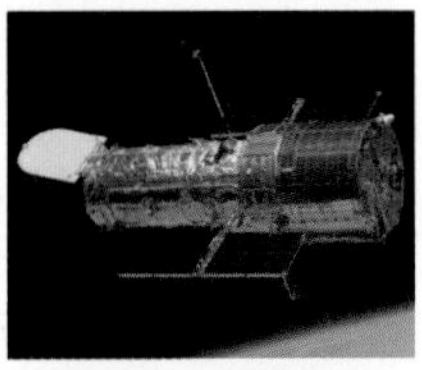
▲ 허블 우주 망원경 발사

(다)

▲ 아폴로 11호 달 착륙 성공

(라)
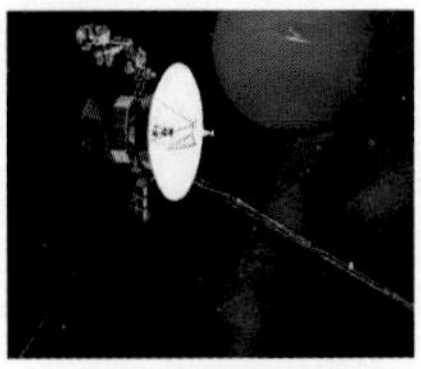
▲ 보이저 2호 해왕성 근접 통과

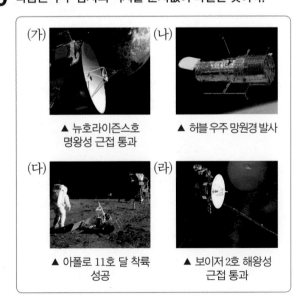

(가) ~(라)를 과거부터 시간 순서대로 나열하시오.

우주

특강 | 창의·융합·코딩

4주에 배운 개념을 그림으로 저장

별과 우주(2)

별의 밝기와 색

- 겉보기 등급: ❶ [　　] 에 보이는 별의 밝기 비교
- 절대 등급: 실제 별의 밝기 비교

- 별의 색과 표면 온도

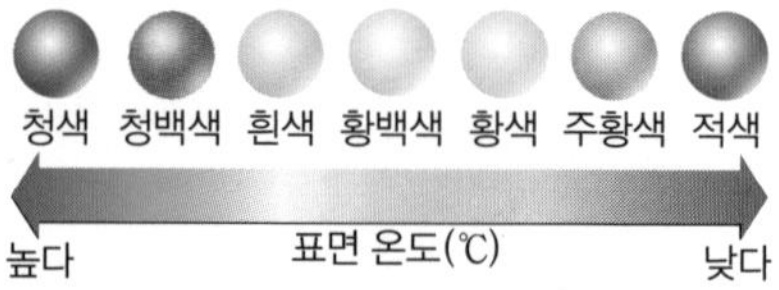

우리 은하의 구성 천체

- 우리은하: ❷ [　　] 가 속한 은하

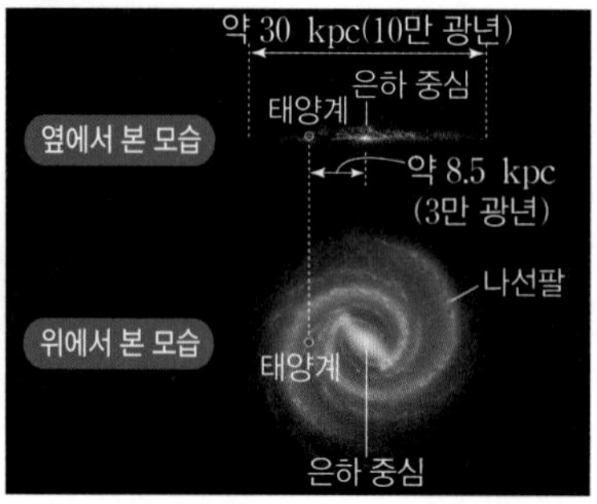

- 성단: 수많은 별들이 모여 있는 집단

▲ 산개 성단

▲ 구상 성단

- 성운: ❸ [　　] 이 모여 구름처럼 보이는 천체

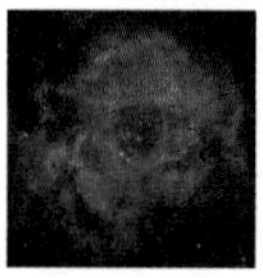
▲ 방출 성운

▲ 반사 성운

▲ 암흑 성운

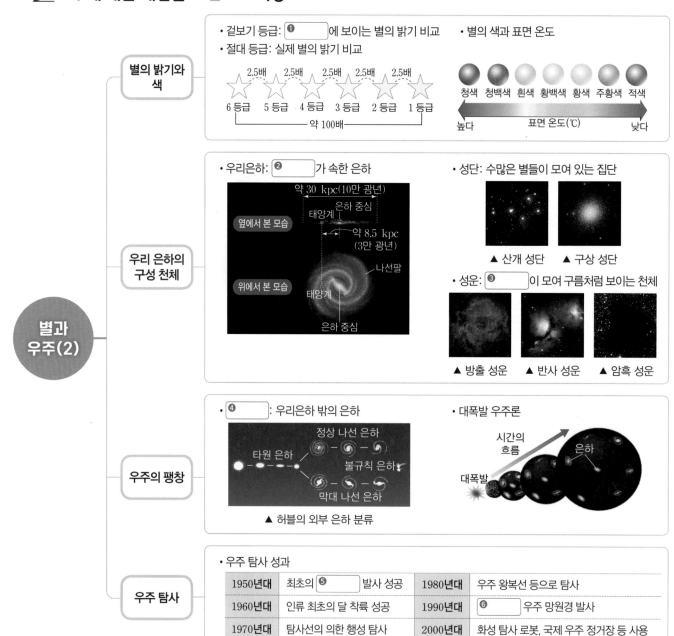

우주의 팽창

- ❹ [　　]: 우리은하 밖의 은하

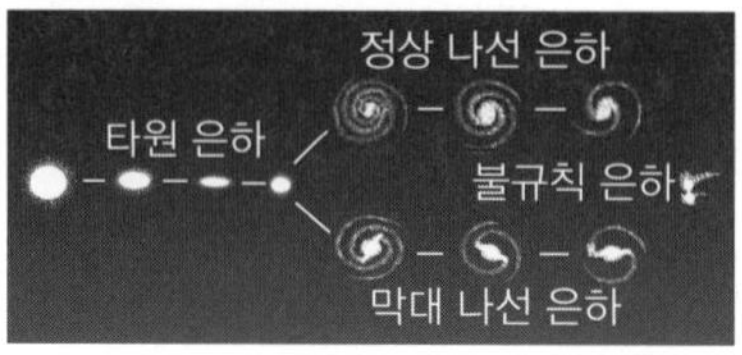

▲ 허블의 외부 은하 분류

- 대폭발 우주론

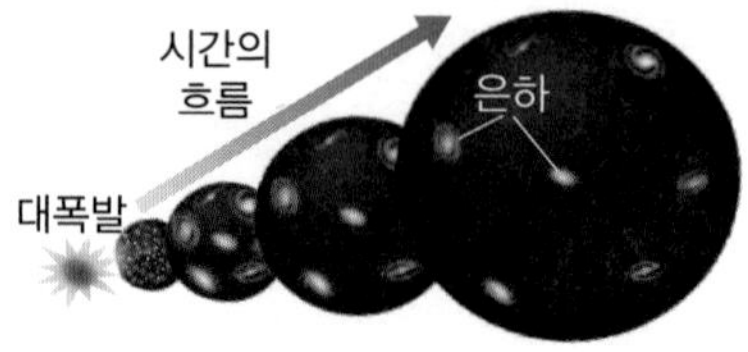

우주 탐사

- 우주 탐사 성과

1950년대	최초의 ❺ [　　] 발사 성공	1980년대	우주 왕복선 등으로 탐사
1960년대	인류 최초의 달 착륙 성공	1990년대	❻ [　　] 우주 망원경 발사
1970년대	탐사선의 의한 행성 탐사	2000년대	화성 탐사 로봇, 국제 우주 정거장 등 사용

과학 기술과 인류 문명

- 인류 문명 발달에 영향을 미친 과학 원리
  ➡ 불의 이용, ❼ [　　] 중심설, 세포의 발견, 만유인력 법칙, 전자기 유도 법칙
- 인류 문명 발달에 영향을 미친 과학 기술
  ➡ 인쇄 분야: 금속 활자 / 교통 분야: 증기 기관, 항해술 / 의료 분야: 백신, 항생제
  농업 분야: ❽ [　　] 합성법, 질소 비료 / 정보 통신 분야: 사물 인터넷

답 ❶ 눈 ❷ 태양계 ❸ 성간 물질 ❹ 외부 은하 ❺ 인공위성 ❻ 허블 ❼ 태양 ❽ 암모니아

재미있는 개념 완성 퀴즈

여왕개미가 새끼 개미를 찾아가려고 한다. O× 문제를 풀어 새끼 개미가 있는 방까지 도착하시오.

답 ❶ × ❷ ○ ❸ ○ ❹ × ❺ × ❻ ○

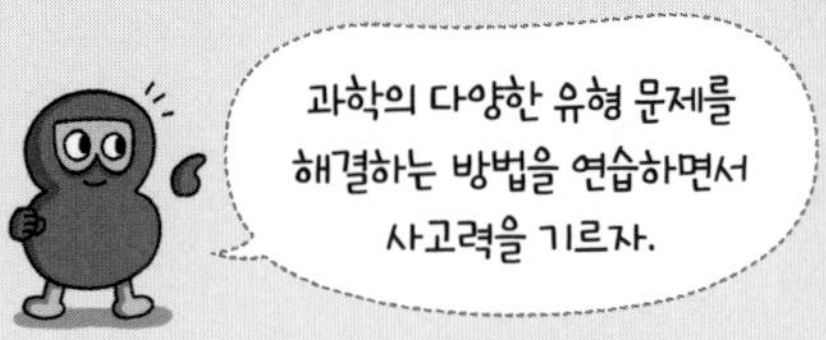

과학의 다양한 유형 문제를
해결하는 방법을 연습하면서
사고력을 기르자.

특강 | 창의·융합·코딩

1 다음은 별의 밝기와 전구의 개수에 따른 밝기 차이를 비교하여 두 학생이 나눈 대화이다.

★ 6 등성 전구 1개
★ 5 등성 전구 2.5개
★ 4 등성 전구 6.3개
★ 3 등성 전구 16개
★ 2 등성 전구 40개
★ 1 등성 전구 100개
전구의 밝기를 별의 밝기와 비교하면 어떤 차이가 날까?
전구 100개에 비유된 1 등성의 별은 전구 1개에 비유된 6 등성보다 100배 더 밝아. 그럼 전구 40개에 비유된 2 등성은 전구 16개에 비유된 3 등성보다 약 (   )가 밝다는 것을 알 수 있어.
수연
유정

유정이가 말한 내용에서 빈칸에 들어갈 말을 쓰시오.

> **문제 해결 Tip**
> 별의 등급이 작을수록 더 밝은 별이야. 그리고 1 등급 차이가 날 때마다 밝기는 약 2.5배 차이가 나지.

2 그림은 밤하늘의 별을 관측한 사진이다. 베텔게우스는 적색으로, 리겔은 청백색으로 보인다. 이렇게 두 별의 색깔이 적색, 청백색으로 다른 까닭은 무엇인지 아래의 단어를 넣어 서술하시오.

표면 온도	높은	낮은	적색	청백색

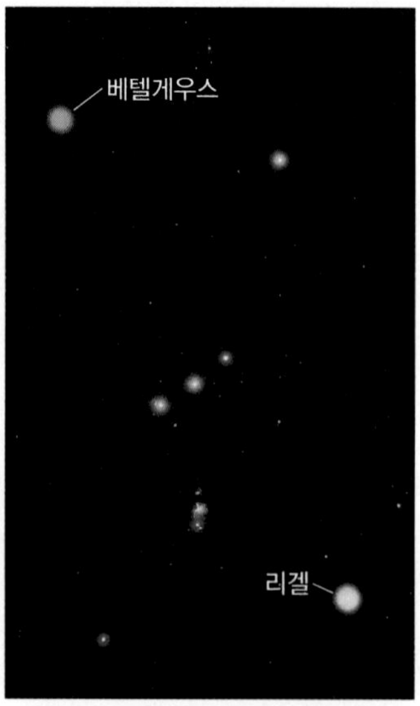

베텔게우스
리겔

> **문제 해결 Tip**
> 별의 색이 다른 이유는 별의 표면 온도가 다르기 때문이야.

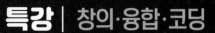

3 다음은 밤하늘의 은하수를 보며 준상이와 온유, 제노가 나눈 대화이다.

▲ 은하수

겨울철보다 여름철에 은하수가 더 뚜렷하게 보이는 까닭을 아래 단어를 포함하여 서술하시오.

우리은하	중심 방향	여름철	겨울철

문제 해결 Tip
은하수는 지구에서 본 우리은하의 일부야. 따라서 우리은하의 어느 방향을 바라보느냐에 따라서 모습이 달라질 수 있어.

4 다음은 천체 중 성운의 생성 원리를 알아보기 위한 모형실험을 나타낸 것이다.

어두운 실험실에서 향 연기를 피운 후 비커로 덮고, 손전등 앞에 셀로판 종이를 놓고 비커 옆면을 비추면서 향의 연기를 관찰하였다. 이때 셀로판 종이의 색을 달리하면 비커 안 향 연기의 색이 셀로판 종이와 같은 색을 띠었다.

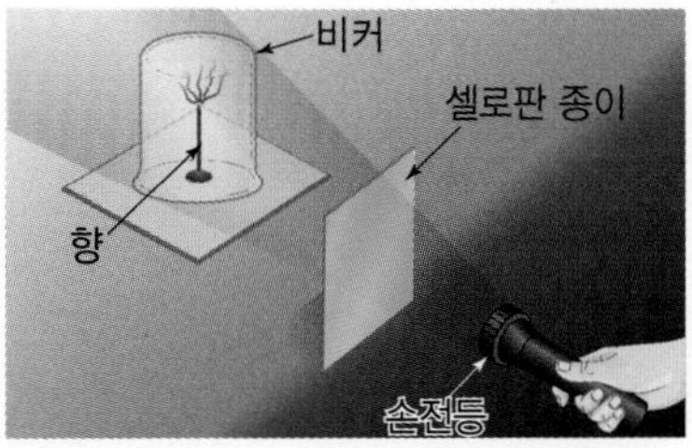

이 실험과 같은 원리로 생성되는 성운은 무엇인지 쓰시오.

문제 해결 Tip
성운은 우주 공간에 뭉쳐진 채로 존재하는 먼지 덩어리로, 성간 물질이 밀집되어 구름처럼 보여.

4주

5 그림은 다양한 형태의 외부 은하를 나타낸 것이다.

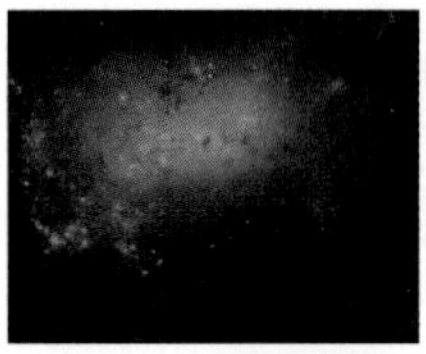
(가)

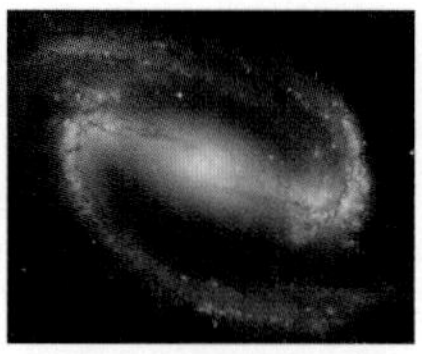
(나)

(다)

(라)

(마)

(바)

(1) (가)~(바)를 허블의 분류에 따라 구분한다면 몇 종류로 구분되는지 쓰시오.

(2) (가)~(바) 중에서 다음 설명에 해당하는 외부 은하를 골라 그 기호와 명칭을 쓰시오.

> 가운데에 막대 구조가 있고, 막대 끝에는 휘감겨 있는 나선팔이 있다.

문제 해결 Tip

허블의 은하 분류에서 나선팔을 가진 은하는 정상 나선 은하와 막대 나선 은하가 있어.

6 다음은 풍선과 붙임딱지를 이용한 실험을 나타낸 것이다. ㉠, ㉡에 알맞은 말을 쓰시오.

[과정]

풍선의 표면에 별 모양 스티커를 붙인 다음, 풍선을 크게 불어 스티커의 위치 변화를 관찰하였다.

[결과]

별 모양 스티커 사이의 거리가 멀어지는 것을 알 수 있다. 이때 별 모양 스티커를 우주의 ㉠(   )에 비유한다면, 풍선 표면이 커지는 것은 우주가 ㉡(   )하는 것에 비유할 수 있다.

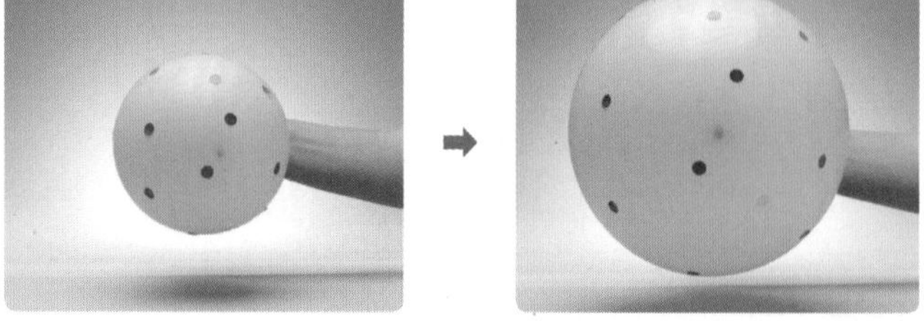

문제 해결 Tip

풍선과 붙임 딱지를 이용한 우주 팽창 모형을 이용하여 우주가 팽창하고 있음을 설명할 수 있어.

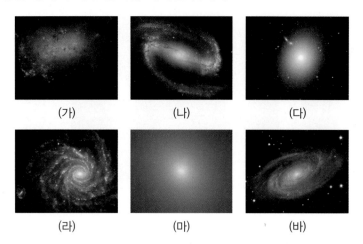

7 다음은 우주 탐사를 위해 개발한 기술을 우리 주변의 물건에 적용한 사례에 대해 세 학생이 나눈 대화이다.

옳게 설명하고 있는 학생을 쓰시오.

문제 해결 Tip
우주 탐사 준비 과정에서 얻은 첨단 과학 기술은 다양한 산업 분야와 실생활에 이용돼.

8 그림은 상어의 비늘을 모방하여 만든 수영복이다.

이처럼 생체 모방에 첨단 과학 기술을 결합하여 새로운 제품을 개발하고 있다. 이러한 과학 기술을 무엇이라고 하는지 쓰시오.

문제 해결 Tip
생물체를 모방할 때 첨단 과학 기술을 결합하여 새로운 제품을 개발해.

4주

Memo

용기를 주는
좋은 말

미래를 바꾸는 긍정의 한마디

나는 똑똑한 것이 아니라 단지 문제를 더 오래 연구할 뿐이다.

알베르트 아인슈타인(Albert Einstein)

어떤 목표를 이루려 할 때 가장 중요한 것은 무엇이라고 생각하나요? 천부적인 재능, 타이밍, 조력자의 도움… 다양한 것들이 있지만 가장 중요한 것은 바로 '노력'입니다. 우리가 흔히 천재라고 생각하는 아인슈타인과 에디슨, 빌 게이츠와 같은 사람들도 수많은 실수를 하였지만 포기하지 않고 끊임없이 노력한 끝에 목표를 이룰 수 있었단 것을 잊지 마세요.

포기하지 않는 마음, 성취의 첫걸음입니다.

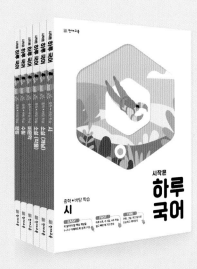

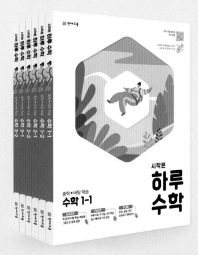

천재교육

정답과 해설

중학★바탕 학습

과학 3-2

시작은

하루 과학

정답과 해설 포인트

- 혼자서도 쉽게 이해할 수 있는 친절한 해설
- 오답을 피하는 방법 수록
- 해설을 보면서 다시 한번 개념 확인

3-2

하루 과학

정답과 해설

정답과 해설

1주

1일 염색체

개념 원리 확인 p.13, 15

1-1 염색체 **1-2** 염색 분체 **1-3** (1) A: DNA, B: 단백질 (2) A
2-1 (1) ㉡ (2) ㉠ (3) ㉢ **2-2** (1) A, D (2) B, C
2-3 남자

해설

1-1 염색체가 처음 발견될 때 염료에 의해 '염색된 물체'라는 의미로 염색체라는 이름을 얻게 되었다. 염색체는 세포가 분열하지 않을 때는 핵 속에 가는 실처럼 풀어져 있다가 세포가 분열하기 시작하면 굵고 짧게 뭉쳐져 막대 모양으로 나타난다.

1-2 세포가 분열하기 전 DNA가 복제되므로 세포 분열이 시작될 때 염색체는 두 가닥의 염색 분체가 된다. 이때 염색 분체의 유전 정보는 서로 같으며, 세포가 분열하면서 두 가닥의 염색 분체는 각각 2개의 세포로 나뉘어 들어간다.

1-3 염색체는 유전 물질인 DNA(A)와 단백질(B)로 구성되며, 생물의 특징을 결정하는 여러 유전 정보는 DNA에 저장된다.

2-1 사람의 염색체는 46개로 23쌍의 상동 염색체가 존재한다. 그중 남녀 공통으로 가지는 염색체를 상염색체(22쌍)라고 하고, 남녀에 따라 다르게 나타나는 염색체를 성염색체(1쌍)라고 한다.

2-2 상동 염색체는 부모로부터 각각 하나씩 물려받은 것으로, 유전자 구성이 다르다. 염색 분체는 DNA가 복제되어 형성된 것으로, 유전자 구성이 같으며 두 가닥이 잘록한 부위(동원체)에 의해 서로 연결되어 있다.

자료 분석+ 염색체

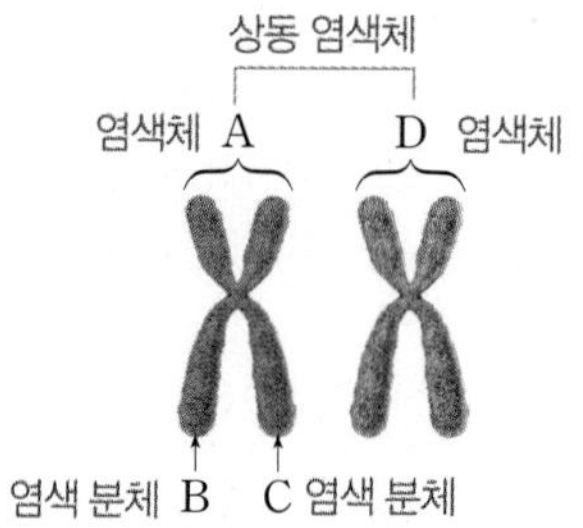

- 염색 분체: 세포가 분열하기 전 DNA가 복제되어 세포 분열이 시작될 때 염색체는 두 가닥의 염색 분체로 된다. 염색 분체는 한쪽의 DNA가 복제되어 만들어진 것이므로 유전 정보가 서로 같다.
- 상동 염색체: 체세포에서 쌍을 이루고 있는 크기와 모양이 같은 2개의 염색체이다. 하나는 어머니에게서, 다른 하나는 아버지에게서 물려받은 것이므로 유전 정보가 서로 같지 않다.

2-3 성염색체가 XY이므로 성별은 남자이다.

자료 분석+ 사람의 염색체

- 1번~22번 염색체 : 남녀에게 공통적으로 들어 있는 염색체 ➡ 상염색체
- 남자의 성염색체 구성은 XY이고, 여자의 성염색체 구성은 XX이다. 그림은 어머니에게서 성염색체 X를, 아버지에게서 성염색체 Y를 물려받아 성염색체 구성이 XY인 남자이다.
- 염색체 구성 ┌ 남자: 44개+XY=46개
  └ 여자: 44개+XX=46개

1일 기초 집중 연습 p.16~17

1-1 ④ **1-2** (1) DNA (2) 같다. **1-3** 염색체
2-1 ① **2-2** 해설 참조 **2-3** (1) 6개 (2) 4개 (3) 성염색체

해설

1-1 (가)는 분열하는 세포에서 관찰되는 염색체이다. 염색체는 세포가 분열하지 않을 때에는 핵 속에 가는 실처

럼 풀어져 있다가 세포 분열 전기에 굵고 짧게 뭉쳐져 막대 모양으로 나타나며, DNA와 단백질로 구성된다. DNA에는 생물의 특징에 대한 유전 정보가 담겨 있다. 염색체의 수는 생물종에 따라 고유하므로 같은 종인 생물의 세포 핵에는 동일한 개수의 염색체가 들어 있다.

오답 풀이 ㄱ. 염색체는 DNA와 단백질로 구성된다.
ㄷ. 하나의 염색체를 이루는 두 염색 분체는 세포가 분열하기 전에 DNA가 복제되어 형성된 것이므로 유전 정보가 서로 같다.

1-2 염색체를 구성하는 물질은 DNA와 단백질이다. DNA는 이중 나선 구조이며 유전자에 유전 정보를 저장한다. ㉠과 ㉡은 염색 분체로 DNA가 복제되어 형성되므로 두 가닥의 유전자 구성은 같다.

자료 분석+ 염색체

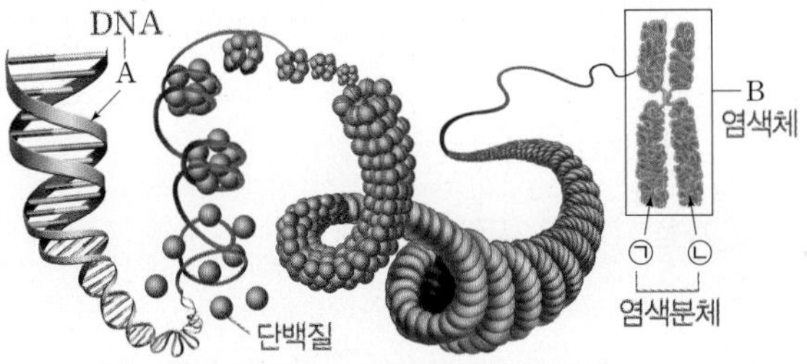

• 염색체(B): 생물체의 유전 정보를 담아 전달하는 것으로, 세포 분열 시 응축되어 막대 모양으로 나타나며 두 가닥의 염색 분체로 이루어진다. 염색체는 DNA(A)와 단백질로 구성되며, 하나의 DNA에는 많은 수의 유전자가 있다.
• 염색 분체(㉠, ㉡): 세포가 분열하기 전 DNA가 복제되어 세포 분열이 시작될 때 염색체는 두 가닥의 염색 분체로 이루어져 있다. 두 가닥의 염색 분체는 세포가 분열하면서 각각 2개의 세포로 나뉘어 들어간다.

1-3 세포가 분열할 때 관찰되는 염색체는 두 가닥의 염색 분체로 구성되어 있다.

2-1 성염색체로는 X 염색체와 Y 염색체가 있으며, 성염색체 구성이 XY이면 남자, XX이면 여자이다. 여자의 염색체는 어머니와 아버지로부터 각각 23개(22개의 상염색체＋한 개의 성염색체(X))의 염색체를 물려받아 46개이다.

오답 풀이 ㄴ. 사람의 염색체 수는 46개(상동 염색체 23쌍)로, 이중 44개(22쌍)는 남녀 공통으로 있는 상염색체이고, 나머지 2개(1쌍)는 성염색체이다.
ㄹ. 여자의 성염색체 구성은 XX로, 크기와 모양이 같은 2개의 성염색체를 가진다.

2-2 하나의 염색체를 이루는 두 염색 분체는 한쪽의 DNA가 복제되어 만들어진 것으로, 유전 정보가 서로 같다.

모범 답안 은송, 하나의 염색체를 이루는 두 염색 분체의 유전자 구성은 서로 같아.

2-3 (1), (2) 총 6개의 염색체를 가지는 세포로, 성염색체 1쌍을 제외한 4개의 염색체가 상염색체이다.
(3) ㉠과 상동인 염색체 쌍이 서로 모양과 크기가 다른 것으로 보아 이 동물은 수컷으로 염색체 구성이 XY임을 알 수 있다.

2일 체세포 분열

개념 원리 확인 p.19, 21

1-1 (1) 세포 분열 **1-2** (1) ㉠ 3 ㉡ 6 (2) B (3) B
2-1 전기－(다), 중기－(나), 후기－(라), 말기－(가)
2-2 (1) (다) (2) 생장점

해설

1-1 생장, 재생 등의 생명 현상은 세포가 분열하여 세포 수가 늘어나는 현상이다.

1-2 (2) A의 부피에 대한 표면적의 비는 3이고, B의 부피에 대한 표면적의 비는 6으로, B의 부피에 대한 표면적의 비는 A의 2배이다.
(3) 같은 시간 동안 B는 식용 색소가 중심까지 스며들었지만, A는 표면에만 식용 색소가 스며들어간 것으로 보아 B에서 물질 교환이 더 잘 일어난다고 판단할 수 있다.

2-1 체세포 분열 과정은 염색체의 행동에 따라 전기, 중기, 후기, 말기로 구분할 수 있다.

2-2 (1) 아세트올세인 용액을 떨어뜨리면 염색체가 붉게 염색되어 염색체를 뚜렷하게 관찰할 수 있다.
(2) 동물과 달리 식물은 세포 분열이 일어나는 장소가 정해져 있는데, 형성층과 생장점에서 세포 분열이 활발하게 일어난다.

자료 분석⁺ 체세포 분열 관찰 실험

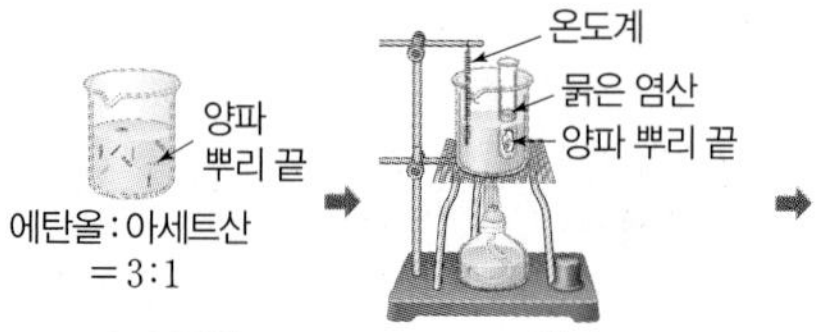

(가) 고정 (나) 해리

세포의 세포 분열이 멈추고, 살아 있을 때의 세포의 모양과 상태가 그대로 유지된다.

조직이 연해지면서 세포가 잘 분리된다.

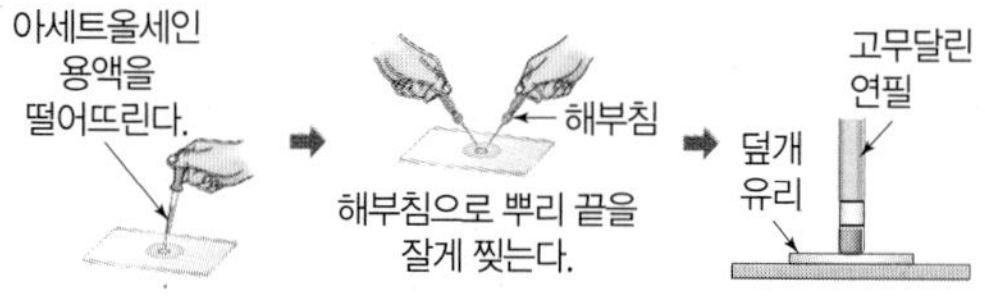

(다) 염색 (라) 분리 (마) 압착

핵과 염색체를 붉게 염색한다.

세포를 명확하게 관찰하기 위해 세포와 세포를 떼어 낸다.

한 층으로 얇게 편 후 납작하게 한다.

체세포 분열 관찰 실험은 '고정(가) → 해리(나) → 염색(다) → 분리(라) → 압착(마)' 순으로 이루어진다.

2일 기초 집중 연습 p.22~23

1-1 ③ **1-2** 표면적 **1-3** 많아지는 거야.

2-1 ② **2-2** 권율 **2-3** (1) 세포판

(2) (가) 동물 세포, (나) 식물 세포

해설

1-1 식용 색소가 우무 안까지 이동한 것은 (가)뿐이다. 이는 세포의 크기가 작을수록 물질의 교환에 더 유리하다는 것을 의미한다. 세포의 크기가 커질수록 세포의 표면적보다 세포의 부피가 증가하는 비율이 더 크기 때문에 세포막을 통한 물질 교환이 원활하지 못하게 된다. 그렇기 때문에 세포는 어느 정도 커지면 더 커지지 않고 분열하여 세포 수를 늘리는 것이다.

오답 풀이 ㄱ. 색소의 이동 속도는 (가)~(다) 모두 동일하다.

ㄴ. 부피에 대한 표면적의 비는 세포의 크기가 작을수록 커진다.

1-2 세포는 생명을 유지하기 위해 외부로부터 필요한 물질을 세포 안으로 받아들이고 세포 안의 노폐물을 밖으로 내보내야 한다. 이러한 물질 교환은 작은 세포일수록 더 유리한데 세포의 크기가 작은 것이 큰 것에 비해 부피에 대한 표면적의 비가 크기 때문에 세포에서 물질을 교환하기에 유리하다.

1-3 갓 태어난 아기가 성장해 어른이 되는 것처럼 생물이 자라는 현상을 생장이라고 한다. 세포는 어느 정도 크기가 커지면 더 이상 자라지 않고 분열하며, 생물은 세포 수를 늘려 생장한다.

2-1 A는 전기, B는 중기, C는 말기, D는 후기이다. 체세포 분열은 전기(A) → 중기(B) → 후기(D) → 말기(C)의 순서로 일어난다. 전기에서는 염색체가 나타나고, 중기에서는 염색체가 세포의 중앙에 배열하며, 후기에서는 염색 분체 두 가닥이 분리되어 각각 양극으로 끌려가고, 말기에서는 두 개의 딸핵이 생기고 세포질이 분열되기 시작한다.

자료 분석⁺ 사람의 염색체

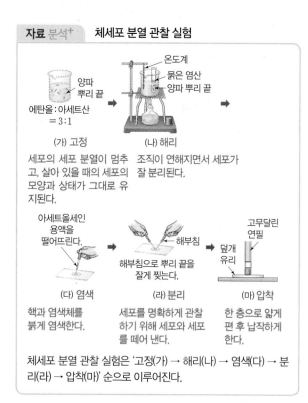

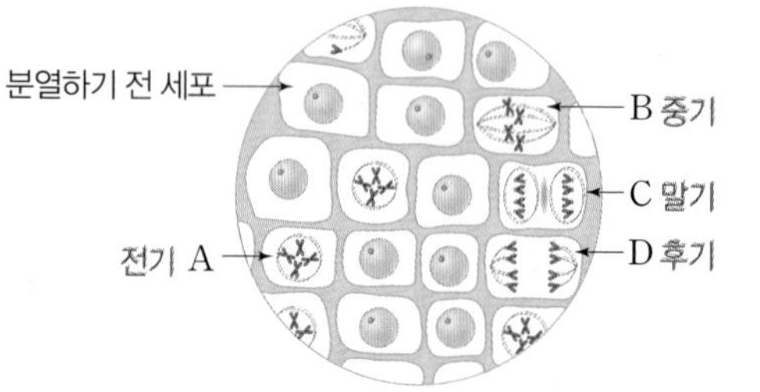

- 분열하기 전 세포: 핵막이 뚜렷하고, 염색체가 풀어져 있으며, DNA가 복제되어 2배로 된다.
- 전기(A): 핵막이 사라지고, 두 가닥의 염색 분체로 이루어진 염색체가 나타난다.
- 중기(B): 염색체를 관찰하기 가장 좋은 시기로, 염색체가 세포 중앙에 배열된다.
- 후기(D): 방추사에 의해 염색 분체가 분리되어 세포의 양쪽 끝으로 이동한다.
- 말기(C): 핵막이 나타나고 염색체가 풀어지며, 세포질 분열이 일어난다.

2-2 그림 속 세포는 체세포 분열 과정 중 후기에 해당하며, (가)와 (나)는 염색 분체이다. 후기에는 방추사에 의해 각 염색체의 염색 분체가 분리되어 세포 양쪽 끝으로 이동한다.

2-3 동물 세포(가)는 세포막이 바깥쪽에서 안쪽으로 들어가면서 세포질이 나누어진다. 식물 세포(나)는 새로운 2개의 핵 사이에 안쪽에서 바깥쪽으로 세포판(A)이 형성되어 새로운 세포벽이 되면서 세포질이 나누어진다.

3일 생식세포 분열

개념 원리 확인 p.25, 27

1-1 (1) DNA (2) 2가 염색체 (3) (나) **1-2** 23개 **1-3** 감수 1분열 중기 **2-1** (1) ㉡ (2) ㉠ **2-2** (가) 체세포 분열 (나) 생식세포 분열 **2-3** 감수 1분열

해설

1-1 생식세포가 분열하기 전 DNA가 복제되어 염색체는 두 가닥의 염색 분체로 구성된다(가). 감수 1분열 전기에는 상동 염색체가 붙어 2가 염색체를 형성하며, 2가 염색체는 4개의 염색 분체로 이루어진다. 이후 감수 1분열 후기에 상동 염색체가 분리되고 각 염색체가 2개의 딸세포로 들어가게 되어 염색체 수가 절반으로 줄어든다(나). 감수 2분열 후기에는 염색 분체가 분리되는데 이때 염색체 수는 변화가 없다(다).

자료 분석+ 생식세포 분열 과정

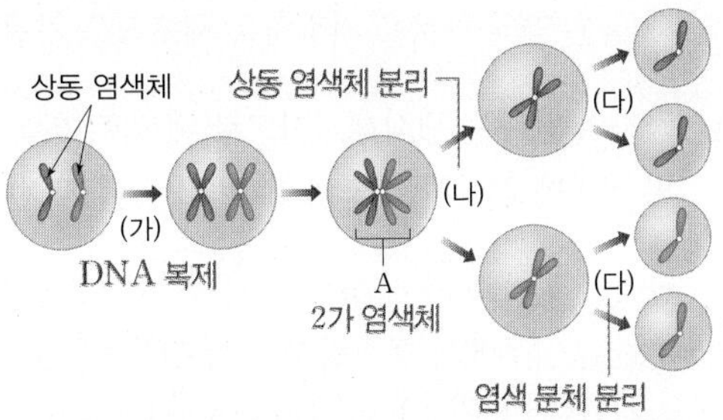

- (가): 감수 1분열 시작 전 간기에 DNA가 복제되어 염색체가 두 가닥의 염색 분체로 이루어진다.(염색체 수는 변하지 않는다.)
- (나): 감수 1분열에서 상동 염색체가 분리되어 각각의 딸세포로 들어간다. ➡ 염색체 수가 절반으로 줄어든다.
- (다): 감수 2분열에서 염색 분체가 분리되어 각각의 딸세포로 들어간다. ➡ 염색체 수가 변하지 않는다.

1-2 정자와 난자는 생식세포로, 생식세포에는 체세포 염색체 수 46개의 절반에 해당하는 23개의 염색체가 들어 있다.

1-3 상동 염색체가 접합하여 형성된 2가 염색체가 세포 중앙에 배열되어 있으므로 감수 1분열 중기이다.

2-1 (1) 1회 세포 분열의 결과 염색체 수의 변화가 없는 2개의 딸세포가 생기는 분열은 체세포 분열이다.
(2) 연속 2회 분열해서 염색체 수가 절반으로 줄어든 딸세포가 4개 생기는 분열은 생식세포 분열이다.

2-2 (가)는 상동 염색체 쌍이 존재하고 염색체가 하나씩 세포 중앙에 배열하였으므로 체세포 분열 중기이고, (나)는 2가 염색체가 세포 중앙에 배열하였으므로 감수 1분열 중기이다.

2-3 감수 1분열 후기에 상동 염색체가 분리되어 염색체 수가 절반으로 줄어든다. 감수 2분열 후기에는 염색 분체가 분리되기 때문에 염색체 수는 변하지 않는다.

3일 기초 집중 연습 p.28~29

1-1 ⑤ **1-2** ⑤ **1-3** ⑤ **2-1** ②
2-2 (1) (가) 상동 염색체, (나) 염색 분체 (2) $\frac{1}{2}$배
2-3 은송, 설희

해설

1-1 생식세포는 식물 수술의 꽃밥과 씨방, 동물의 정소와 난소에서 형성된다. 생식세포 분열은 2회 연속 분열하여 4개의 딸세포를 형성하며, 감수 1분열 과정에서 2가 염색체를 형성한다. 딸세포는 염색체 수와 DNA양이 모세포의 절반이 되며, 수정을 통해 모세포와 같은 염색체 수와 DNA양을 가지게 된다.
오답 풀이 ⑤ 감수 1분열 과정에서 상동 염색체는 무작위로 배열하여 분리되기 때문에 딸세포는 모세포와 다른 유전적 구성을 가진다. 딸세포와 모세포의 유전자 구성이 동일한 세포 분열은 염색 분체가 분리되는 체세포 분열이다.

1-2 그림은 감수 2분열 과정으로 염색체의 염색 분체가 분리된 모습이다. 염색 분체가 분리되어 2개의 딸세포에 들어가므로 DNA양은 절반이 되지만 염색체 수는 변하지 않는다. 염색 분체는 DNA가 복제되어 형성되었으므로 두 딸세포의 유전자 구성도 동일하다.

오답 풀이 ⑤ 생식세포 분열에서 염색체 수가 절반으로 줄어드는 시기는 감수 1분열 때이다.

1-3 생식세포 분열의 감수 1분열에서는 2가 염색체를 형성했다가 상동 염색체가 분리되면서 염색체 수가 절반으로 줄어든다.

2-1 (가)는 체세포 분열, (나)는 생식세포 분열 과정이다. (가)는 체세포 분열 과정으로, 1회 분열하며 분열 결과 염색체 수가 변하지 않고 2개의 딸세포가 형성된다. (나)는 생식세포 분열 과정으로, 2회 분열하며 분열 결과 염색체 수가 반으로 줄어들고 4개의 딸세포가 형성된다. 체세포 분열은 분열 결과 생장, 재생을 하며, 생식세포 분열은 생식세포를 형성한다.

오답 풀이 ② 생식세포 분열은 2회 분열하기 때문에 DNA 복제도 2회 일어날 수 있다고 오해할 수 있다. 하지만 체세포 분열이나 생식세포 분열 모두 간기 때 DNA 복제가 1회만 일어난다.

자료 분석+ 세포 분열 과정

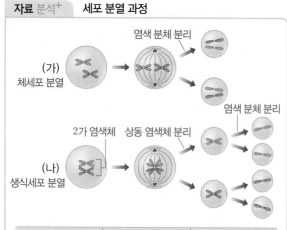

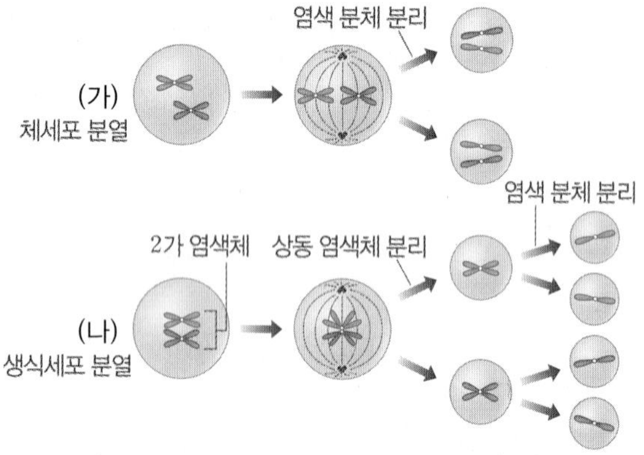

구분	체세포 분열(가)	생식세포 분열(나)
분열 횟수	1회	연속 2회
DNA 복제	1회	1회
2가 염색체	없음	형성
염색체 수 변화	변화 없음	절반으로 감소
딸세포 수	2개	4개
분열 결과	생장, 재생	생식세포 형성

2-2 감수 1분열 후기에서 상동 염색체가 분리되고, 감수 2분열 후기에서 염색 분체가 분리된다. 생식세포 분열을 거쳐 형성된 꽃가루는 생식세포로, 꽃밥을 구성하는 체세포 염색체 수의 절반에 해당하는 염색체를 가진다.

2-3 생식세포를 형성하는 생식세포 분열 과정에서 상동 염색체가 서로 분리되어 딸세포로 들어가기 때문에 염색체 수가 체세포의 절반으로 줄어든다. 염색체 수가 절반으로 줄어든 생식세포가 수정이 될 때 모세포와 같은 염색체 수가 된다.

4일 사람의 발생

개념 원리 확인 p.31, 33

1-1 (가) 정소, (나) 난소 **1-2** (가) 정자, (나) 난자
1-3 정자: 23개, 난자: 23개
2-1 배란 → 수정 → 난할 → 착상 **2-2** 난할 **2-3** 온유

해설

1-1 (가)는 남자의 생식 기관, (나)는 여자의 생식 기관으로 (가)에서 생식세포 분열이 일어나 생식세포가 형성되는 곳은 정소, (나)에서 생식세포 분열이 일어나 생식세포가 형성되는 곳은 난소이다.

1-2 정자(가)는 세포질이 거의 없고 핵이 거의 대부분을 차지하는 머리와 움직일 수 있는 꼬리를 가진다. 난자(나)는 수정란의 발생 과정에 필요한 에너지를 제공하기 위해 많은 양의 양분을 저장하는 세포질을 가진다.

1-3 정자와 난자는 생식세포이므로 체세포 염색체 수 46개의 절반에 해당하는 염색체 수(23개)를 가진다.

2-1 난자가 난소에서 생성된 후 수란관으로 나오면(배란) 수란관 입구에서 정자와 만나 수정이 일어난다. 수정된 수정란은 난할 과정을 거쳐 자궁으로 들어가는데, 자궁 내벽에 파고들어 착상이 될 때 임신이 되었다고 한다.

2-2 수정란은 2세포기, 4세포기, 8세포기 등을 거쳐 포배 상태에 이르는데, 이처럼 수정란의 초기 세포 분열 과정을 난할이라고 한다.

2-3 난할 과정에서 분열된 딸세포는 생장기가 거의 없기 때문에 세포 하나하나의 크기는 점점 작아진다. 따라서 세포 수가 늘어나더라도 배아의 전체 크기는 수정란과 비슷하다.

4일 기초 집중 연습 p.34~35

1-1 ④ **1-2** ② **1-3** ④ **2-1** ③
2-2 ④ **2-3** ③

해설

1-1 (가)는 정자, (나)는 난자이다. 정자는 정소에서, 난자는 난소에서 생식세포 분열 과정을 거쳐 만들어진다. 정자는 꼬리가 있어 스스로 운동할 수 있고, 난자는 발생에 필요한 양분을 저장하기 때문에 세포질이 발달되어 있다. 정자와 난자는 생식세포이므로 체세포 염색체 수의 절반인 23개의 염색체가 각각의 핵 속에 들어 있다.
오답 풀이 ④ 정자와 난자의 수정 장소는 자궁이 아니라 수란관이다.

1-2 A는 난소, B는 수란관, C는 자궁, D는 질이다. 생식세포 분열은 난소(A)에서 일어나고, 수란관(B) 입구에서 수정이 일어난다. 착상은 자궁(C)에서 일어난다.

1-3 수정을 통해 정자와 난자의 핵이 결합하면 수정란의 핵 속에 들어 있는 염색체 수는 46개가 된다.

2-1 수정란의 초기 세포 분열 과정을 난할이라고 한다. 난할은 체세포 분열 과정으로 모세포와 동일한 유전 정보를 가진 딸세포가 형성된다. 세포의 생장기가 매우 짧거나 거의 없기 때문에 난할이 진행될수록 세포 수는 늘어나지만 세포 각각의 크기는 작아지고 배아의 전체적인 크기는 수정란과 비슷하다.
오답 풀이 ㄴ, ㄷ. 난할은 체세포 분열이므로 분열 결과 생긴 딸세포의 염색체 수와 유전 정보는 모세포와 동일하다

2-2 오답 풀이 ④ 난할 과정에서 딸세포의 생장기가 거의 없기 때문에 세포 하나의 크기는 점점 작아지므로 세포 수가 늘어나더라도 배아 전체의 크기는 수정란과 비슷하다.

2-3 난소에서는 수란관으로 난자가 배출되는 배란이 일어난다. 수란관에서는 난자와 정자가 만나 수정이 이루어져 수정란이 된다. 수정란은 난할을 하여 세포 수를 늘리며 자궁으로 이동하고, 수정된지 5 ~ 7일 후에는 속이 빈 공 모양의 세포 덩어리인 포배가 되어 자궁 안쪽 벽에 파고들어 착상한다. 착상 이후 태아와 모체를 연결하는 태반이 형성되고, 태반을 통해 영양소를 공급받고 노폐물을 내보내면서 태아로 자란다.

5일 유전

개념 원리 확인 p.37, 39

1-1 ㉠ 유전자형 ㉡ 표현형 **1-2** ⑤
1-3 (1) ㉠ (2) ㉣ (3) ㉡ (4) ㉢ (5) ㉥ (6) ㉤
2-1 ㄱ, ㄴ, ㄷ **2-2** (가) 타가 수분, (나) 자가 수분
2-3 순종

해설

1-1 유전자의 구성을 알파벳 기호로 나타낸 것을 유전자형, 유전자 구성에 따라 겉으로 드러나는 형질을 표현형이라고 한다.

1-2 오답 풀이 ⑤ 보조개와 쌍꺼풀은 하나의 형질이 아니고 2개의 형질이다. 보조개 있음의 대립 형질은 보조개 없음이고, 쌍꺼풀 있음의 대립 형질은 쌍꺼풀 없음이다.

2-1 오답 풀이 ㄹ. 완두는 씨를 뿌려 다음 세대를 얻기까지 걸리는 시간이 짧다.

2-2 (가)는 타가 수분으로, 수술의 꽃가루가 다른 그루의 꽃에 있는 암술에 붙는 현상이고, (나)는 자가 수분으로, 수술의 꽃가루가 같은 그루의 꽃에 있는 암술에 붙는 현상이다.

2-3 대립 형질이 뚜렷한 개체를 따로 심은 후 여러 세대에 걸쳐 자가 수분을 하면 항상 같은 형질만 나타내는 개체를 얻을 수 있는데, 멘델은 이를 순종이라고 하였다.

5일 기초 집중 연습 p.40~41

1-1 ③ **1-2** ㉠ 형질 ㉡ 유전 **1-3** ⑤
2-1 ④ **2-2** 타가 수분 **2-3** 타가 수분

해설

1-1 부모의 형질이 자손에게 전달되는 현상을 유전이라고 한다. 생물 고유의 모양, 색깔, 크기, 성질 등을 형질이

라고 한다. 대립 형질이란 하나의 형질에 대하여 서로 뚜렷하게 구별되는 형질을 말한다. 유전자 구성에 따라 겉으로 드러나는 형질을 표현형(예 둥근 것, 주름진 것)이라고 하며, 대립유전자 구성을 기호로 나타낸 것을 유전자형(예 RR, rr)이라고 한다.

오답 풀이 ③ 둥근 완두는 모양, 황색 완두는 색깔을 나타내는 형질로 하나의 형질이 아니라 2개의 형질에 해당한다. 따라서 둥근 완두와 황색 완두는 서로 대립 형질이라고 할 수 없다.

1-2 생물이 가지는 고유한 특징을 형질이라고 하며, 형질이 부모에서 자손으로 전달되는 현상을 유전이라고 한다.

1-3 한 형질을 나타내는 유전자 구성이 동일한 개체를 순종, 유전자 구성이 서로 다른 개체를 잡종이라고 한다.

2-1 완두는 재배하기 쉽고 한 세대가 짧아 결과를 빨리 확인할 수 있으며, 자손의 수가 많아서 통계 처리가 용이하다. 또한 대립 형질이 뚜렷해서 교배 결과를 명확하게 해석할 수 있다.

오답 풀이 ㄹ. 완두는 자가 수분과 타가 수분이 모두 가능하기 때문에 인위적인 교배 실험을 하기에 적절하다.

2-2 자가 수분은 유전자 구성이 같은 개체끼리 교배하는 것이고, 타가 수분은 유전자 구성이 다른 개체끼리 교배하는 것이다.

2-3 서로 다른 개체의 꽃가루를 암술머리에 묻혀 수분을 시킨 것이므로 타가 수분에 해당한다.

누구나 100점 테스트 p.42~43

01 ②	**02** ㄷ	**03** 유미	**04** ⑤
05 ③	**06** ⑤	**07** ②	**08** ④
09 ⑤	**10** ③		

해설

01 ㉠, ㉡은 염색 분체, (가)는 DNA, (나)는 단백질이다.

오답 풀이 ② ㉠, ㉡은 DNA가 복제되어 형성된 염색 분체이다.

02 오답 풀이 ㄱ. 사람의 염색체는 23쌍(46개)으로, 상염색체는 22쌍(44개)이고 성염색체는 1쌍(2개)이다.

ㄴ. 남자의 성염색체 구성은 XY이다.

03 세포의 부피에 대한 표면적의 비가 커야 물질 교환에 유리한데 세포가 커지면 표면적이 커지는 비율이 부피가 커지는 비율보다 작아 물질 교환에 불리해진다. 그렇기 때문에 물질 교환이 효율적으로 일어나려면 세포가 분열하여 세포의 수가 늘어나는 것이 더 유리하다.

04 그림은 방추사에 의해 염색 분체가 분리되어 세포의 양쪽 끝으로 이동하는 장면으로, 체세포 분열 후기에 해당한다.

05 감수 1분열 전 간기에 DNA가 복제되며, 감수 1분열과 감수 2분열 사이에는 간기가 없어 DNA가 복제되지 않는다.

오답 풀이 ③ 생식세포 분열 과정 중 DNA 복제는 한 번 일어난다.

06 (가)는 체세포 분열, (나)는 생식세포 분열이다.

오답 풀이 ⑤ 체세포 분열은 1회, 생식세포 분열은 연속 2회 분열한다.

07 (가)는 정자, (나)는 난자로, 정자와 난자는 생식세포이므로 체세포 염색체 수의 절반에 해당하는 23개의 염색체를 가진다.

오답 풀이 ㄱ. 정자와 난자는 생식세포 분열 과정을 거쳐 형성된다.

ㄹ. 정자는 정소에서, 난자는 난소에서 형성된다.

08 오답 풀이 ④ (다)는 난할 과정으로, 난할은 체세포 분열 과정이므로 딸세포의 염색체 수는 46개로 변하지 않는다.

자료 분석+ 배란에서 착상까지의 과정

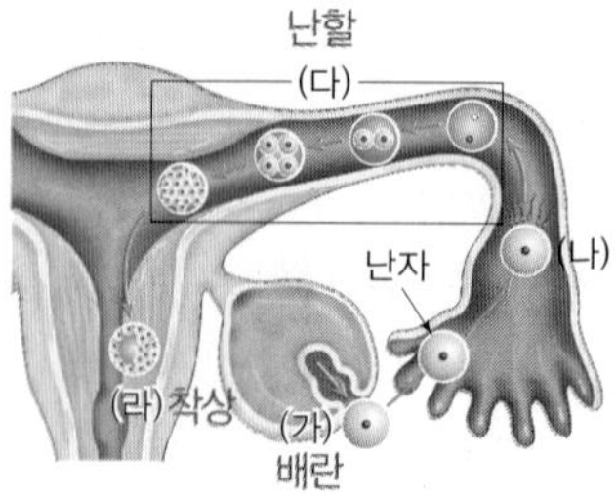

- (가) 배란: 난소에서 수란관으로 난자가 배출되는 배란이 일어난다.
- (나) 수정: 수란관에서 난자와 정자가 만나 수정이 이루어진다.
- (다) 난할: 수정란은 난할을 거듭하여 세포 수를 늘리며 자궁으로 이동한다.
- (라) 착상: 수정된지 5 ~ 7일 후에는 속이 빈 공 모양의 세포 덩어리인 포배가 되어 자궁 안쪽 벽에 파고들어 착상한다.
  ➡ 이때부터 임신되었다고 한다.

09 표현형은 겉으로 드러나는 형질(예 둥근 것, 주름진 것)이고, 유전자형은 대립유전자 구성을 기호로 나타낸 것(예 RR, rr)이다.

오답 풀이 ㄱ. 둥글다, 주름지다는 표현형을 나타낸 것이다.

10 AA, BB, rr, yy는 순종으로, 순종은 한 가지 형질을 나타내는 유전자 구성이 같은 개체이다.

오답 풀이 ③ Rr은 잡종으로, 한 가지 형질을 나타내는 유전자의 구성이 다른 개체이다.

특강 | 창의, 융합, 코딩

p.46~49

1 (1) ㉠ 22 ㉡ 1 (2) 부모로부터 각각 하나씩 받았기 때문이다. (3) 여자 (4) XX **2** 해설 참조 **3** (1) 해설 참조 (2) 염색체 **4** 염색 분체 **5** 2가 염색체 **6** 은혜, 예준 **7** (1) D, 착상 (2) C → B → A → D **8** 해설 참조

해설

1 사람의 체세포에는 46개(상동 염색체 23쌍)의 염색체가 있다. 상동 염색체는 체세포에서 쌍을 이루고 있는 크기와 모양이 같은 2개의 염색체로 하나는 어머니에게서, 하나는 아버지에게서 물려 받은 것이다.

2 세포의 크기가 커질수록 세포의 표면적보다 세포의 부피가 증가하는 비율이 더 크기 때문에 세포막을 통한 물질 교환이 원활하지 못하게 된다. 따라서 세포는 어느 정도 커지면 더 이상 커지지 않고 분열하여 세포 수를 늘려 효율적인 물질 교환을 한다.

모범 답안 세포의 부피에 대한 표면적의 비가 커야 효율적으로 물질 교환을 할 수 있기 때문이다.

3 (1) 식물은 생장점과 형성층에서만 체세포 분열이 일어나기 때문에 양파의 뿌리 끝은 체세포 분열 과정을 관찰하기 위한 실험 재료로 쓰인다.

모범 답안 양파의 뿌리 끝에 생장점이 있어서 세포 분열이 활발하게 일어나기 때문이다.

(2) 염색체는 염색액으로 염색이 잘 되는 구조물이다. 현미경으로 뚜렷하게 관찰하기 위해 아세트올세인 용액과 같은 염색액을 사용한다.

4 염색 분체는 간기 때 DNA의 복제로 인해 형성되며, 체세포 분열 후기에 서로 분리되어 서로 다른 딸세포로 각각 들어간다.

5 2가 염색체는 감수 1분열 과정에서만 나타나는 구조이다.

6 수정란의 초기 세포 분열인 난할은 체세포 분열이지만 딸세포의 크기가 커지지 않고 세포 분열을 빠르게 반복한다. 난할이 일어날 때는 딸세포 각각의 크기가 점점 작아지기 때문에 배아 전체의 크기는 수정란과 비슷하다.

7 A는 난할, B는 수정, C는 배란, D는 착상에 해당한다. 배란에서 착상까지의 과정은 배란(C) → 수정(B) → 난할(A) → 착상(D) 순으로 일어난다. 난자가 난소에서 수란관으로 나온다(C). → 수란관에서 정자와 난자가 수정한다(B). → 수정란은 난할을 거듭하면서 자궁으로 이동한다(A). → 포배 상태에서 자궁 안쪽 벽을 파고들어 간다(D).

8 완두는 꽃잎이 암술과 수술을 감싸고 있어서 자가 수분이 저절로 일어난다. 그림은 사람이 붓을 이용해서 다른 꽃의 꽃가루를 암술머리에 묻히는 것이므로 타가 수분에 해당한다. 멘델은 완두를 이용한 자가 수분과 타가 수분을 통해 유전 실험을 할 수 있었다.

모범 답안 하랑, 이 실험은 유전자형이 다른 개체끼리 교배하는 거야.

정답과 해설

2주

1일 멘델의 유전 원리(1)

개념 원리 확인 p.55, 57

1-1 (1) 상동 염색체 (2) 순종: (가), (나), 잡종: (다) (3) 대립 유전자 **1-2** (가)
2-1 황색 **2-2** (가) RR, (나) rr, (다) Rr **2-3** 우성

해설

1-1 (1) 상동 염색체는 부모로부터 각각 하나씩 물려받은 것으로, 체세포 내에서 쌍을 이루고 있다.
(2) 상동 염색체의 같은 위치에 존재하는 유전자의 구성이 같을 때 순종, 서로 다를 때 잡종이라고 한다. 즉, 한 형질을 나타내는 두 개의 유전자 조합이 서로 같은 개체(예 RR, rr, RRyy)를 순종이라 하고, 한 형질을 나타내는 두 개의 유전자 조합이 서로 다른 개체(예 Rr, RrYy)를 잡종이라고 한다.
(3) A와 a는 상동 염색체 상의 같은 위치에 존재하며 서로 다른 대립 형질을 나타내므로 대립유전자이다. 상동 염색체는 부모로부터 각각 한 개씩 물려받았기 때문에 대립유전자 역시 부모로부터 한 개씩 물려받은 것이다.

1-2 대립유전자는 상동 염색체 상의 같은 위치에 있다. 또한, 대립유전자는 구성이 같을 수도 있고, 다를 수도 있다.

2-1 서로 다른 대립 형질을 가진 순종의 두 개체를 교배했을 때 자손에서 나타나는 형질이 우성이다. 순종의 황색 완두와 녹색 완두를 교배하였더니 잡종 1대에서 황색 완두만 나타났으므로 황색이 우성이다.

2-2 순종의 둥근 완두와 주름진 완두를 교배하여 잡종 1대에서 모두 둥근 완두를 얻었다. 따라서 둥근 대립유전자가 우성이므로 R, 주름진 대립유전자가 열성이므로 r이다. (가)는 순종의 둥근 완두이므로 RR로 표기하고, (나)는 순종의 주름진 완두이므로 rr로 표기하며, (다)는 잡종이면서 둥근 완두이므로 Rr로 표기한다.

2-3 우성은 순종의 두 대립 형질을 교배했을 때 잡종 1대에서 나타나는 형질을 말한다(예 둥근 완두). 열성은 순종의 두 대립 형질을 교배했을 때, 잡종 1대에서 나타나지 않는 형질을 말한다(예 주름진 완두). 우성과 열성은 어떤 형질이 우수한지 또는 열등한지로 구분하는 것이 아니라 순종의 대립 형질끼리 교배했을 때 그 다음 세대에서 나타나는지 또는 나타나지 않는지로 구분한다.

1일 기초 집중 연습 p.58~59

1-1 ② **1-2** 민석 **1-3** 상동 염색체
2-1 ④ **2-2** 1000개 **2-3** ②

해설

1-1 완두의 모양을 결정하는 유전자는 쌍을 이루고 있는 상동 염색체의 같은 위치에 한 쌍이 존재한다. 모양을 결정하는 유전자형이 Rr인 경우 부모로부터 각각 R가 있는 염색체와 r가 있는 염색체를 하나씩 물려받았다.

1-2 형질을 결정하는 유전자는 쌍을 이루고 있는 상동 염색체의 같은 위치에 하나씩 존재하는데, 이것을 대립유전자라고 한다. 즉, 대립유전자 A와 a는 상동 염색체 상의 같은 위치에 존재한다. 염색 분체는 DNA가 복제되어 형성된 것이므로 유전자가 동일하다.

1-3 부모로부터 각각 하나씩 물려받았고, 생식세포를 형성할 때 서로 다른 딸세포로 들어가는 염색체 쌍은 상동 염색체이다. 멘델의 가설에서 주장한 유전 인자의 행동은 생식세포를 형성하는 과정에서 상동 염색체의 행동과 동일하다.

2-1 순종의 서로 다른 대립 형질을 가지는 개체끼리 교배했을 때 자손의 유전자형은 잡종이며, 표현되는 형질을 우성이라고 한다.
오답 풀이 ㄱ. 우성과 열성은 우수한 형질이나 열등한 형질, 다수의 형질이나 소수의 형질 등의 개념과는 무관하다.

2-2 순종의 둥근 완두와 주름진 완두를 교배하면 잡종 1대에서 둥근 완두만 나타난다. 이처럼 순종의 두 대립 형질을 교배했을 때 잡종 1대에서 우성 형질만 나타나는 현상을 우열의 원리라고 한다.

2-3 순종의 두 대립 형질을 교배했을 때 잡종 1대에서 나타나는 형질을 우성이라고 하며(둥글다, 황색, 보라색, 크다, 잎 겨드랑이), 순종의 두 대립 형질을 교배했을 때, 잡종 1대에서 나타나지 않는 형질을 열성이라고 한다(주름지다, 녹색, 흰색, 작다, 줄기 끝).

2일 멘델의 유전 원리(2)

개념 원리 확인 p.61, 63

1-1 R, r **1-2** (가) RR, (나) Rr, (다) Rr, (라) rr
1-3 25 % $\left(\text{또는 } \frac{1}{4}\right)$
2-1 (1) RrYy (2) RY, Ry, rY, ry (3) 9 : 3 : 3 : 1
2-2 ㉠ 대립, ㉡ 분리

해설

1-1 생식세포를 만들 때 상동 염색체 상의 같은 위치에 있던 R와 r가 각각 분리되어 서로 다른 생식세포로 들어간다. 이처럼 생식세포를 만들 때 상동 염색체에 쌍을 이룬 잡종 1대의 대립유전자가 서로 다른 생식세포로 나누어져 들어가 다음 세대에 유전되는 현상을 분리의 법칙이라고 한다.

1-2 두 종류의 생식세포는 동일한 비율로 수정에 참여한다. 따라서 유전자형이 RR : Rr : rr=1 : 2 : 1의 비율로 생성된다.

1-3 잡종 1대를 자가 수분하면 잡종 2대에서 황색 완두 : 녹색 완두=3 : 1의 비율로 생성된다. 따라서 열성 형질인 녹색 완두는 25 %의 비율로 나타난다.

2-1 (1) 어버이 세대의 순종인 둥글고 황색인 완두는 RY 한 종류의 생식세포를 생성하고, 주름지고 녹색인 완두도 ry의 한 종류의 생식세포를 생성한 다음 수정되었으므로 잡종 1대의 유전자형은 RrYy이다.
(2) 잡종 1대의 둥글고 황색인 완두(RrYy)가 생식세포 분열을 하면 네 종류의 생식세포인 RY, Ry, rY, ry가 1 : 1 : 1 : 1의 비율로 만들어진다.
(3) 잡종 1대를 자가 수분시키면 잡종 2대에서 둥글고 황색, 주름지고 황색, 둥글고 녹색, 주름지고 녹색인 완두가 9 : 3 : 3 : 1의 비로 나타난다.

개념 체크+ **완두의 모양과 색깔을 나타내는 유전자의 위치**

완두의 모양을 나타내는 유전자(R)와 색깔을 나타내는 유전자(Y)는 서로 다른 상동 염색체에 독립적으로 있다.

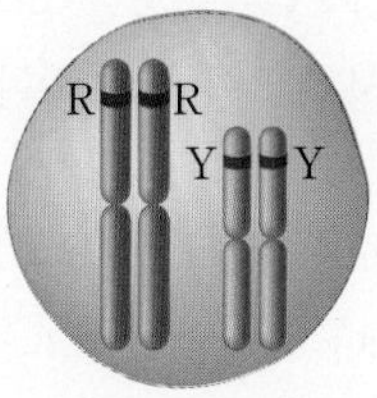

2-2 두 쌍 이상의 대립 형질이 동시에 유전될 때 각각의 형질을 나타내는 유전자가 서로 영향을 주지 않고 독립적으로 분리되어 유전되는 현상을 독립의 법칙이라고 한다. 즉, 완두의 모양과 색깔은 서로 영향을 미치지 않고 유전된다.
오답 풀이 독립의 법칙은 분리비가 아니라 두 쌍 이상의 대립 형질이 함께 유전될 때, 각 형질이 다른 형질의 영향을 받지 않고 우열의 원리, 분리의 법칙에 따라 독립적으로 유전되는 현상을 의미한다.

2일 기초 집중 연습 p.64~65

1-1 ② **1-2** 수연 **1-3** 50개
2-1 ③ **2-2** RY, rY **2-3** ②

해설

1-1 잡종 1대에서 표현된 황색 형질이 우성, 표현되지 않은 녹색 형질이 열성이다. 잡종 2대에서 열성 개체가 나타나는 비율은 $\frac{1}{4}$, 즉 25 %이다.
오답 풀이 ㄴ. 잡종 1대의 유전자형은 Yy로 생식세포는 Y, y 2종류가 생긴다.
ㄷ. 잡종 2대에서 우성 : 열성의 표현형의 비는 3 : 1이고, 유전자형의 비는 YY : Yy : yy=1 : 2 : 1이다.

1-2 자손에서 둥근 완두 : 주름진 완두의 비가 1 : 1로 나온 것으로 보아 (가)는 R와 r를 모두 가지는 잡종이다.

1-3 잡종 1대에서 2종류의 생식세포를 같은 비율로 만들고 암수의 생식세포는 동일한 확률로 수정에 참여하기 때문에 잡종 2대에서는 주름진 완두가 25 % $\left(=\frac{1}{4}\right)$의 비율로 나타난다.

정답과 해설

2-1 (가)의 유전자형은 RrYy로 R와 r, Y와 y는 서로 다른 염색체 상에 있다. 잡종 1대에서는 완두의 모양과 색깔에서 우성의 표현형만 나타난다. 대립유전자 관계인 R와 r, Y와 y는 동일한 생식세포로 들어갈 수 없다. 잡종 2대에서 (나)~(마)의 표현형의 비는 9 : 3 : 3 : 1로 나타난다.
오답 풀이 ③ (가)는 RY, Ry, rY, ry 4종류의 생식세포를 생성한다.

2-2 생식세포 분열에서 대립유전자 R와 r 중에서 하나가 선택되는 경우의 수가 두 가지이고, Y는 한 가지 경우만 가능하다. 따라서 R와 Y가 들어가는 생식세포와 r와 Y가 들어가는 생식세포인 2종류가 형성된다.

2-3 RrYy인 개체가 만드는 생식세포는 4종류로 RY, Ry, rY, ry이고, rryy인 개체가 만드는 생식세포는 ry 1종류이다. 따라서 자손의 유전자형의 분리비는 RrYy, rrYy, Rryy, rryy가 1 : 1 : 1 : 1이 되고, 표현형의 분리비도 둥글고 황색, 주름지고 황색, 둥글고 녹색, 주름지고 녹색이 1 : 1 : 1 : 1로 나타난다.

3일 사람의 유전(1)

개념 원리 확인 p.67, 69

1-1 가계도 조사 **1-2** 키
1-3 ⑤ **2-1** 민석, 은서
2-2 (1) 혀 말기 가능 (2) 1, 2, 7, 8

해설

1-1 가계도는 가족과 친척의 혈연관계를 바탕으로 특정한 형질이 여러 세대에 걸쳐 어떻게 나타나는지를 보여 주는 그림으로, 가계도 분석을 통해 형질의 우열 관계와 가족 구성원의 유전자형을 알 수 있으며, 자손에게 특정한 형질이 나타나는 확률을 예측할 수 있다.

1-2 쌍둥이 연구는 1란성 쌍둥이와 2란성 쌍둥이를 비교하여 유전과 환경이 형질에 미치는 영향을 알아내는 방법이다. 1란성 쌍둥이는 한 개의 난자에 한 개의 정자가 수정되고, 수정란이 발생 초기에 둘로 분열되어 각각 태아로 자랐기 때문에 유전적으로 동일하다. 따라서 세 명의 1란성 쌍둥이는 유전자 구성이 동일하며, 다른 환경에서 떨어져 살아도 키가 비슷하게 나타난 것으로 보아 키는 유전의 영향을 더 많이 받고 몸무게는 환경의 영향을 어느 정도 받는다는 것을 알 수 있다.

1-3 가계도에서 남자는 □, 여자는 ○로 표시하며, 부부는 가로선, 자손은 세로선으로 표시한다. 부부 사이에 태어난 자손은 왼쪽부터 순서대로 배열한다.
오답 풀이 ⑤ 1란성 쌍둥이와 2란성 쌍둥이를 비교하여 유전과 환경이 형질에 미치는 영향을 알 수 있다.

2-1 미맹, 머리 선 모양, 보조개 유무, 쌍꺼풀 유무의 유전자는 남녀가 공통으로 가지는 상염색체 상에 존재하기 때문에 남녀 성별에 따라 형질이 나타나는 빈도에 차이가 없다.

2-2 (1) 1, 2처럼 혀 말기 가능한 부모 사이에서 6처럼 혀 말기 불가능인 자손이 태어났으므로, 혀 말기 가능이 혀 말기 불가능에 대해 우성임을 알 수 있다. 자손 6의 형질은 열성이다. 혀 말기 가능한 유전자를 A, 혀 말기 불가능한 유전자를 a라고 할 때 1, 2의 유전자형은 Aa이고, 5의 유전자형은 AA 혹은 Aa가 가능하며, 6의 유전자형은 aa가 된다.
(2) 6이 태어난 것으로 보아 1, 2는 Aa이다. 4로부터 열성 유전자를 하나 물려받았으므로 7의 유전자형은 Aa이며, 6으로부터 열성 유전자를 하나 물려받았으므로 8도 Aa이다. 따라서 1, 2, 7, 8이 혀 말기 불가능 유전자를 하나 가지고 있다. 이 가계도 상에서 3과 5의 유전자형은 확정할 수 없다.

개념 체크+ 사람의 다양한 유전 형질

다음 형질들은 멘델의 법칙에 따라 유전되므로, 가계도를 통해 우열 관계를 파악할 수 있다. 또, 이 형질들을 나타내는 유전자는 상염색체에 있으므로 남녀의 성별에 관계없이 형질이 나타난다.

유전 형질	우성	열성
머리 선 모양	V자형	일자형
눈꺼풀	쌍꺼풀	외꺼풀
귓불	분리형	부착형
보조개	있음	없음
엄지손가락 젖혀짐	젖혀짐	안 젖혀짐
2번째 발가락 길이	엄지발가락보다 김	엄지발가락보다 짧음

3일 기초 집중 연습 p.70~71

1-1 ④ 1-2 유전 1-3 준수, 태영
2-1 ⑤ 2-2 75 % 2-3 지윤

해설

1-1 사람의 유전은 형질이 복잡하고 유전과 환경의 영향을 동시에 받는 형질도 많기 때문에 유전 원리를 파악하기 어렵다.

(오답 풀이) 사람의 유전 연구는 직접적인 연구 방법보다는 간접적인 방법을 이용해야 한다. 사람은 한 세대가 너무 길어서 자손에 어떤 형질이 나타나는지 관찰하기가 쉽지 않고, 적은 수의 자손을 낳기 때문에 우성과 열성 형질의 비율을 통계 처리하기 힘들다. 또한, 사람의 유전 연구는 자유로운 교배 실험이 불가능하기 때문에 쌍둥이 연구, 가계도 조사, 통계 조사, 염색체와 유전자 조사 등을 이용한다.

1-2 쌍둥이 연구는 1란성 쌍둥이와 2란성 쌍둥이를 비교하여 유전과 환경이 형질에 미치는 영향을 알아내는 방법이다. 서로 다른 환경에서 자란 1란성 쌍둥이를 비교하면 유전적으로 동일한 자손이 환경에 따라 어떻게 달라지는지 비교할 수 있다.

1-3 가계도에서 남자는 □, 여자는 ○로 표시하며, 부부는 가로선, 자손은 세로선으로 표시한다. 부부 사이에 태어난 자손은 왼쪽부터 순서대로 배열한다. 특정 유전 형질의 경우 색깔을 다르게 하거나 빗금을 쳐서 표현한다.

2-1 사람의 유전 형질 중 미맹은 비교적 대립 형질이 뚜렷하게 나타나는 유전 형질로, 한 쌍의 대립유전자에 의해 형질이 결정된다. 미맹 유전자는 상염색체 상에 존재하고, 미맹은 정상에 대해 열성으로 유전된다. 대립유전자는 생식세포를 형성할 때 분리되어 다른 생식세포로 들어가므로 멘델의 분리의 법칙을 따르고, 상염색체 상에 있으므로 남녀 성별에 관계없이 형질이 발현된다.

(오답 풀이) ⑤ 미맹이 정상에 대해 열성으로 유전하기 때문에 부모가 정상이라도 미맹인 자녀가 태어날 수 있다.

2-2 미맹은 PTC 용액의 쓴맛을 느끼지 못하는 형질이며, PTC 용액의 쓴맛을 느낄 수 있게 하는 유전자가 우성이고, 쓴맛을 느낄 수 없는 미맹 유전자가 열성이다. PTC의 쓴맛을 느끼게 하는 유전자를 A, 미맹 유전자를 a라고 할 때, 철수의 부모는 각각 할아버지와 외할아버지로부터 미맹 유전자를 물려받아 유전자형이 Aa이다. 따라서 철수의 표현형이 미맹이 아닐 확률은 $\frac{3}{4}$, 즉 75 %이다.

2-3 보조개가 있는 부모 사이에서 보조개가 없는 지윤이가 태어났으므로 보조개가 없는 형질이 보조개가 있는 형질에 대해 열성으로 유전된다.

4일 사람의 유전(2)

개념 원리 확인 p.73, 75

1-1 은서 1-2 A형과 B형 1-3 ⑤
2-1 준수, 수연 2-2 (1) (가) (2) 모두 XX′

해설

1-1 사람의 혈액형을 결정하는 데에는 A, B, O 세 개의 대립유전자가 관여하며, 이 중 두 개가 짝을 이루어 혈액형을 결정한다. AB형에서 유전자 A와 B는 대립유전자 관계이므로 상동 염색체 상의 같은 위치에 존재한다.

1-2 부모의 유전자형이 AO인 A형과 BO인 B형 사이에서는 자녀의 혈액형 유전자형이 AB, AO, BO, OO가 모두 나올 수 있다.

개념 체크⁺ 부모와 자녀의 ABO식 혈액형 관계

부모의 혈액형	자녀의 혈액형
O형, O형	O형
A형, B형	A형, B형, AB형, O형
AB형, O형	A형, B형
A형, A형	A형, O형
A형, O형	
B형, B형	B형, O형
B형, O형	
A형, AB형	A형, B형, AB형
B형, AB형	
AB형, AB형	

1-3 혈액형 유전은 유전자가 상염색체에 있어서 남녀의 성별에 관계없이 형질이 나타난다. 유전자 A와 B 사이에는 우열 관계가 없고, 유전자 A와 B는 유전자 O에 대해 우성이다.

오답 풀이 ⑤ A, B, O 세 가지 대립유전자가 관여하지만, 상염색체에 있는 한 쌍의 대립유전자에 의해 혈액형이 결정된다.

2-1 색맹과 혈우병 유전자는 모두 정상 유전자에 대해 열성으로 유전된다.

2-2 (1) 아들의 Y 염색체는 아버지로부터 물려받고, X 염색체는 어머니로부터 물려받게 된다.

(2) 이 가계도 상에서 (다)가 색맹인 것으로 보아 (가)는 색맹 유전자 X′를 하나 가지는 보인자이고, 딸들은 (나)로부터 X′를 물려받았으므로 모두 보인자이다.

4일 기초 집중 연습 p.76~77

1-1 ④	**1-2** (가) BO (나) AO	**1-3** 0 %
2-1 ①	**2-2** 2, 5	**2-3** XX′

해설

1-1 부모의 혈액형 대립유전자는 분리되어 서로 다른 생식세포로 들어가 자손에게 전달된다. 언니의 BB 유전자 중 하나는 아버지로부터, 다른 하나는 어머니로부터 받은 것이다. 따라서 어머니는 B 유전자를 하나 가지고 있다. 아버지는 A와 B 유전자를 가지고 있으므로 남동생의 O 유전자는 어머니로부터 받은 것이다. 따라서 어머니의 유전자형은 BO가 된다.

오답 풀이 ㄱ. 언니의 유전자형은 BB, 어머니의 유전자형은 BO로 유전자형은 같지 않다.

1-2 O형인 자녀가 있는 것으로 보아 (가), (나)는 모두 O 유전자를 하나씩 가지고 있으며, A와 B를 가지는 AO 혹은 BO이다. 단, 할아버지와 할머니가 B형인 것으로 보아 아버지 (가)가 BO, 어머니 (나)가 AO임을 알 수 있다.

1-3 돌연변이가 발생하지 않는 한 AB, OO인 부모 사이에서 AO, BO인 자녀만 태어날 수 있고, AB인 자녀는 태어날 수 없다.

2-1 색맹은 혈우병과 함께 반성 유전을 하는 형질이다. 색맹은 정상에 대해 열성이고, 유전자가 X 염색체 상에 있어서 남녀에 따라 형질이 발현되는 빈도가 달라진다. 생식세포를 형성할 때 대립유전자는 서로 다른 생식세포로 들어가 멘델의 분리의 법칙을 따르고, 보인자인 여자는 정상의 형질을 나타낸다.

오답 풀이 ① 색맹 유전자는 성염색체인 X 염색체 상에 있다.

2-2 철수의 유전자형은 X′Y이며, X′ 유전자는 어머니인 5에게서 물려받은 것이므로 어머니의 유전자형은 XX′이다. 또한 외할아버지는 정상이므로 어머니의 색맹 유전자는 외할머니인 2에게서 물려받은 것이다.

2-3 지훈이의 색맹 유전자형은 X′Y이다. 지훈이의 Y 염색체는 아버지로부터 받은 것이고, X′ 염색체는 어머니로부터 받은 것이다. 어머니는 정상 형질을 나타내므로 X′를 한 개 가진 보인자이다.

5일 역학적 에너지 전환과 보존

개념 원리 확인 p.79, 81

1-1 ㉠ 역학적 에너지 ㉡ 위치 에너지 ㉢ 운동 에너지
1-2 (1) ㉠ 높아 ㉡ 감소 (2) ㉠ 증가 ㉡ 감소 (3) ㉠ 운동 에너지 ㉡ 위치 에너지 **1-3** ㉠ 위치 에너지 ㉡ 운동 에너지 ㉢ 운동 에너지 ㉣ 위치 에너지
2-1 ㉠ 감소 ㉡ 증가 ㉢ 일정 ㉣ 운동 **2-2** (1) 운동 에너지, 위치 에너지 (2) 위치 에너지 (3) 위치 에너지, 운동 에너지 **2-3** (1)－㉡, ㉢ (2)－㉠, ㉢

해설

1-1 물체가 낙하함에 따라 중력에 의한 위치 에너지가 점점 운동 에너지로 전환된다. 따라서 중력에 의한 위치 에너지는 점점 감소하고 운동 에너지는 점점 증가한다. 위치 에너지와 운동 에너지의 합을 역학적 에너지라고 한다.

1-2 물체를 위로 던져 올리는 경우 공의 운동 방향과 반대 방향으로 중력이 작용하므로 높이 올라갈수록 속력이 점점 감소한다. 이때 중력에 의한 위치 에너지는 점점 증가하고, 운동 에너지는 점점 감소한다. 즉 운동 에너지가 중력에 의한 위치 에너지로 전환된다.

1-3 롤러코스터가 높은 곳에서 내려올 때에는 위치 에너지가 운동 에너지로 전환되고, 아래에서 다시 올라갈 때에는 운동 에너지가 위치 에너지로 전환된다.

2-1 물체가 자유 낙하 하는 경우 위치 에너지가 운동 에너지로 전환된다. 이때 위치 에너지가 감소한 만큼 운동 에너지가 증가하여 역학적 에너지는 보존되므로 매 순간 역학적 에너지는 일정하게 보존된다. 바닥에 도달하는 순간 운동 에너지만 가지며 위치 에너지는 0이다.

2-2 역학적 에너지는 보존되므로, 던져 올린 물체의 경우 올라갈수록 운동 에너지는 감소하고 위치 에너지는 증가한다. 최고 높이에 도달하면 위치 에너지만 가지며 그 순간 정지하므로 운동 에너지는 0이다.

2-3 물체가 올라갈 때는 운동 에너지는 감소하고 위치 에너지가 증가한다. 이때 감소한 운동 에너지만큼 위치 에너지는 증가한다. 물체가 자유 낙하 할 때는 위치 에너지는 감소하고 운동 에너지는 증가한다. 이때 감소한 위치 에너지만큼 운동 에너지가 증가한다. 두 경우 모두 역학적 에너지는 항상 일정하게 보존된다.

5일 기초 집중 연습 p.82~83

1-1 ① **1-2** ① **1-3** ⑤ **2-1** ⑤
2-2 ③ **2-3** ③

해설

1-1 A는 최고 높이에서 최댓값을 가지며 열차가 내려갈 때 감소하고 올라갈 때 증가하므로 위치 에너지를 의미하며, B는 가장 낮은 지점에서 최댓값을 가지며 내려갈 때 증가하고 올라갈 때 감소하므로 운동 에너지를 의미한다.

(A)	최대	감소	최소	증가
(B)	최소	증가	최대	감소

1-2 추가 A에서 O로 운동하는 동안 상과 상 사이의 거리가 점점 멀어지므로 속력은 점점 빨라지는 것이다. 따라서 추가 A에서 O로 운동하는 동안 위치 에너지는 감소하고 운동 에너지는 증가한다.

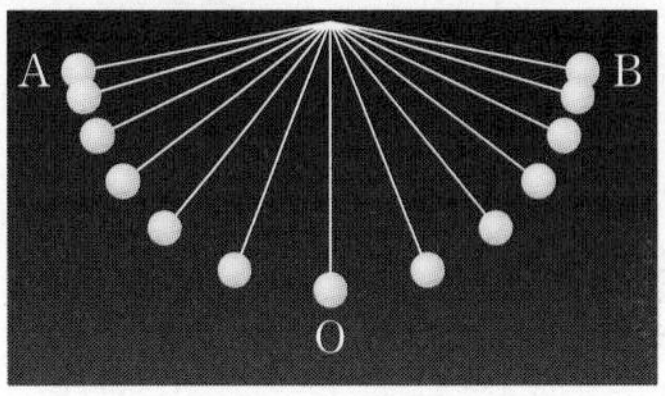

1-3 운동 에너지가 위치 에너지로 전환되는 구간은 감소한 운동 에너지가 위치 에너지로 전환되므로 높이가 높아지면서 속력이 느려지는 C → D, D → E 구간에서 운동 에너지가 위치 에너지로 전환된다.

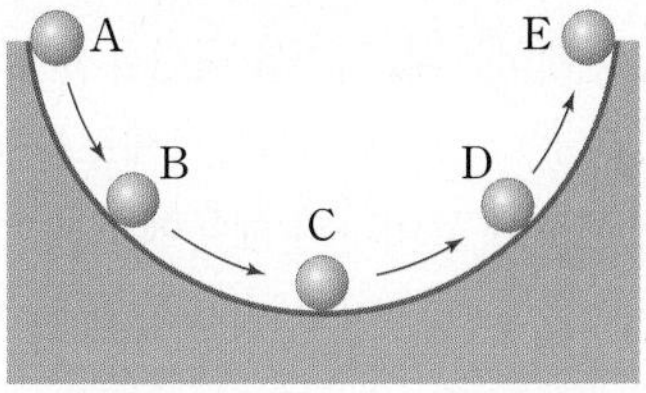

2-1 물체가 운동할 때 공기의 저항 및 모든 마찰을 무시하면 물체가 운동하는 동안 역학적 에너지는 보존된다. 따라서 그림에서와 같이 롤러코스터가 운동하는 동안 공기의 저항 및 모든 마찰을 무시하면 A~B 구간을 제외한 어느 지점에서나 역학적 에너지는 같다. (문제에서 A~B 구간은 전기로 롤러코스터를 끌어올린다고 하였음.)

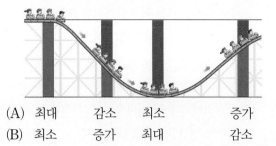

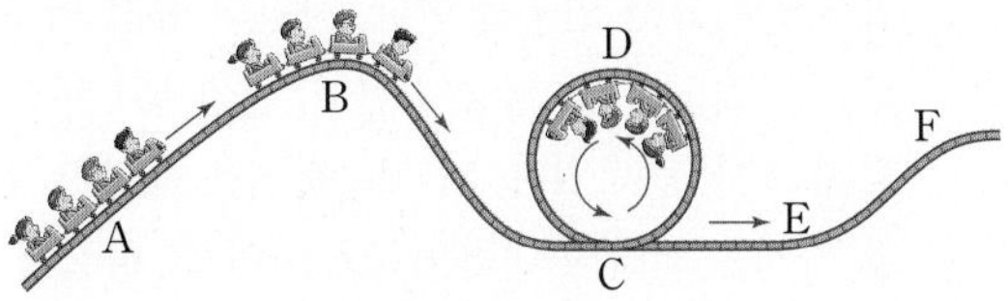

2-2 다이빙 선수가 다이빙 보드에서 높이 뛰어오를 때는 운동 에너지가 위치 에너지로 전환되고 ,높은 곳에서 아

래로 떨어질 때는 위치 에너지가 운동 에너지로 전환된다. 이때 역학적 에너지는 보존된다.

2-3 자유 낙하 하는 공의 경우 떨어지면서 높이는 낮아지지만 속력은 빨라진다. 자유 낙하 하는 동안 위치 에너지는 감소하고 운동 에너지는 증가한다. 즉 위치 에너지가 운동 에너지로 전환된다.

누구나 100점 테스트 p.84~85

01 ④	**02** 유전자형: Rr, 표현형: 둥글다		
03 ①	**04** ③	**05** ②	**06** ③
07 ④	**08** ③	**09** 준우	**10** ②

해설

01 유전자형이 Rr인 완두가 생식세포를 형성할 때 R와 r의 2종류의 생식세포가 생성되며, R와 r는 대립유전자 관계이다. 유전자형은 형질을 나타내는 유전자의 조합을 기호로 나타낸 것으로, 우성 유전자는 대문자로, 열성 유전자는 소문자로 나타낸다. 완두의 모양을 결정하는 유전자는 쌍을 이루고 있는 상동 염색체의 같은 위치에 하나씩 존재하는데, 이것을 대립유전자라고 한다.
오답 풀이 ④ R와 r는 생식세포를 생성할 때 서로 다른 딸세포로 들어가기 때문에 R와 r를 모두 가지는 생식세포는 돌연변이가 발생하지 않는 한 존재하지 않는다.

02 어버이 세대에서 만드는 생식세포는 각각 R와 r이다. R와 r가 만나 잡종 1대에서 Rr가 되고, R가 r에 대해 우성이므로 잡종 1대의 표현형은 둥근 완두가 된다. 이처럼 순종의 두 대립 형질을 교배했을 때 잡종 1대에서 우성 형질만 나타나는 현상을 우열의 원리라고 한다.

03 사람은 자유로운 교배가 불가능하기 때문에 간접적인 방식으로 유전 연구를 한다. 사람의 유전 연구 방법으로는 가계도 분석, 쌍둥이 연구, 염색체와 유전자 조사, 통계 조사 등이 있다. 가계도 분석은 특정한 유전 형질을 가지는 집안의 내력을 조사하여 그 형질에 대한 유전 원리를 알아내는 방법이고, 쌍둥이 연구는 1란성 쌍둥이와 2란성 쌍둥이를 비교하여 유전과 환경이 형질에 미치는 영향을 알아내는 방법이다. 염색체와 유전자 조사는 유전자나 염색체를 분석하여 특정 유전자나 염색체와 관계된 유전 현상을 알아내는 방법이고, 통계 조사는 특정 형질의 유전에 대해 많은 사람을 조사하여 얻은 자료를 통계적으로 처리, 분석하여 유전의 원리를 알아내는 방법이다.

04 상동 염색체 상에 있는 대립유전자가 생식세포를 형성할 때 분리되어 서로 다른 생식세포로 들어가는 것을 분리의 법칙이라고 한다. 이를 통해 잡종 1대에서는 나타나지 않았던 열성 형질이 잡종 2대에서 일정한 비율로 나타나게 된다.

05 어버이 세대에서 만드는 생식세포는 RY와 ry 두 종류이므로 (가)의 유전자형은 RrYy가 된다. 잡종 2대의 표현형의 분리비는 둥글고 황색, 주름지고 황색, 둥글고 녹색, 주름지고 녹색이 9 : 3 : 3 : 1의 분리비로 나타난다. 이 중에서 둥근 완두와 주름진 완두의 분리비는 3 : 1이고, 황색 완두와 녹색 완두의 분리비도 3 : 1이다.
오답 풀이 ② (가)에서 R와 r, Y와 y는 서로 다른 상동 염색체 상에 있기 때문에 (가)가 생성하는 생식세포는 4종류(RY, Ry, rY, ry)이다.

06 미맹은 PTC 용액의 쓴맛을 느끼지 못하는 형질로, PTC 용액의 쓴맛을 느낄 수 있게 하는 유전자가 우성이고, 쓴맛을 느낄 수 없는 미맹 유전자가 열성이다. 미맹은 우열의 원리와 분리의 법칙을 잘 따른다. A는 자녀 중에 미맹인 여자가 있으므로 정상 유전자와 미맹 유전자를 모두 가지며, B는 부모 양쪽으로부터 열성 유전자를 하나씩 받았다.
오답 풀이 ③ 미맹 유전자는 상염색체 상에 존재하기 때문에 형질의 발현은 남녀 성별과는 무관하다.

07 X의 어머니는 A형이면서 유전자형이 AO이고, X의 아버지는 B형이면서 유전자형은 BO이다. 따라서 자손에서 AB형이 태어날 확률은 $\frac{1}{4}$이고, 아들이 태어날 확률은 $\frac{1}{2}$이므로, AB형이면서 남자 아이가 태어날 확률은 $\frac{1}{4}\times\frac{1}{2}=\frac{1}{8}$이다.

08 열성 반성 유전을 하는 형질에 대한 설명이다. 반성 유전은 유전자가 성염색체에 있어서 남녀에 따라 형질이 나타나는 비율이 달라지는 유전 현상으로, 이러한 형질

의 예로 색맹, 혈우병 등이 있다. 이 형질의 유전자는 성염색체인 X 염색체에 있으므로 여자보다 남자에게 더 많이 나타난다. 어머니의 X 염색체는 아들에게 전달되므로 어머니가 형질을 나타내면 아들도 형질을 나타낸다. 또한 아버지의 X 염색체는 딸에게 전달되므로 아버지가 정상이면 딸도 정상이다.

09 공이 자유 낙하 할 때는 위치 에너지가 운동 에너지로 전환되며, 공을 위로 던져 올린 경우는 공의 운동 에너지가 위치 에너지로 전환된다.

10 하프파이프에서 스케이트보드를 타고 내려갈 때는 속력이 점점 빨라지므로 운동 에너지는 증가한다. 다시 위로 올라갈 때는 높이가 높아지므로 위치 에너지가 증가한다. A와 C의 높이가 같고 마찰을 무시하면 역학적 에너지는 보존되므로 A와 C에서 위치 에너지는 같다.

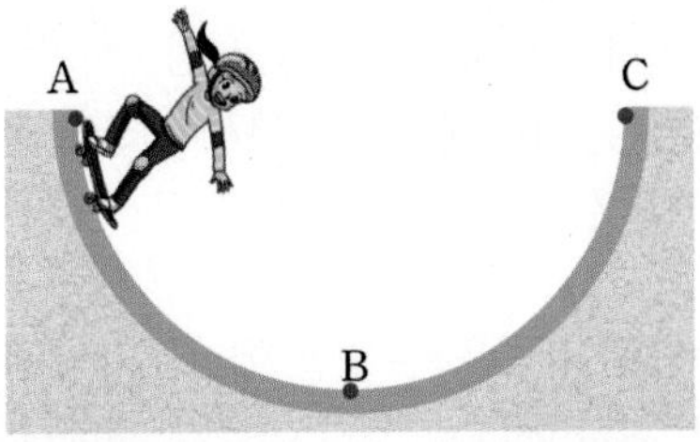

특강 | 창의, 융합, 코딩

p.87 재미있는 개념 완성 퀴즈

[가로 열쇠]

① 대립유전자 ② 유전자형 ③ 가계도 분석 ④ 독립의 법칙
⑤ 운동 에너지 ⑥ X 염색체

[세로 열쇠]

① 복대립 유전 ② 반성 유전 ③ 자가 수분 ④ 분리의 법칙
⑤ 상동 염색체 ⑥ 역학적 에너지

p.88~91 **1** 해설 참조 **2** (1) (다) (2) 분리의 법칙 **3** 둥글고 황색 : 둥글고 녹색 : 주름지고 황색 : 주름지고 녹색 =1 : 1 : 1 : 1 **4** 축축한 귀지 **5** 해설 참조 **6** (가) ABO식 혈액형, (나) 색맹, (다) 미맹 **7** 해설 참조 **8** (1) 해설 참조 (2) (가) 0.3 (나) 0.4 (3) 해설 참조

해설

1 분꽃은 붉은색 유전자와 흰색 유전자 사이의 우열 관계가 불완전하여 유전자형이 잡종일 때 어버이의 중간 형질이 나타난다.

모범 답안 잡종 1대에서 중간 형질이 나타난 것으로 보아 붉은색 꽃이나 흰색 꽃 중 어느 것도 완전한 우성을 나타내지 못함을 알 수 있다.

2 과정 (다)는 수술과 암술에서 생식세포가 만들어지는 과정을 의미한다. 대립유전자 A, a는 생식세포를 형성할 때 분리되어 서로 다른 생식세포로 들어간다.

3 (가)의 유전자형은 RrYy로, RY, Ry, rY, ry 4종류의 생식세포를 같은 비율로 생성한다. (나)는 유전자형이 rryy로, 생식세포는 ry 한 종류만 생성한다. 따라서 자손의 표현형은 둥글고 황색, 둥글고 녹색, 주름지고 황색, 주름지고 녹색이 1 : 1 : 1 : 1의 비율로 나타난다.

4 A에서 부모가 모두 축축한 귀지인데 자녀에게서 부모에 없는 마른 귀지가 나타났다. 이때 축축한 귀지인 부모의 표현형이 우성, 마른 귀지인 자녀의 표현형이 열성이다.

5 ABO식 혈액형에는 A, B, O 세 개의 대립유전자가 관여하며, 이 중 두 개가 짝을 이루어 혈액형을 결정한다. 유전자 A와 B 사이에는 우열 관계가 없고, 유전자 A와 B는 유전자 O에 대해 우성이다. 따라서 3의 유전자형은 OO이고, 1의 유전자형은 AO이며, 2의 유전자형은 BO이다.

모범 답안 1의 유전자형은 AO, 2의 유전자형은 BO로 열성인 O 유전자를 하나씩 가지고 있기 때문에 자손에서 25 %의 확률로 O형이 태어난다.

6 미맹과 ABO식 혈액형은 유전자가 상염색체에 있지만, 색맹은 성염색체인 X 염색체에 유전자가 존재한다. 또한, 미맹과 색맹은 2개의 대립 유전자가 있지만, ABO식 혈액형은 대립유전자가 3개인 복대립 유전을 한다. 색맹처럼 형질을 결정하는 유전자가 성염색체에 있어서 남녀에 따라 형질이 나타나는 비율이 달라지는 유전을 반성 유전이라고 한다.

7 공기의 저항이나 마찰을 무시하면 역학적 에너지는 보존된다. 롤러코스터의 출발점의 위치가 도착점의 위치보다 낮으면 출발점에서 역학적 에너지가 도착점에서 역학적

에너지보다 작으므로 롤러코스터는 도착점에 오르지 못해 도착할 수 없다.

모범 답안 윤호, 맞아. 역학적 에너지는 보존되니까 도착점의 높이가 출발점보다 높아 열차는 도착점에 도달하지 못해.

8 (2) 역학적 에너지는 보존되므로 감소한 운동 에너지는 위치 에너지로 전환된다.

(가) $\frac{1}{2}\times0.1\times(1.4)^2=0.098$(J), B 지점의 위치 에너지 =A 지점의 운동 에너지−B 지점의 운동 에너지, 따라서 $0.392\text{ J}-0.098\text{ J}=0.294\text{ J}=9.8\times0.1\times h$, $h=0.3$ m

(나) $\frac{1}{2}\times0.1\times(2.8)^2=0.392$(J), A 지점의 운동 에너지 =C 지점의 위치 에너지$=0.392\text{ J}=9.8\times0.1\times h$, $h=0.4$ m

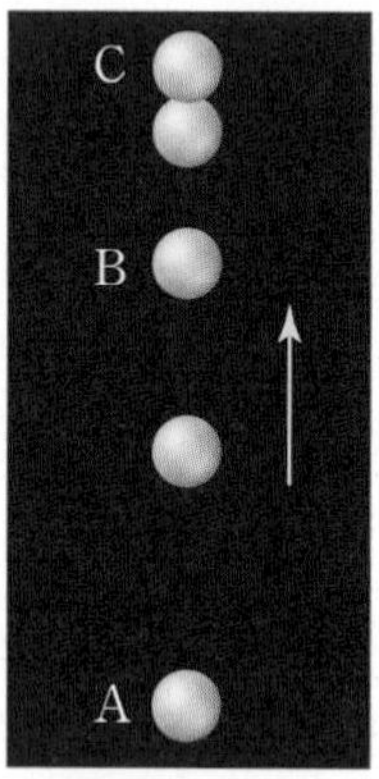

모범 답안 (1) 올라가는 동안 위치 에너지는 증가하고 운동 에너지는 감소한다.

(3) 역학적 에너지는 보존되므로 C 지점의 역학적 에너지= 처음 A 지점의 운동 에너지$=\frac{1}{2}\times0.1\times(2.8)^2=0.392$(J)

3주

1일 여러 가지 에너지 전환과 보존

개념 원리 확인 p.97, 99

1-1 화학 에너지 **1-2** ㉠ 소리 에너지 ㉡ 빛에너지 ㉢ 열에너지 **1-3** (1)−㉠ (2)−㉢ (3)−㉣ (4)−㉡
2-1 ㉠ 빛에너지 ㉡ 화학 에너지 **2-2** (1)−㉢ (2)−㉣ (3)−㉠ (4)−㉤ (5)−㉡ **2-3** ⑤

해설

1-1 화학 에너지는 연료와 음식물 속에 저장된 에너지로 전지 속에 저장되어 기계를 작동하는 데에도 사용되며, 동물과 사람들은 음식물을 섭취하여 에너지원으로 사용한다. 화학 에너지는 화학 결합에 의해 물질 속에 저장된 에너지이다.

1-2 주변에서 찾을 수 있는 에너지의 종류에는 운동 에너지, 위치 에너지, 소리 에너지, 빛에너지, 열에너지, 화학 에너지 등이 있다.

1-3 태양으로부터 오는 빛에너지를 이용하여 전기를 생산하거나 광합성을 통해 각종 영양분을 만들어낸다. 전기 기구에 전기 에너지를 공급하면 열, 빛, 소리 등을 낸다.

2-1 광합성은 식물이 빛에너지를 이용하여 이산화 탄소와 물을 재료로 포도당을 만들고 산소를 방출하는 과정이다. 따라서 광합성에서는 태양의 빛에너지가 포도당의 화학 에너지로 에너지 전환이 일어난다.

2-2 화력 발전은 연료의 화학 에너지, 풍력 발전은 바람의 운동 에너지, 태양광 발전은 빛에너지, 원자력 발전은 핵에너지, 수력 발전은 물의 위치 에너지를 이용하여 전기를 생산한다.

2-3 에너지는 한 종류로만 존재하는 것이 아니라, 한 종류의 에너지에서 다른 종류의 에너지로 끊임없이 변한다. 이때 에너지는 새로 만들어지거나 사라지지 않고 에너지의 총합은 항상 일정하게 보존된다.

1일 기초 집중 연습 p.100~101

1-1 ① 1-2 열에너지 1-3 ④

2-1 ③, ⑤ 2-2 ⑤ 2-3 ④

해설

1-1 빛에너지는 태양이나 전등에서 나오는 빛이 가지고 있는 에너지로, 식물이 광합성을 통해 각종 영양분을 만들어 내거나 전기를 만드는 데 이용한다. 빛에너지는 우리가 물체를 볼 수 있게 해 준다. 즉 물체에서 반사되어 나온 빛이 우리 눈에 들어와야 물체를 볼 수 있다.

1-2 데워진 난로에서는 열에너지가 이동하므로 주변의 공기가 따뜻해진다. 열에너지는 온도가 높은 물체에서 낮은 물체로 이동하는 에너지로 물체의 온도나 상태를 변화시킬 수 있다.

1-3 음식물이나 화석 연료(석탄, 석유, 천연 가스 등), 전지 등의 물질 속에 저장된 에너지를 화학 에너지라고 한다.

2-1 • 전기난로에서 전기 에너지는 열에너지로 전환되며, 수력 발전은 물의 위치 에너지를 이용하여 전기 에너지를 생산한다. 또한 광합성은 식물이 태양의 빛에너지를 이용하여 양분을 만드는 과정이므로 빛에너지가 화학 에너지로 전환된다.

• 마이크는 소리 에너지를 전기 에너지로 전환하여 스피커로 보낸다.

오답 풀이 ③ 불꽃놀이는 화학 에너지가 빛에너지로 전환되는 예이다.

⑤ 마이크는 소리 에너지를 전기 에너지로 전환한다.

2-2 헤어드라이어에서는 전기 에너지가 운동 에너지, 열에너지, 소리 에너지 등으로 전환된다. 이때 전환된 에너지를 모두 합하면 공급된 전기 에너지와 같다.

2-3 에너지는 새로 생겨나지도 않고 없어지지도 않는다. 단지 한 형태의 에너지에서 다른 형태의 에너지로 전환될 뿐 그 총량은 변하지 않는다.

2일 전기 에너지의 발생

개념 원리 확인 p.103, 105

1-1 ㉠ 전자기 유도 ㉡ 유도 전류 1-2 왼쪽 1-3 (1) 흐른다 (2) 흐른다 (3) 흐르지 않는다

2-1 ㉠ 발전 ㉡ 발전기 ㉢ 자석 2-2 (1) 자석 (2) 운동 에너지 (3) 빨리 2-3 ㉠ 전자기 유도 현상 ㉡ 유도 전류

해설

1-1 자석이 움직이지 않을 때는 켜지지 않던 발광 다이오드가 자석이 움직이면 켜진다. 이는 자석이 움직이면 코일을 통과하는 자기장이 변하여 코일에 전류가 발생하기 때문이다. 이와 같은 현상을 전자기 유도라 하고, 이때 코일에 흐르는 전류를 유도 전류라고 한다.

1-2 자석을 코일 속에 가까이할 때와 멀리할 때 검류계 바늘은 가운데에서 서로 반대 방향으로 움직인다. 이를 통해서 자석을 코일 속에 가까이할 때와 멀리할 때 코일에 흐르는 전류의 방향이 서로 반대 방향이라는 것을 알 수 있다.

1-3 코일 근처에서 자석을 움직이거나, 자석 근처에서 코일을 움직이면 코일에 전류가 흐른다. 하지만 자석을 코일 속에 넣고 움직이지 않으면 코일에 전류가 흐르지 않는다. 이처럼 자석이나 코일을 움직여 코일을 통과하는 자기장이 변하면 코일에 전류가 흐르게 된다.

2-1 여러 가지 과정을 거쳐 역학적 에너지를 전기 에너지로 전환하는 것을 발전이라고 하며 이러한 장치를 발전기라고 한다. 발전기 내에서는 역학적 에너지가 전기 에너지로의 전환이 일어난다. 즉 위치 에너지나 운동 에너지가 전기 에너지로 전환되는 것이다.

2-2 간이 발전기에서는 자석의 운동으로 전류가 발생하므로 자석의 운동 에너지가 전기 에너지로 전환된다. 발광 다이오드에서 전기 에너지가 다시 빛에너지로 전환되면서 불이 켜지게 되는데, 자석을 빨리 움직일수록 발광 다이오드의 밝기는 더 밝아진다.

2-3 발전기는 자석과 코일로 이루어져 있다. 다양한 에너지를 이용하여 코일을 회전시키면 전자기 유도 현상이 일어나 유도 전류가 발생한다.

2일 기초 집중 연습

p.106~107

1-1 ⑤ 1-2 ③ 1-3 ⑤
2-1 ③ 2-2 ⑤ 2-3 ⑤

해설

1-1 자석을 코일 근처에서 움직이면 전자기 유도 현상에 의해 코일에 유도 전류가 흐른다. 즉 자석을 코일에 가까이할 때 발광 다이오드에 불이 켜지는 것으로부터 전류가 발생하는 원리를 설명할 수 있다.

1-2 자석을 코일에서 빼거나 넣을 때 발생하는 전류의 세기는 같고 바늘이 움직이는 방향은 반대이다. 또한 자석의 극을 바꾸어도 바늘은 반대로 움직인다. 자석을 코일에서 빠르게 움직이면 전환되는 전기 에너지도 많아지므로 더 센 전류가 흘러 검류계의 바늘이 더 많이 움직인다.

1-3 코일 근처에서 자석을 움직이거나, 자석 근처에서 코일을 움직이면 코일에 전류가 흐른다. 하지만 자석을 코일 속에 넣고 움직이지 않으면 코일에 전류가 흐르지 않는다.

2-1 간이 발전기를 흔들면 자석이 코일 사이를 움직이므로 발광 다이오드에 불이 켜진다. 이는 자석이 움직이면 코일을 통과하는 자기장이 변하여 코일에 전류가 발생하기 때문이다. 이와 같은 현상을 전자기 유도라 하고, 이때 코일에 흐르는 전류를 유도 전류라고 한다. 간이 발전기를 흔들 때 자석의 역학적 에너지가 전기 에너지로 전환된 것이다.

2-2 간이 발전기를 흔들면 발광 다이오드에 불이 켜진다. 이는 자석의 운동 에너지가 전기 에너지로 전환되고, 발광 다이오드에서 전기 에너지가 다시 빛에너지로 전환되어 전구에 불이 켜진 것이다.

2-3 발전기는 영구 자석과 그 속에서 회전할 수 있는 코일로 이루어져 있으며, 코일이 회전하면 전자기 유도에 의해 코일에 전류가 흐르면서 전기가 생산된다.

3일 전기 에너지의 전환

개념 원리 확인

p.109, 111

1-1 역학적 에너지 1-2 위치 에너지, 운동 에너지, 운동 에너지 1-3 (1) 운동 에너지 (2) 운동 에너지
2-1 화학 에너지 2-2 (1) 전선 (2) 배터리 (3) 전기 기구
2-3 (1)—㉡ (2)—㉣ (3)—㉢ (4)—㉠

해설

1-1 간이 발전기나 자가발전 손전등은 모두 전자기 유도를 이용하는 장치이다. 간이 발전기나 자가발전 손전등을 흔들면 안에서 자석이 움직이게 되고 자기장이 변하여 코일에 유도 전류가 생성된다. 이렇게 만들어진 유도 전류를 이용하여 전구의 불을 켜므로 역학적 에너지가 전기 에너지로 전환된 것이다.

1-2 수력 발전소에는 댐에 괴어 있는 물을 흘려 보내 발전기의 터빈을 회전시킨다. 이때 처음 댐의 물은 위치 에너지를 가지지만 흘러 내려오는 동안 운동 에너지로 전환된다. 발전기의 터빈이 회전하는 운동 에너지에 의해 전기 에너지가 발생한다.

1-3 자전거의 전조등은 바퀴가 움직이면 바퀴와 접촉되어 있는 회전축이 회전하며, 여기에 연결된 자석이 회전하여 코일에 전류가 유도되어 불이 켜진다. 인라인스케이트에서는 바퀴가 회전하여 코일이 바퀴 축에 고정된 자석 주위를 회전한다. 이때 코일을 통과하는 자기장의 변화로 유도 전류가 발생하고 발광 다이오드에 불이 켜진다.

2-1 스마트폰은 전기 에너지를 다른 에너지로 쉽게 변환하여 사용하는 대표적인 예이다. 발전소에서 만든 전기 에너지를 스마트폰 속 배터리에 화학 에너지로 손쉽게 저장하고, 이를 휴대하고 다니면서 전기 에너지를 다양한 다른 에너지로 전환하여 이용한다.

2-2 전기 에너지는 전선을 이용하여 발전소에서 가정으로 송전할 수 있으며, 배터리에 저장할 수 있어 휴대하고 다니면서 필요할 때 사용할 수 있다. 또한 각종 전기 기구를 통해 다양한 에너지로 전환하여 사용할 수 있다.

2-3 전기 기구에서 전기 에너지는 다양한 형태의 에너지로

전환된다. 전기밥솥에서는 열에너지, 세탁기에서는 운동 에너지, 전구에서는 빛에너지, 스피커에서는 소리 에너지로 전환된다.

3일 기초 집중 연습 p.112~113

1-1 ④	1-2 ④	1-3 ⑤
2-1 ②	2-2 ②	2-3 ⑤

해설

1-1 발전기의 손잡이를 돌리면 영구 자석 사이에 있는 코일이 회전하여 전자기 유도에 의해 코일에 전류가 흘러 스마트폰이 충전된다. 이때 손잡이를 돌리는 역학적 에너지(운동 에너지)가 전기 에너지로 전환되고 전기 에너지는 배터리에 화학 에너지로 저장된다.

1-2 화력 발전기에서는 천연가스, 석탄, 석유 등의 화석 연료가 가진 화학 에너지를 이용하여 물을 끓여 수증기를 만들고, 수증기의 운동 에너지로 발전기의 터빈을 돌려 전기 에너지를 생산한다.

1-3 수력 발전은 물의 역학적 에너지, 풍력 발전은 바람의 역학적 에너지, 자전거의 자가발전기와 발광 인라인스케이트는 바퀴의 운동 에너지(역학적 에너지)를 이용하여 전기 에너지를 생산한다.

2-1 스마트폰의 화면에 나타난 사진을 볼 때는 전기 에너지가 빛에너지로 전환되었기 때문이며, 전화가 진동을 통해 알리는 것은 전기 에너지가 역학적 에너지로 전환되었기 때문이다. 또한 충전할 때는 전기 에너지가 배터리에 화학 에너지로 저장되는 것이다. 벨소리나 음악을 듣는 것은 전기 에너지가 소리 에너지로 전환되었기 때문이다.

오답 풀이 ㄴ. 충전할 때는 전기 에너지가 화학 에너지로 전환된다.

ㄷ. 벨소리는 전기 에너지가 소리 에너지로 전환된 것이다.

2-2 전기 에너지는 다양한 형태의 에너지로 전환된다. 모니터와 전기스탠드에서는 빛에너지, 진공청소기에서는 운동 에너지, 전기난로에서는 열에너지, 오디오에서는 소리 에너지로 전환된다.

2-3 전기토스터와 전기밥솥에서는 전기 에너지가 열에너지로 전환되며, 선풍기, 전기면도기, 세탁기에서는 전기 에너지가 운동 에너지로 전환된다. 텔레비전에서는 전기 에너지가 주로 빛에너지와 소리 에너지로 전환된다.

4일 전기 에너지의 이용

개념 원리 확인 p.115, 117

1-1 (1) W(와트) (2) W, J (3) 전류, 전압 **1-2** (가)
1-3 ㉠ 정격 전압 ㉡ 소비 전력
2-1 (1) 소비 전력 (2) kWh(킬로와트시) (3) 1시간
2-2 ㉠ 전력량계 ㉡ 전력량 **2-3** 1등급

해설

1-1 소비 전력의 단위로는 W(와트)를 사용하며, 1 W는 1초 동안 1 J의 전기 에너지를 소비할 때의 전력이다. 소비 전력은 전기 에너지를 사용 시간으로 나누거나 전기 기구에 흐르는 전류와 전압의 곱으로 구한다.

1-2 소비 전력은 전기 기구가 1초 동안 소비하는 전기 에너지의 양이다. 1초 동안 전구 (가)는 빛에너지 6 J과 열에너지 6 J로 총 12 J의 전기 에너지를 소비하고, 전구 (나)는 빛에너지 6 J과 열에너지 2 J로 총 8 J의 전기 에너지를 소비한다. 따라서 소비 전력은 (가)가 (나)보다 크다.

1-3 전기를 안전하게 사용하기 위해 전기 기구에는 '정격'이라는 것이 정해져 있다. 예를 들면 어떤 전기 기구에 '정격 전압 220 V, 정격 소비 전력 1200 W'라고 표시되어 있다면, 이것은 전기 기구를 220 V의 전압까지만 연결해야 하며, 220 V에 연결할 때 전기 기구가 1200 W의 전력을 소비함을 뜻한다.

2-1 전력량은 소비 전력에 사용 시간을 곱하여 구한다. 소비 전력의 단위로는 Wh(와트시) 또는 kWh(킬로와트시)를 사용하며, 1 Wh는 1 W의 전력을 1시간 동안 사용하였을 때의 전력량으로 3600 J의 전기 에너지와 같다.

2-2 전력량계는 전력량(전기 에너지)을 숫자로 기록하는 기기이다. 가정에서 전기를 사용하면 전기 에너지가 회전자를 회전시키고 이때의 회전수를 측정하여 가정에서 소비한 전력량으로 표시한다. 일반적으로 현관 밖에 설치되어 있어 검침원이 가정에 들어오지 않고도 숫자를 확인할 수 있다.

2-3 가전제품에는 에너지 소비 효율 등급 라벨이 붙어 있다. 에너지 소비 효율 등급은 전기 에너지가 유용한 에너지로 전환되는 정도에 따라 1등급에서부터 5등급까지 나누어 표시한다. 에너지 소비 효율 등급이 1등급인 가전제품은 5등급인 가전제품보다 30 %~40 % 정도의 에너지를 절약할 수 있다.

4일 기초 집중 연습 p. 118~119

1-1 ③	**1-2** ②	**1-3** ④
2-1 ③	**2-2** ③	**2-3** ②

해설

1-1 전구에서 1 분 동안 전기 에너지가 빛에너지로 360 J, 열에너지로 480 J로 전환되므로 전구가 소비한 전기 에너지는 360 J+480 J=840 J이다. 따라서 1 초 동안 소비하는 전기 에너지는 $\frac{840\ \text{J}}{60\ \text{s}}$=14 W이므로 전구의 소비 전력은 14 W이다. 전구에서는 전기 에너지가 빛에너지와 열에너지로 동시에 전환된다.

1-2 전구에서 5 분 동안 소비하는 전기 에너지는 3600 J+1200 J=4800 J이다. 5 분은 300 초이므로 전구가 1 초에 사용하는 전기 에너지는 $\frac{4800\ \text{J}}{300\ \text{s}}$=16 W이다.

1-3 선풍기의 소비 전력이 25 W이고 에어컨의 소비 전력이 1000 W이면 에어컨의 소비 전력은 선풍기의 40배이다. 따라서 같은 시간 동안 사용하면 에어컨이 선풍기보다 40배 많은 전기 에너지를 소비한다. 에어컨 1대를 켜는 전기 에너지로 선풍기 40대를 켤 수 있다.

2-1 전력량은 전기 기구의 소비 전력과 사용 시간의 곱으로 구한다. 따라서 각 전기 기구가 소비한 전력량은 다음과 같다.
- 텔레비전: 80 W×6 h=480 Wh
- 헤어드라이어: 2100 W×0.5 h=1050 Wh
- 형광등: 35 W×10 h=350 Wh
- 전기밥솥: 1090 W×1 h=1090 Wh

따라서 하룻동안 사용한 전력량이 가장 큰 기구는 전기밥솥이다.

2-2 전기주전자의 전력량은 전기주전자의 소비 전력과 사용한 시간의 곱이다. 따라서 전기주전자가 1 시간 30 분 동안 사용한 전력량은 1800 W×1.5 h=2700 Wh이다.

2-3 우리나라에서는 1~5등급으로 에너지 소비 효율 등급 표시제를 시행하고 있는데, 1등급으로 갈수록 전기 에너지를 효율적으로 이용하는 가전제품이다.

5일 별까지의 거리

개념 원리 확인 p. 121, 123

1-1 연주 시차 **1-2** (1) 6개월 (2) 작다 (3) 반비례
1-3 10 pc
2-1 밝게 **2-2** (1) $\frac{1}{4}$배 (2) 어둡게 (3) 밝게 **2-3** $\frac{1}{10}$배

해설

1-1 별은 매우 멀리 있어서 별까지의 거리를 직접 측정하기는 어렵지만, 별의 연주 시차를 측정하면 공식을 이용해서 거리를 계산할 수 있다.

1-2 (1) 별의 연주 시차는 6개월 간격으로 지구 공전 궤도 양 끝에서 관측한 별의 시차의 $\frac{1}{2}$이다.
(2) 별까지의 거리가 멀수록 연주 시차가 작다.
(3) 연주 시차는 별까지의 거리에 반비례한다.

1-3 별까지의 거리(pc)=$\frac{1}{\text{연주 시차}('')}$이므로, 연주 시차가 0.1″인 별 S까지의 거리는 10 pc이다.

개념 체크+ 별의 연주 시차와 거리

별	연주 시차(″)	거리(pc)
프록시마 센타우리	0.77	1.3
시리우스	0.38	2.6
알타이르(견우성)	0.19	5.1
베가(직녀성)	0.13	7.8
스피카	0.013	80

2-1 손전등에서 방출하는 빛의 양이 같을 때는 벽에서 손전등까지의 거리가 가까울수록 더 밝게 보인다.

2-2 광원으로부터 거리가 2배, 3배, … 멀어지면 빛이 도달하는 면적은 2^2배, 3^2배, …가 된다. 따라서 같은 면적에 도달하는 빛의 양은 $\frac{1}{2^2}$배, $\frac{1}{3^2}$배, …로 줄어든다. 즉, 관측자의 눈에 들어오는 빛의 양은 광원으로부터의 거리의 제곱에 반비례한다.

2-3 별의 밝기는 별까지의 거리의 제곱에 반비례한다. 따라서 거리가 4배로 멀어지면 밝기는 $\frac{1}{4^2}=\frac{1}{16}$배로 줄어든다.

5일 기초 집중 연습 p.124~125

1-1 ② **1-2** 은서 **1-3** ② **2-1** ②
2-2 $\frac{1}{4}$ **2-3** ⑤

해설

1-1 연주 시차는 별까지의 거리에 반비례하므로 멀리 있는 별일수록 연주 시차는 작아지고, 가까운 별일수록 연주 시차는 커진다. 연주 시차가 나타나는 이유는 지구가 태양 주위를 공전하므로 지구의 위치에 따라 별의 겉보기 위치도 달라지기 때문이다. 별의 시차의 $\frac{1}{2}$이 연주 시차이다.

1-2 별의 연주 시차는 6개월 간격으로 지구 공전 궤도 양 끝에서 측정한 별의 시차의 $\frac{1}{2}$을 말한다. 별의 연주 시차는 별까지의 거리에 반비례한다. 따라서 별의 연주 시차를 이용하여 별까지의 거리를 구할 수 있다.

1-3 연주 시차는 별의 시차의 $\frac{1}{2}$이며, 연주 시차를 초(″) 단위로 나타내고, 별까지의 거리를 파섹(pc)으로 나타내면 다음 관계가 성립한다.

별까지의 거리(pc)$=\frac{1}{\text{연주 시차}(″)}$

따라서 별 S의 연주 시차는 0.5″이므로 별까지의 거리는 2 pc이다.

2-1 손전등에서 벽까지의 거리가 가까울수록 벽에 비친 빛의 밝기는 더 밝게 보인다. 손전등의 밝기는 손전등까지의 거리의 제곱에 반비례하므로, 손전등의 거리가 3배로 멀어지면 빛의 밝기는 $\frac{1}{9}$배로 줄어든다.

오답 풀이 ㄱ, ㄷ. 손전등의 밝기는 거리에 반비례하는 것이 아니라 거리의 제곱에 반비례한다.

2-2 별의 밝기는 별까지의 거리의 제곱에 반비례한다. 따라서 거리가 2배로 멀어지면 밝기는 $\frac{1}{2^2}=\frac{1}{4}$배로 줄어든다.

2-3 별의 밝기는 별까지의 거리의 제곱에 반비례한다. 따라서 별까지의 거리가 10배로 멀어지면 별의 밝기는 $\frac{1}{10^2}=\frac{1}{100}$배로 줄어든다.

누구나 100점 테스트 p.126~127

01 ③ **02** (가) 화학 에너지 (나) 열에너지 (다) 화학 에너지 **03** ④ **04** 운동 에너지 **05** ③
06 지나 **07** ① **08** ⑤ **09** ③
10 수연

해설

01 소리 에너지는 물체에서 발생한 진동이 매질인 공기를 통해 전달되는 파동으로, 다른 사람과 대화를 하거나 음악 등을 감상할 수 있게 한다.

02 곡식은 햇빛의 빛에너지를 이용하여 광합성으로 양분을 생산하여 저장한다. 전기다리미로 옷을 다릴 때는 전기 에너지가 열에너지로 전환되는 것을 이용한다. 사람이 소리를 지르는 것은 음식물을 통해 섭취한 화학 에너지를 이용하는 것이다.

03 1 Wh는 소비 전력이 1 W인 전기 기구를 1 시간 동안 사용했을 때 소모하는 전기 에너지이다

04 풍력 발전기에서는 바람의 운동 에너지를 이용하여 발전기의 터빈을 돌리고 회전축에 달린 자석이나 코일이 돌아가면서 코일 속을 통과하는 자기장이 계속 변하게 되어 전기 에너지가 만들어진다.

05 간이 발전기를 흔들면 자석의 운동 에너지가 전기 에너지로 전환되므로 코일에 전류가 흐르고, 발광 다이오드에서 전기 에너지가 다시 빛에너지로 전환되면서 불이 켜지게 된다. 발광 다이오드의 밝기는 자석이 빨리 움직일수록 밝다.

06 자석이 움직이면 코일을 통과하는 자기장이 변하여 코일에 전류가 발생한다. 하지만 자석을 움직이지 않으면 자기장의 변화가 없으므로 전류가 흐르지 않는다. 따라서 (가)에서는 유도 전류가 발생하지 않는다.

07 휴대 전화의 스피커에서 소리가 날 때는 전기 에너지가 소리 에너지, 화면에서 빛이 날 때는 전기 에너지가 빛에너지, 휴대 전화가 뜨거워질 때는 전기 에너지가 열에너지로 전환되기 때문이다.

08 소비 전력이 가장 큰 것은 전자레인지로 1200 W이고 가장 작은 것은 전구로 40 W이다. 따라서 전자레인지의 소비 전력은 전구의 30 배이므로 전자레인지를 1 분 동안 켤 수 있는 전기 에너지로 전구를 30 분 켤 수 있다.

09 별까지의 거리(pc)$=\frac{1}{\text{연주 시차}('')}$이므로, 연주 시차가 1″인 별까지의 거리는 1 pc이다.
오답 풀이 ㄱ. 별의 연주 시차는 6개월 간격으로 지구 공전 궤도 양 끝에서 측정한 별의 시차의 $\frac{1}{2}$이다.
ㄴ. 별의 연주 시차는 거리가 먼 별일수록 작으며, 별까지의 거리에 반비례한다.

10 별의 밝기는 별까지의 거리의 제곱에 반비례한다.

특강 | 창의, 융합, 코딩 p.130~133

1 진호, 에너지 보존 법칙 **2** (1) 전자기 유도 (2) 코일을 자석에 가까이하거나 멀리한다. **3** 은혜, 코일 대신 자석이 회전해도 전류가 발생해. **4** 해설 참조 **5** (1) 화학 에너지 (2) 열에너지 (3) 운동 에너지 **6** ㉠ 22 W ㉡ 22 J ㉢ 빛에너지 **7** (1) ㉠ 750 Wh ㉡ 300 Wh ㉢ 선풍기 ㉣ 800 Wh **8** ㉠ 작아 ㉡ 작아진다

해설

1 에너지는 한 형태에서 다른 형태로의 전환이 일어난다. 에너지가 전환될 때 에너지가 새로 생기거나 사라지지 않고 그 양은 항상 일정하게 보존되는데, 이를 에너지 보존 법칙이라고 한다.

2 코일 근처에서 자석을 움직이거나, 자석 근처에서 코일을 움직이면 코일에 전류가 흐른다. 이처럼 자석이나 코일을 움직이면 코일을 통과하는 자기장이 변하여 코일에 전류가 흐르게 되는데, 이 현상을 전자기 유도라고 한다.

3 자석과 코일의 운동으로 전기 에너지가 생성될 때 자석만 움직이거나 코일만 움직여도 전류가 발생한다. 또한 자석과 코일이 모두 움직여도 전기가 만들어진다.

4 발전기 내부에는 자석과 코일이 있다. 자석이 코일 주변에서 움직이면 전자기 유도에 의해 유도 전류가 발생하고 전구에서는 전기 에너지가 빛에너지로 전환된다.
모범 답안 손잡이를 눌렀다 뗐다를 반복하면 자석이 코일 주변을 움직이면서 전류가 만들어진다. 이때 자석의 운동 에너지가 전기 에너지로 전환되고, 전구에서는 전기 에너지가 빛에너지로 전환되어 불이 켜진다.

5 배터리를 충전할 때 전기 에너지는 배터리에 화학 에너지로 저장된다. 따라서 스마트 기기 배터리를 충전할 때 전기 에너지는 화학 에너지로 전환된다. 전기난로에서는 전기 에너지가 열에너지로 전환되므로 따뜻하며, 세탁기는 전기 에너지를 운동 에너지로 전환하여 세탁 통을 돌리므로 빨래를 할 수 있다.

6 220 V−22 W는 정격 전압이 220 V일 때 소비 전력이 22 W란 의미이다. 즉 전구를 220 V의 전원에 연결하면 1초에 22 J의 전기 에너지를 소비한다. 전구에서는 전기

에너지가 빛에너지로 전환된다.

7 전력량은 소비 전력을 사용한 시간과 곱한 값으로, 단위로 Wh(와트시), kWh(킬로와트시) 등을 사용한다.
- 소비 전력이 가장 큰 기구는 헤어드라이어이고 하룻동안 소비한 전력은 750 Wh이다.
- 소비 전력이 가장 작은 기구는 전구이다. 하룻동안 소비한 전력량은 50 W × 6시간=300 Wh이다.
- 선풍기가 하룻동안 소비한 전력량은 200 W × 4 h= 800 Wh이다.

8 관측자와 연필 사이의 거리가 가까우면 시차가 크고, 관측자와 연필 사이의 거리가 멀면 시차가 작다. 이와 같이 별의 연주 시차는 거리가 먼 별일수록 작고, 별까지의 거리와 연주 시차는 반비례한다.

4주

1일 별의 밝기와 색

개념 원리 확인 p. 139, 141

1-1 세원 **1-2** (1) 겉보기 등급 (2) 어두운 (3) 100배
1-3 B **2-1** 청색 **2-2** (1) 표면 온도 (2) 청색 (3) 적색
2-3 표면 온도

해설

1-1 별의 등급은 천체의 밝기를 나타내는 단위로, 등급 수치가 작을수록 밝다. 즉, 맨눈으로 볼 때 가장 밝은 별은 1 등성이며, 별의 등급이 작을수록 밝은 별이다.

1-2 (1) 겉보기 등급은 관측자에게 보이는 별의 밝기를 등급으로 나타낸 것으로, 이미 등급을 알고 있는 별의 밝기와 상대적인 비교를 통해 겉보기 등급을 결정한다.
(2) 맨눈으로 보아 가장 밝은 별을 1 등성, 가장 어두운 별을 6 등성, 사이에 해당하는 별은 상대적인 밝기에 따라 2 등성, 3 등성, 4 등성, 5 등성으로 구분한다.
(3) 1 등성과 6 등성의 밝기 차이는 100배이며, 1 등급 차이는 약 2.5배이다.

개념 체크+ 겉보기 등급

사람의 눈은 대략 6 등급까지 관측 가능하며, 천체 관측 도구를 사용하면 더 어두운 별도 볼 수 있다.

관측 도구	관측 한계
맨눈	약 6 등급
쌍안경	약 9 등급
소형 망원경	약 14 등급
대형 망원경	약 23 등급
허블 우주 망원경	약 30 등급

1-3 맨눈으로 볼 때 밝게 보이는 별일수록 겉보기 등급이 작다.

2-1 별의 색은 별의 표면 온도에 따라 다르다. 별의 표면 온도가 높을수록 청색을 띠고 온도가 낮아짐에 따라 청백색 → 백색 → 황백색 → 황색 → 주황색 → 적색을 띤다.

2-2 별의 색이 다른 이유는 별의 표면 온도가 다르기 때문이다. 표면 온도가 높은 별에서 낮은 별로 갈수록 별의 색은 청색 → 청백색 → 백색 → 황백색 → 황색 → 주황색 → 적색으로 변한다.

2-3 별의 색은 별을 구성하는 성분과는 상관이 없고, 별의 표면 온도에 따라 별의 색이 다르다. 흰색의 시리우스는 붉은색의 베텔게우스보다 표면 온도가 더 높다.

1일 기초 집중 연습 p.142~143

1-1 ④	**1-2** 10 pc	**1-3** ⑤	**2-1** ④
2-2 ⑤	**2-3** ④		

해설

1-1 별의 실제 밝기는 절대 등급으로 비교하고, 맨눈으로 보이는 밝기는 겉보기 등급으로 비교한다. 별의 밝기가 밝을수록 별의 등급은 작아진다. 겉보기 등급이 작을수록 맨눈으로 볼 때 더 밝게 보이는 별이고, 절대 등급이 작을수록 실제로 더 밝은 별이다.
(오답 풀이) ㄷ. 절대 등급이 작을수록 밝은 별이므로, 별의 등급이 음수인 경우 −1, −2, −3으로 작아질수록 더 밝은 별이다.

1-2 별의 실제 밝기를 비교하려면 같은 거리에 있을 때의 밝기를 비교해야 한다. 절대 등급은 별이 10 pc 거리에 있다고 가정할 때의 등급이다.

1-3 절대 등급은 별이 10 pc의 거리에 있을 때의 밝기를 나타낸 것으로, 절대 등급과 겉보기 등급이 같은 별 A까지의 거리는 10 pc이다.

개념 체크⁺ 별까지의 거리와 등급

별까지의 거리	등급
10 pc보다 가까운 별	겉보기 등급 < 절대 등급
10 pc보다 먼 별	겉보기 등급 > 절대 등급
10 pc인 별	겉보기 등급 = 절대 등급

2-1 별의 색은 표면 온도가 낮을수록 적색을 띠고, 표면 온도가 높아짐에 따라 주황색 → 황색 → 황백색 → 백색 → 청백색 → 청색을 띤다. 청색을 띠는 별이 적색을 띠는 별보다 표면 온도가 더 높다.
(오답 풀이) ㄷ. 별의 색이 다른 까닭은 별의 표면 온도가 다르기 때문이다.

2-2 별의 색이 다른 이유는 각 별의 표면 온도가 다르기 때문이다.

2-3 별의 색은 표면 온도에 따라 달라진다. 표면 온도가 높을수록 청색을 띠고 온도가 낮아짐에 따라 청백색 → 백색 → 황백색 → 황색 → 주황색 → 적색을 띤다.

2일 우리은하의 구성 천체

개념 원리 확인 p.145, 147

1-1 나선팔 **1-2** (1) 원반 (2) 30 (3) 8.5 (4) 나선팔
1-3 A **2-1** 반사 성운 **2-2** (1) 성단 (2) 성운 (3) 구상 성단 **2-3** 암흑 성운

해설

1-1 수많은 별들로 이루어진 우리은하는 가운데에 별들이 밀집해 있는 막대 구조가 있고, 주변에는 별들이 나선 모양으로 휘감겨 있는 나선팔이 있다.

1-2 우리은하를 위에서 본 모양은 막대 모양의 구조를 가진 중심부와 별들이 나선 모양으로 분포하는 나선팔을 가진 막대 나선 은하이며, 옆에서 본 모양은 중심부가 부풀어 있는 납작한 원반 모양이다. 우리은하는 약 2000억 개 이상의 별들을 포함하고 있으며, 지름은 약 30 kpc(=30000 pc), 질량은 태양의 약 2000억 배이다. 태양계는 은하 중심에서 약 8.5 kpc(=8500 pc) 떨어진 나선팔에 위치한다.

1-3 태양계는 은하 중심에서 약 8.5 kpc(=8500 pc) 떨어진 나선팔에 위치한다.

2-1 반사 성운은 우주 공간의 가스와 먼지인 성간 물질이 주위의 별빛을 반사하여 밝게 보이는 성운이다. 반사 성운은 주로 파란색으로 빛난다.

2-2 성단은 많은 수의 별들이 좁은 공간에 모여 집단을 이루고 있는 천체를 말하며, 모양에 따라 산개 성단과 구상 성단으로 구분한다. 산개 성단은 수십~수만 개의 별들이 일정한 모양 없이 모여 있는 별의 집단으로, 주로 나선팔에 분포하고 대부분 젊고 표면 온도가 높은 푸른색 별들로 구성되어 있다. 구상 성단은 수만~수십만 개의 별들이 공 모양으로 빽빽하게 모여 있는 별의 집단으로, 주로 은하 중심부와 은하 원반을 둘러싼 구형의 공간(헤일로)에 분포하며, 대부분 늙고 표면 온도가 낮은 붉은색 별들로 구성되어 있다.

성간 물질은 별 사이에 있는 기체와 먼지들로, 성운은 성간 물질이 밀집되어 구름처럼 보이며, 방출 성운, 반사 성운, 암흑 성운이 있다. 주로 우리은하의 나선팔에서 발견된다. 방출 성운은 근처의 별로부터 에너지를 받아 온도가 높아져서 스스로 빛을 내며, 주로 붉은색의 빛을 낸다. 반사 성운은 주변의 별빛을 반사시켜 밝게 보이는데, 주로 파란색으로 빛난다. 암흑 성운은 성간 물질이 뒤쪽에서 오는 별빛을 가려서 별이 없는 것처럼 검게 보이는 것으로, 은하수의 가운데 부분이 검게 보이는 것은 암흑 성운 때문이다.

2-3 성간 물질이 뒤쪽에서 오는 별빛을 차단하여 검게 보이는 천체를 암흑 성운이라고 한다.

2일 기초 집중 연습 p.148~149

1-1 ④	1-2 민희	1-3 ②	2-1 ⑤
2-2 ④	2-3 ③		

해설

1-1 우리은하는 수많은 별 등으로 이루어진 천체로, 태양계가 속한 은하이다. 위에서 바라본 모습은 가운데가 막대 모양이고, 그 주변은 나선팔로 휘감겨 있다. 또한, 중심부부터 나선팔이 있는 것이 아니라, 중심부는 막대 구조이고 주변에 나선팔이 있다. 옆에서 본 모습은 가운데가 볼록한 원반 모양이다. 우리 은하는 지름이 약 30 kpc이다.

오답 풀이 ㄴ. 태양계는 우리은하 중심으로부터 약 8.5 kpc 떨어진 곳에 위치해 있다.

1-2 우리은하는 막대 모양의 구조를 가진 중심부와 별들이 나선 모양으로 분포하는 나선팔을 가진 막대 나선 은하이다. 우리은하는 중심부부터 나선팔로 이루어져 있지 않고, 막대 끝부분부터 나선팔이 시작된다.

1-3 은하수는 우리은하의 일부만을 본 모습이다. 여름철에는 지구에서 우리은하 중심을 바라보는 방향에 있어서 은하수가 잘 관측되며, 겨울철에는 지구에서 우리은하 중심의 반대 방향을 바라보는 방향에 있어서 여름철에 비해 은하수가 뚜렷하지 않다.

2-1 성단은 별이 모여 있는 모양에 따라 산개 성단과 구상 성단으로 구분한다. 산개 성단은 수십~수만 개의 별들이 엉성하게 모여 있는 성단이고, 구상 성단은 수만~수십만 개의 별들이 공 모양으로 빽백하게 모여 있는 성단이다. 산개 성단은 주로 파란색 별들이 모여 있고, 구상 성단은 주로 붉은색 별들이 모여 있다. 별이 모여 있는 성단과 달리 성운은 성간 물질이 모여 구름처럼 보이는 천체이다.

오답 풀이 ⑤ 성단은 수십~수십만 개의 별들이 모여 있는 천체이다.

2-2 (가)는 방출 성운, (나)는 반사 성운, (다)는 암흑 성운이다. 방출 성운은 근처의 별로부터 에너지를 받아 온도가 높아져서 스스로 빛을 내며, 주로 붉은색의 빛을 낸다. 반사 성운은 주변의 별빛을 반사시켜 밝게 보이는데, 주로 파란색으로 빛난다. 암흑 성운은 성간 물질이 뒤쪽에서 오는 별빛을 가려서 별이 없는 것처럼 검게 보이는 것으로, 은하수의 가운데 부분이 검게 보이는 것은 암흑 성운 때문이다.

2-3 수만~수십만 개의 별들이 공 모양으로 빽빽하게 모여 있는 별의 집단은 구상 성단이다. 성간 물질이 주변 별빛을 반사하여 밝게 보이는 것은 반사 성운이고, 성간 물질이 근처 별로부터 에너지를 받아 온도가 높아지면서 스스로 빛을 내는 것은 방출 성운이다.

정답과 해설

3일 우주의 팽창

개념 원리 확인 p. 151, 153

1-1 막대 나선 **1**-2 (가) 타원 은하 (나) 정상 나선 은하 (다) 막대 나선 은하 **1**-3 불규칙 은하
2-1 팽창 **2**-2 (1) 멀어 (2) 팽창함 (3) 대폭발 **2**-3 대폭발

해설

1-1 우리은하는 중심부에 막대 구조가 있고, 주변에 나선팔이 있는 막대 나선 은하에 속한다.

1-2 나선 은하는 막대 구조의 유무에 따라 정상 나선 은하와 막대 나선 은하로 구분한다.

1-3 허블은 모양에 따라 외부 은하를 분류했으며, 특정한 모양이 없는 은하는 불규칙 은하로 분류했다.

2-1 우리은하로부터 외부 은하들까지의 거리는 점점 멀어지고 있으며, 멀리 있는 은하일수록 더 빨리 멀어지는 것으로 관측된다. 따라서 외부 은하가 서로 멀어진다는 사실을 통해서 우주가 팽창하고 있음을 알 수 있다.

2-2 우주 공간은 특별한 중심 없이 모든 방향으로 균일하게 팽창하고 있다. 우주의 어느 지점에서 보더라도 은하들이 관측자로부터 멀어지는 현상이 나타나며, 멀리 있는 은하일수록 더 빠르게 멀어진다.
대폭발 우주론(빅뱅 우주론)은 먼 과거에 모든 물질과 에너지가 모인 한 점에서 대폭발로 시작된 우주가 점점 팽창하여 현재의 우주가 되었다는 이론이다. 과거의 우주는 지금보다 크기가 작고 온도가 높았으며, 대폭발 이후 우주는 계속해서 팽창하고 있다.

2-3 대폭발 우주론은 현재 우주를 이루는 모든 물질과 에너지가 과거에는 한 점에 모여 있었지만, 대폭발이 일어나면서 점차 팽창하여 현재 모습과 같은 우주가 되었다는 우주론이다.

3일 기초 집중 연습 p. 154~155

1-1 ① **1**-2 은영 **1**-3 ④ **2**-1 ⑤
2-2 ④ **2**-3 ④

해설

1-1 허블은 외부 은하를 그 형태에 따라 타원 은하, 정상 나선 은하, 막대 나선 은하, 불규칙 은하로 분류하였다.
오답 풀이 ㄴ. 막대 구조와 주변부에 나선팔을 가진 우리은하는 막대 나선 은하에 해당한다.
ㄹ. 허블은 외부 은하를 모양에 따라 분류했으며, 특정한 형태가 없는 은하는 불규칙 은하로 분류하였다.

1-2 허블은 수많은 외부 은하를 그 형태에 따라 막대 나선 은하, 정상 나선 은하, 타원 은하, 불규칙 은하로 분류하였다.

1-3 가운데에 막대 구조가 없고 나선팔로 휘감겨 있는 정상 나선 은하이다.
오답 풀이 ㄷ. 우리은하는 막대 나선 은하이다.

2-1 과거에 모든 물질과 에너지가 모인 한 점에서 대폭발로 인해 우주가 점점 팽창하여 현재의 모습이 되었다는 이론을 대폭발 우주론(빅뱅 우주론)이라고 한다. 대폭발 우주론에 따르면, 과거의 우주는 온도가 매우 뜨겁고 크기도 작았지만, 점차 온도가 내려가고 팽창하면서 부피가 커지고 있다.
오답 풀이 ㄱ. 대폭발로 인해 생겨난 우주는 현재도 계속해서 팽창하고 있다.

2-2 대폭발 우주론 (빅뱅 우주론)은 먼 과거에 모든 물질과 에너지가 모인 한 점에서 대폭발로 시작된 우주가 점점 팽창하여 현재의 모습과 같은 우주가 되었다는 이론이다.

2-3 풍선 표면이 커지면서 스티커 사이의 거리가 서로 멀어진다는 사실을 통해 우주가 팽창함에 따라 은하 사이의 거리가 서로 멀어진다는 사실을 비유적으로 알 수 있다.

4일 우주 탐사

개념 원리 확인 p.157, 159

1-1 첨단 과학 기술 **1-2** (1) ㉢ (2) ㉠ (3) ㉡ **1-3** 사진 촬영 기술 **2-1** 민수 **2-2** 행성 **2-3** 화성

해설

1-1 우주 탐사 준비 과정에서 얻은 형상 기억 합금 등의 첨단 과학 기술은 다양한 산업 분야나 실생활에 이용한다.

1-2 정수기, 전자레인지는 우주인의 생활 편의를 위해 개발된 기술로 만들어졌으며, 인공위성 안테나를 제작하기 위한 형상 기억 합금은 안경테나 인공 관절을 만드는데 이용한다.

1-3 자기 공명 영상(MRI)은 달 착륙 전 달의 지형을 파악하기 위해 달 사진 영상을 보정하는 과정에서 개발되었으며, 의료 분야에서 질병의 정확한 진단에 활용한다.

2-1 1957년 최초로 인공위성인 스푸트니크 1호 발사에 성공하면서 본격적인 우주 탐사가 시작되었다.

2-2 1957년 최초의 인공위성 스푸트니크 1호가 발사되면서 경쟁적인 우주 탐사가 시작되었다. 1960년대는 주로 달 탐사가 이루어졌으며, 1970년대는 주로 행성 탐사가 이루어졌다. 1990년대 이후에는 행성과 위성을 포함하여 소행성이나 혜성 등 다양한 천체로 탐사 대상이 확대되었다.

2-3 화성 탐사 로봇 큐리오시티는 화성 유인 탐사를 위한 전단계로 2012년 화성의 게일 분화구에 착륙하여 그 주변을 탐사하는 로봇이다. 화성의 기후와 지질 조사, 물의 역할과 생명체 연구 등을 수행하였다.

4일 기초 집중 연습 p.160~161

1-1 ③ **1-2** ⑤ **1-3** ① **2-1** ③
2-2 ② **2-3** ㉠ 달 ㉡ 화성 ㉢ 명왕성

해설

1-1 우주 탐사를 위해 개발된 기술에서 인공위성 안테나를 만들 때 사용한 형상 기억 합금 소재는 안경테나 인공 관절에 이용한다. 또한, 우주 탐사에서 활용했던 사진 촬영 기술은 자기 공명 장치(MRI)나 컴퓨터 단층 촬영(CT)에 응용되었다.

오답 풀이 ㄱ. 우주선을 가볍게 만드는 티타늄 소재는 골프채와 의족에 이용되고 있다.

ㄴ. 전자레인지나 정수기는 우주인의 생활 편의를 위해서 개발한 것이다.

1-2 우주 탐사는 우주에 대한 본질적인 이해의 폭을 넓혀주어 우주에 대한 인류의 지적 호기심을 충족시켜 준다. 또한, 우주 탐사 과정에서 다양한 정보와 새로운 지식을 습득하여 지구의 환경과 생명에 대한 이해를 증진시키며, 우주 탐사 기술을 실생활에 응용하여 인류의 편의와 삶의 질을 향상시킨다.

1-3 정수기와 전자 레인지는 우주인의 생활 편의를 위해 제작하였으며, 자기 공명 장치(MRI)와 컴퓨터 단층 촬영(CT)은 우주 탐사에서 행성 내부 탐사에 활용된 사진 촬영 기술을 의학 분야에 응용한 것이다.

2-1 우주 탐사의 시작은 1957년 최초의 인공위성 스푸트니크 1호 발사에 성공하면서부터이고, 그 후 1969년에는 유인 탐사선인 아폴로 11호가 달 착륙에 성공하였다. 달 탐사가 주로 이루어졌던 1960년대와는 달리 1970년대에는 행성 탐사가 주로 이루어졌다. 1990년에는 허블 우주 망원경을 발사하면서 더욱 선명한 우주 사진이나 정보를 얻을 수 있었고, 2012년에는 화성에 탐사 로봇인 큐리오시티가 착륙하여 화성 표면을 탐사하고 있다.

2-2 1957년 최초의 인공위성 스푸트니크 1호를 발사하면서 경쟁적인 우주 탐사가 시작되었다. 1960년대에는 주로 달 탐사가 이루어졌으며, 1970년대에는 주로 행성 탐사가 이루어졌다. 1990년대 이후에는 행성과 위성을 포함하여 소행성이나 혜성 등 다양한 천체로 탐사 대상이 확대되었다.

2-3 1969년 아폴로 11호가 달 착륙에 성공하였고, 2012년 화성 유인 탐사를 위한 전단계로 화성의 게일 분화구에 탐사 로봇 큐리오시티가 착륙하여 화성의 기후와 지질

조사, 물의 역할과 생명체 연구 등을 수행하였다. 2015년 7월 뉴호라이즌스호가 최초로 명왕성을 근접 통과하였으며, 앞으로 태양계 외곽에 진입하여 천체들을 탐사한 후 태양계 밖으로 계속 진행할 계획이다. 이처럼 우주 탐사의 대상은 달 → 행성 → 소행성, 혜성 등의 다양한 천체로 확대되었다.

5일 과학 기술과 인류 문명

개념 원리 확인 p. 163, 165

1-1 백신 **1-2** (1) ㉢ (2) ㉠ (3) ㉡ **1-3** 세포
2-1 생체 모방 기술 **2-2** (1) 나노 기술 (2) 생명 공학 기술 (3) 정보 통신 기술 **2-3** 수연

해설

1-1 질병을 예방하는 백신과 질병을 치료하는 항생제는 인류의 수명을 늘리는 데 큰 역할을 했다.

1-2 증기 기관을 이용한 증기 기관차와 철도, 증기선이 개발되어 먼 곳까지 물건을 운반할 수 있게 되었고, 항해술이 발달하게 되었다. 암모니아 합성법의 개발로 질소 비료를 사용함으로써 식량의 대량 생산이 가능해졌다. 또한 금속 활자와 인쇄술이 발달하면서 인류는 다양한 지식을 축적할 수 있게 되었다.

1-3 로버트 훅은 자신이 만든 현미경으로 세포를 처음 발견하였다. 하지만 당시 훅이 관찰한 것은 세포 자체가 아니라 세포벽이었다.

2-1 생체 모방은 생물체의 구조를 모방하는 방법, 구성 성분을 모방하는 방법, 기능을 모방하는 방법 등 다양하게 이루어진다. 이러한 예로 홍합을 모방한 의료용 접착제, 상어 비늘을 모방한 수영복, 하늘다람쥐를 모방한 윙슈트, 연잎 표면 구조를 모방한 발수 페인트, 나방 눈의 구조를 모방한 유리 등이 있다.

2-2 미래 사회에 활용할 수 있는 나노 기술은 나노미터 크기의 작은 물질을 활용하는 기술이고, 생명 공학 기술인 유전자 재조합 기술, 세포 융합 기술 등으로 식량 문제를 해결하고 유용한 의약품을 개발하며, 질병 치료 방법도 개발할 수 있다. 정보 통신 기술인 사물 인터넷(IoT)은 모든 사물을 인터넷으로 연결하는 기술이다.

2-3 공학적 설계는 새로운 제품이나 기존 제품을 개선하는 창의적인 설계 과정으로, 한 번에 완성되는 것이 아니라 평가를 통해 설계 과정을 반복하며, 이 과정에서 가장 적합한 결과물을 만들어낸다.

5일 기초 집중 연습 p. 166~167

1-1 ① **1-2** 지나 **1-3** ④ **2-1** ④
2-2 공학적 설계 **2-3** 나노 기술

해설

1-1 증기 기관은 증기가 가진 열에너지를 운동 에너지로 변환하는 장치이다. 산업 혁명을 통해 증기 기관을 이용한 기계를 사용하게 되면서 제품을 대량 생산하게 되어, 인류의 삶이 편리해졌다. 특히, 농업 중심 사회에서 공업과 제조업이 발달되는 사회로 변하게 되었다.
오답 풀이 ㄷ. 증기 기관은 산업 혁명 이후부터 사용되었다.

1-2 태양 중심설은 지구가 우주의 중심이라고 생각했던 중세의 우주관을 바뀌게 하는 계기가 되었다.

1-3 인쇄술의 발달로 책의 대량 생산이 가능해지고, 지식과 정보의 유통이 활발해지면서 신 중심의 사회에서 과학과 인간 중심의 사회로 변화되었다.

2-1 미래 사회와 우리 생활에 영향을 주는 과학 기술에는 나노 기술, 생명 공학 기술, 정보 통신 기술 등이 있다. 나노 기술은 주로 새로운 소재를 개발하거나 제품을 만들 때 활용하고, 생명 공학 기술은 식량 문제 해결, 유용한 의약품 개발, 질병 치료 방법을 개발하는 데 이용한다. 생체 모방 기술도 생명 공학 기술에 포함된다. 정보 통신 기술은 사물 인터넷(IoT) 등 다양한 분야에서 이용한다.

2-2 공학적 설계는 제품을 만드는 창의적인 설계 과정으로, 한 번의 과정으로 제품이 완성되는 것은 아니다.

2-3 나노 기술은 나노미터 크기의 작은 물질을 이용하여 다양한 소재나 제품을 만드는 기술이다.

누구나 100점 테스트 p.168~169

01 ①	02 ④	03 해설 참조	04 ④
05 ②	06 ③	07 ②	
08 해설 참조	09 ③	10 (다)－(라)－(나)－(가)	

해설

01 별의 실제 밝기는 절대 등급으로 비교할 수 있으며, 10 pc의 거리에 있는 별은 겉보기 등급과 절대 등급이 같다.
오답 풀이 ㄷ. 겉보기 등급은 관측자에게 보이는 별의 밝기를 등급으로 나타낸 것으로, 이미 등급을 알고 있는 별의 밝기와 상대적인 비교를 통해 겉보기 등급을 결정한다.
ㄹ. 별의 실제 밝기를 비교하려면 같은 거리에 있을 때의 밝기를 비교해야 하며, 절대 등급은 별이 10 pc 거리에 있다고 가정할 때의 등급이다.

02 별의 색이 다른 이유는 별의 표면 온도가 다르기 때문이다. 표면 온도가 낮을수록 적색을 띠며, 표면 온도가 높아짐에 따라 황색, 백색을 거쳐 청색을 띤다.

03 별의 색은 별의 표면 온도에 따라 달라진다. 표면 온도가 높을수록 청색을 띠고 온도가 낮아짐에 따라 청백색 → 백색 → 황백색 → 황색 → 주황색 → 적색을 띤다.
모범 답안 별의 색은 표면 온도에 따라 달라지기 때문이다.

04 우리은하를 위에서 보면 막대 모양의 중심부와 별들이 나선 모양으로 분포하는 나선팔을 가진 막대 나선 은하이며, 옆에서 보면 중심부가 부풀어 있는 납작한 원반 모양이다. 우리은하는 약 2000억 개 이상의 별들을 포함하고 있으며, 지름은 약 30 kpc(=30000 pc)이고 질량은 태양의 약 2000억 배이다. 태양계는 은하 중심에서 약 8.5 kpc(=8500 pc) 떨어진 나선팔에 위치하고 있다.

05 ㄱ은 암흑 성운, ㄴ은 산개 성단, ㄷ은 구상 성단, ㄹ은 반사 성운이다. 암흑 성운은 성간 물질이 뒤쪽에서 오는 별빛을 가려서 별이 없는 것처럼 검게 보는 것으로, 은하수의 가운데 부분이 검게 보이는 것은 암흑 성운 때문이다. 산개 성단은 수십~수만 개의 별들이 일정한 모양 없이 모여 있는 별의 집단으로, 주로 나선팔에 분포하며, 대부분 젊고 표면 온도가 높은 푸른색 별들로 구성되어 있다. 구상 성단은 수만~수십만 개의 별들이 공 모양으로 빽빽하게 모여 있는 별의 집단으로, 주로 은하 중심부와 은하 원반을 둘러싼 구형의 공간에 분포하며, 대부분 늙고 표면 온도가 낮은 붉은색 별들로 구성되어 있다. 반사 성운은 주변의 별빛을 반사시켜 밝게 보이는데, 주로 파란색으로 빛난다.

06 외부 은하를 형태에 따라 분류한 허블의 분류에 따르면 우리은하는 막대 구조와 나선팔을 가진 막대 나선 은하에 해당된다.

07 풍선 표면이 커지면서 스티커 사이의 거리가 서로 멀어진다는 사실을 통해 우주가 팽창함에 따라 은하 사이의 거리가 서로 멀어지며, 풍선 표면에 위치한 어느 스티커를 기준으로 하더라도 멀리 있는 스티커가 더 많이 멀어진다는 사실을 통해 멀리 있는 은하일수록 더 빨리 멀어진다는 것을 비유적으로 알 수 있다.

08 우주 탐사를 통해 우주에 대한 호기심을 충족시킬 수 있고, 우주에 대해 폭넓게 이해할 수 있다. 또한, 지구 환경과 생명에 대해 이해할 수 있으며, 우주 탐사 준비 과정에서 얻은 첨단 과학 기술을 실생활에 응용할 수 있다.
모범 답안 우주에 대한 호기심을 충족시킬 수 있다. 지구 환경과 생명에 대해 이해할 수 있다.

09 자기 공명 영상(MRI)은 우주 탐사에서 활용했던 사진 촬영 기술을 응용한 것이고, 골프채는 우주선을 제작할 때 개발된 티타늄 소재를 이용한 것이다. 전자레인지와 정수기는 우주인의 생활 편의를 돕기 위해 개발한 것이다.

10 1969년에 아폴로 11호가 달 착륙에 성공하였고, 1989년에 보이저 2호가 해왕성을 근접 통과하였다. 1990년에 허블 우주 망원경을 발사하였으며, 2015년에는 뉴호라이즌스호가 명왕성을 근접 통과하였다.

특강 | 창의, 융합, 코딩 p.172~175

1 2.5배	2 해설 참조	3 해설 참조
4 반사 성운	5 (1) 4종류 (2) (나), 막대 나선 은하	
6 ㉠ 은하, ㉡ 팽창	7 은혜	8 생체 모방 기술

해설

1 맨눈으로 보아 가장 밝은 별을 1 등성, 가장 어두운 별을 6 등성, 그 사이에 해당하는 별은 상대적인 밝기에 따라 2 등성, 3 등성, 4 등성, 5 등성으로 구분한다. 1 등성과 6 등성의 밝기 차이는 100배이며, 1 등급의 밝기 차이는 약 2.5배이다.

2 별의 표면 온도가 높을수록 청색을 띠고, 별의 표면 온도가 낮을수록 적색을 띤다.

모범 답안 베텔게우스와 리겔의 표면 온도가 다르므로 별의 색깔이 달라진다. 별의 표면 온도가 낮은 베텔게우스는 적색, 별의 표면 온도가 높은 리겔은 청백색을 띤다.

3 겨울철에 보이는 은하수는 나선팔 방향을 바라본 모습이지만, 여름철에 보이는 은하수는 별들이 밀집되어 분포하는 우리은하의 중심 방향을 바라 본 모습이므로 더 뚜렷하게 보인다.

모범 답안 여름철에 보이는 은하수는 별들이 밀집되어 있는 우리은하의 중심 방향을 바라본 모습이기 때문에 겨울철보다 더 뚜렷하게 보인다.

4 반사 성운은 주변의 별빛을 반사시켜 밝게 보이는데, 주로 파란색으로 보인다.

5 (1) 허블은 외부 은하를 그 형태에 따라 타원 은하, 정상 나선 은하, 막대 나선 은하, 불규칙 은하로 구분하였다.
(2) (가)는 불규칙 은하이고, (나)는 나선팔을 가지고 있고, 가운데에 막대 구조가 있는 막대 나선 은하이다. (다)와 (마)는 타원 은하이며, (라)와 (바)는 나선팔은 있지만 가운데 막대 구조가 없는 정상 나선 은하이다.

6 풍선이 부풀어 오르면 스티커 사이의 간격이 멀어지는 것으로부터 우주가 팽창함에 따라 은하 사이의 거리가 멀어진다는 사실을 비유적으로 알 수 있다. 또한, 풍선 표면에 위치한 어느 스티커를 기준으로 하더라도 가까이에 있는 스티커보다 멀리 있는 스티커가 더 많이 멀어진다. 따라서 풍선 표면에서 팽창의 기준점은 따로 존재하지 않는다는 것을 알 수 있다.

7 습기 배출과 방수 기능을 갖춘 우주복을 연구하는 과정에서 개발된 기능성 옷감은 등산복, 운동복 등에 활용하며, 자기 공명 영상(MRI)과 컴퓨터 단층 촬영(CT)은 달 착륙 전 달의 지형을 파악하기 위해 달 사진 영상을 보정하는 과정에서 개발되어 의료 분야에서 질병의 정확한 진단에 활용하고 있다. 형상 기억 합금은 인공위성이나 우주 탐사선에서 사용할 안테나의 부피를 줄여 운반하는 기술을 연구하는 과정에서 개발되어 안경테, 인공 관절 등에 활용한다.

8 생물체를 모방하여 여러 가지 유용한 물건을 만드는 첨단 과학 기술을 생체 모방 기술이라고 하며, 이는 생명 공학 기술의 하나이다. 생체 모방은 생물체의 구조를 모방하는 방법, 구성 성분을 모방하는 방법, 기능을 모방하는 방법 등 다양하게 이루어진다.

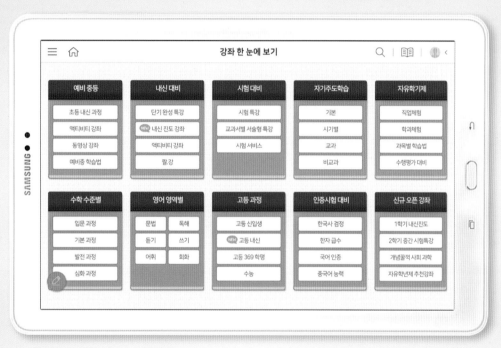

정답은
이안에
있어!

시작은 하루 중학 영어

- 문법 1, 2, 3
- 어휘 1, 2, 3

이 교재도 추천해요!

- G코치 (Grammar Coach)
- 3초 보카

시작은 하루 중학 사회 / 역사

- 사회 ①, ②
- 역사 ①, ②

시작은 하루 중학 과학

- 1-1, 1-2
- 2-1, 2-2
- 3-1, 3-2

배움으로 행복한 내일을 꿈꾸는

천재교육 커뮤니티 안내

교재 안내부터 구매까지 한 번에!

천재교육 홈페이지

천재교육 홈페이지에서는 자사가 발행하는 참고서,
교과서에 대한 소개는 물론 도서 구매도 할 수 있습니다.
회원에게 지급되는 별을 모아 다양한 상품 응모에도
도전해 보세요.

구독, 좋아요는 필수! 핵유용 정보 가득한

천재교육 유튜브 <천재TV>

신간에 대한 자세한 정보가 궁금하세요?
참고서를 어떻게 활용해야 할지 고민인가요?
공부 외 다양한 고민을 해결해 줄 채널이 필요한가요?
학생들에게 꼭 필요한 콘텐츠로 가득한 천재TV로 놀러 오세요!

다양한 교육 꿀팁에 깜짝 이벤트는 덤!

천재교육 인스타그램

천재교육의 새롭고 중요한 소식을 가장 먼저 접하고 싶다면?
천재교육 인스타그램 팔로우가 필수!
누구보다 빠르고 재미있게 천재교육의 소식을 전달합니다.
깜짝 이벤트도 수시로 진행되니 놓치지 마세요!